Wade R. Evans

Les secrets de la

FLEXIBILITÉ

Conception graphique de la couverture: Nancy Desrosiers
Illustration: Image Bank / Michael Knepper

DISTRIBUTEURS EXCLUSIFS:

- Pour le Canada et les États-Unis:
  LES MESSAGERIES ADP*
  955, rue Amherst, Montréal H2L 3K4
  Tél.: (514) 523-1182
  Télécopieur: (514) 939-0406
  * Filiale de Sogides Ltée

- Pour la Belgique et le Luxembourg:
  PRESSES DE BELGIQUE S.A.
  Boulevard de l'Europe, 117
  B-1301 Wavre
  Tél.: (10) 41-59-66
       (10) 41-78-50
  Télécopieur: (10) 41-20-24

- Pour la Suisse:
  TRANSAT S.A.
  Route des Jeunes, 4 Ter
  C.P. 125
  1211 Genève 26
  Tél.: (41-22) 342-77-40
  Télécopieur: (41-22) 343-46-46

- Pour la France et les autres pays:
  INTER FORUM
  Immeuble ORSUD, 3-5, avenue Galliéni, 94251 Gentilly Cédex
  Tél.: (1) 47.40.66.07
  Télécopieur: (1) 47.40.63.66
  Commandes: Tél.: (16) 38.32.71.00
                Télécopieur: (16) 38.32.71.28
                Télex: 780372

Priscilla Donovan et Jacquelyn Wonder

Les secrets de la

FLEXIBILITÉ

SAVOIR S'ADAPTER AUX CHANGEMENTS

Traduit de l'anglais
par Louise Drolet

LES ÉDITIONS DE
L'HOMME

1989, Jacquelyn Wonder et Priscilla Donovan

© 1993, Les Éditions de l'Homme,
une division du groupe Sogides,
pour la traduction française

L'ouvrage original américain a été publié par Doubleday
sous le titre *The Flexibility Factor*
(ISBN: 0-385-24443-6)

Tous droits réservés

Dépôt légal: 2e trimestre 1993
Bibliothèque nationale du Québec

ISBN 2-7619-1122-9

À Jerry Conover:
La dignité que vous avez conservée
à travers les divers changements
survenus dans votre vie nous ont inspirées
et nous ont permis d'écrire les mots
qui nous tenaient le plus à cœur.
Vous étiez toujours prêt à nous écouter,
à exprimer votre point de vue
et à nous remettre au pas si nécessaire.

Avant-propos

Lorsque souffle le vent du changement, certaines personnes courbent l'échine, ferment les écoutilles et laissent passer la crise. D'autres hument le vent, hissent les voiles et se laissent porter en avant. Nous avons découvert ces diverses attitudes face au changement peu de temps après la publication de notre premier livre[1] en 1984.

Nous étions fascinées de voir que des personnes différentes affrontaient le même type de changement avec divers degrés d'aisance et de succès. Pourquoi certaines personnes ne se laissent-elles pas abattre par le changement? Comment acquiert-on cette merveilleuse souplesse? nous demandions-nous. Mais le changement nous submergea à notre tour et les réponses nous échappèrent. Le succès remporté par notre livre nous enivrait mais les bouleversements qu'il entraînait dans notre vie nous distrayaient.

Comme on nous sollicitait de plus en plus pour donner des ateliers, des conférences, des interviews et des consultations, nous avons décidé de répondre à la demande chacune de notre côté. Séparément, nous avons donc cherché les réponses aux mêmes questions: quelle est la nature du changement et comment pouvons-nous le mettre à notre service au lieu d'en être l'esclave? Jacquelyn se concentra sur le changement chez les individus tandis que Priscilla se penchait sur le rôle joué par le cerveau dans la flexibilité des êtres humains.

Nous avons attendu 1986 pour constater que nous nous intéressions de nouveau au même phénomène et avions peut-être découvert les mêmes réponses exprimées différemment. Nous avons jeté un regard neuf sur le travail que nous pouvions accomplir ensemble et établi une nouvelle relation fondée sur l'appréciation sincère des talents de chacune. Nous avons mis en pratique, en nous-mêmes et l'une avec l'autre,

les techniques qui permettent d'effectuer de vrais changements.

Nous offrons un exemple typique de la valeur de la flexibilité lorsqu'il s'agit de faire face à un changement radical, de
s'adapter à une transformation graduelle et d'amorcer un
virage bénéfique. Nous savons que les techniques décrites ici
sont efficaces parce que nous les avons mises en pratique.

Lorsque nous avons recommencé à travailler ensemble,
nous avons compris que le changement lui-même était en train
de changer. On assistait dans tout le pays à des fusions, à des
rachats et à des compressions; le marché global s'était concré-
tisé en une nuit; nos croyances sur la théorie économique,
l'éthique et les usages étaient mises à rude épreuve. Nous
sentions les gens déroutés par ces bouleversements. Nous
humions ce vent de changement et en constatons les effets
tout autour de nous. Nous savions qu'il fallait trouver de
nouvelles façons pratiques d'affronter le changement.

Il existait un certain nombre d'ouvrages intéressants sur
les effets du changement au sein des organisations, mais rien
pour nous aider ni pour aider les gens à affronter leur combat
quotidien contre les fermetures d'usine, la nécessité de se recycler, la déréglementation et les expansions. L'anxiété qui sub-
mergeait nos clients exposés à ces changements déteignait sur
nous. C'est pourquoi nous avons décidé d'écrire un livre qui
porterait non pas sur la nature globale du changement mais sur
la façon dont les individus — dont *vous* — peuvent acquérir la
souplesse nécessaire pour tirer parti du changement.

Cet ouvrage est le reflet de nos découvertes sur le changement et la flexibilité. Il décrit nos perceptions et nos expériences. Il raconte des histoires instructives mettant en vedette
des amis et des clients. Vous découvrirez des attitudes qui vous
permettront d'envisager le changement avec sérénité et des
techniques précises qui vous aideront à l'affronter plus efficacement.

La première partie du livre vous aidera à prendre conscience du changement et de la manière dont vous y faites
face. Au chapitre 2, vous prendrez la mesure de votre «faculté
d'adaptation». Vous verrez si vous affrontez le changement à
la façon d'un risqueur, d'un communicateur, d'un canaliseur
ou d'un raisonneur. Vous verrez comment des «innovateurs»
ayant vécu toutes sortes d'aventures, depuis un terrible accident jusqu'à une profonde humiliation, ont quand même tiré
parti du changement. Vous en apprendrez également davan-

tage sur le pseudo-changement, cette fascinante faiblesse humaine qui nous empêche parfois d'effectuer des changements productifs.

La deuxième partie du livre porte sur le développement de la flexibilité chez l'être humain. Elle comprend un questionnaire grâce auquel vous pourrez identifier vos blocages face au changement. Au chapitre 7, vous apprendrez, à la lecture d'un drame psychologique intitulé «Le dilemme de Jojo», ce qui se passe dans le cerveau lorsqu'on décide de changer ou qu'on est forcé de le faire. Vous découvrirez également quelles sortes d'activités peuvent vous aider à assouplir votre pensée. Le chapitre se termine par un exercice amusant qui fait appel à plusieurs parties du cerveau.

Dans la partie suivante, vous apprendrez des techniques précises pour affronter le changement. Tout d'abord, vous harmoniserez votre intuition et votre faculté de prévoir, puis vous passerez aux façons de faire face aux changements brusques et de vous adapter aux transformations graduelles. Enfin, vous aborderez la mise en œuvre d'un changement. Toutes ces techniques sont illustrées par des histoires vraies. Ainsi, vous verrez comment un promoteur de quarante ans, chômeur et un peu sénile, est devenu la coqueluche d'une ville, et comment une compagnie a survécu et même prospéré après avoir perdu à la fois des millions et son chef charismatique.

La quatrième partie porte sur les organisations. Les données concernant les individus y sont appliquées aux entreprises. Vous verrez que les compagnies traversent des cycles et renaissent constamment de leurs cendres, et que les techniques si efficaces pour les personnes s'appliquent avec succès aux compagnies et aux institutions.

Ce livre est un guide pratique qui vous aidera à accroître votre flexibilité et à maîtriser le changement. Il résulte des expériences de nombreux chercheurs, y compris des auteurs. Pour exercer votre flexibilité, vous devrez y mettre du vôtre. En vous lançant dans cette merveilleuse aventure, dites-vous que d'autres l'ont vécue avant vous et en sont sortis vainqueurs. Chaque étape augmentera votre confiance en vous et votre détermination.

Première partie

La nature du changement et les innovateurs

Chapitre 1

Saisir le moment propice
au changement

Transplantations de mémoire et manipulations génétiques. Médecins menacés de poursuites judiciaires pour négligence professionnelle. Génies en informatique de sept ans. Foisonnement des restaurants minute. Des femmes âgées traversent l'Europe à bicyclette. Des avocats et des hôpitaux utilisent des techniques publicitaires pour mousser la vente de leurs services. Téléphones cellulaires et répondeurs. Fibres optiques et supraconducteurs. *Glasnost* et *perestroïka* russes. Pères en congé de maternité.

Plus près de la réalité de tous les jours: vous perdez votre emploi. Vous avez un enfant. Un ami vous confie qu'il est séropositif. Vous achetez votre première paire de lunettes bifocales. Vous obtenez une importante promotion. Votre compagnie ouvre une magnifique garderie dans ses bureaux. Vos amis proches prennent leur retraite. Soudain, vous voilà la plus âgée de votre groupe au travail.

Votre compagnie traverse une crise à la suite d'un rachat forcé. Vous devez planifier un an à l'avance, mais votre produit le plus populaire à l'heure actuelle sera désuet dans six mois. À titre de directeur de la formation, votre travail consiste à préparer le personnel à des emplois qui n'existent pas encore.

Comment l'esprit humain arrive-t-il à survivre et même à prospérer dans ce chaos? La clé réside dans la flexibilité, c'est-à-dire la capacité de plier sans casser. C'est cette qualité qui nous permet de nous adapter ou de réagir au changement, de nous laisser influencer, d'effectuer des modifications et des variations.

La flexibilité est essentielle à toute forme de vie, aux structures et aux systèmes. Dans la nature, les espèces qui s'adaptent aux modifications de l'environnement deviennent les plus fortes. De même, les constructions qui tiennent debout sont flexibles. L'événement historique dont il est question ci-après démontre bien la nature de la flexibilité tant chez les êtres humains que dans leurs constructions.

Un traumatisme instructif

Les 43 collines de San Francisco présentaient un aspect désolé en ce 18 avril 1906. Au milieu des incendies, des édifices qui s'effondraient et d'un paysage vacillant, 700 personnes étaient mortes dans un tremblement de terre dont l'amplitude s'était élevée à 8,3 sur l'échelle de Richter. Les incendies firent rage pendant trois jours et détruisirent tout le centre de la ville.

San Francisco fut reconstruite rapidement et *différemment*. Les ingénieurs examinèrent de près les structures ayant résisté au désastre et étudièrent les méthodes de construction employées au Japon, pays perché sur un épicentre sismique géant. Ils découvrirent un facteur commun aux édifices restés debout: une conception toute en souplesse. C'est ainsi que naquirent les techniques régissant la construction d'édifices à l'épreuve des secousses sismiques. Ces techniques mettent en jeu un noyau interne solide entouré de sections qui lui sont reliées par des câbles extensibles. Sous l'assaut du vent, des secousses et des explosions, ces câbles résistent aux expansions et aux contractions violentes.

Bien qu'horrible et dévastateur, le tremblement de terre de San Francisco fut donc à l'origine d'importants progrès architecturaux et mena à l'élaboration de codes du bâtiment plus sécuritaires.

On peut établir un parallèle entre cette situation et les grands bouleversements qui surviennent dans notre vie. En fait, les principales théories sur le développement psychologique de l'adulte affirment que la crise est un facteur de croissance. Mais sans flexibilité, une crise peut être destructrice. Les personnes flexibles peuvent non seulement survivre aux chambardements de la vie mais également en tirer parti. Chaque secousse que nous subissons nous donne l'occasion de changer pour le mieux dans l'esprit de *kairos*, terme grec qui signifie «moment propice pour saisir une occasion».

Cette perception grecque du changement vous est-elle familière? Que signifie le changement pour vous? Les termes ci-dessous sont ceux qu'on associe le plus souvent au changement. Encerclez ceux qui reflètent votre perception:

améliorer	bouleversement	évoluer	perturber
modifier	argent	nouveau	remplacer
échanger	vieillir	action	substitut
dégrader	transfert	varier	occasion unique
transformer	meilleur	transition	secouer
emballant	amorcer	amusant	jeune
défi	risqué	naissance	occasion
coucher de soleil	aube	lourd	impressionnant
différent	apprendre	stress	convertir
détériorer	redresser	interchanger	effrayant
refaire	fascinant	agir	chance

Relisez les termes que vous avez encerclés et voyez s'ils s'inscrivent dans un schéma. Reflètent-ils pour la plupart une image agréable du changement? Associent-ils le changement à des problèmes? Sont-ils neutres?

Certains d'entre nous voient toujours le changement d'un œil positif tandis que d'autres lui prêtent des connotations négatives. D'autres encore sont ambivalents à son égard. Si vos expériences avec le changement ont été déplorables, celui-ci vous apparaîtra comme un fardeau. Par contre, s'il vous a toujours été bénéfique, vous le verrez à travers des lunettes roses. En fait, les deux perceptions sont valables parce qu'il est aussi important de repousser le changement nuisible que d'accueillir le changement productif.

Tout le monde veut changer, mais, en fait, nous résistons au changement plus que nous le pensons. «Tout le monde veut aller au ciel, mais personne ne veut mourir», dit-on. Nous voulons tous bénéficier des conséquences positives d'un changement, mais résistons au processus souvent pénible qui y conduit.

Dans le cadre de notre travail auprès de plus de 60 organisations depuis 1984, nous avons constaté que l'ingrédient clé du succès est la flexibilité. Flexibilité dans les styles et les politiques de gestion. Ouverture face aux nouvelles idées et aux nouvelles technologies. Volonté de s'adapter aux changements démographiques. Appréciation de la variété des opinions et des comportements chez les gens.

Quelles caractéristiques constituent la clé du succès dans diverses professions? Voici quelques citations tirées de divers magazines du monde des affaires. Domaine policier: «Le succès de ce type d'organisation policière repose sur sa flexibilité et sa capacité de s'adapter aux conditions changeantes...» Hôpitaux: «Le manque de souplesse administrative a entraîné des conflits croissants et contribué à diminuer le soutien communautaire et politique dont bénéficiait l'organisation.» Santé mentale: «Le titulaire devra faire preuve de flexibilité et d'une grande capacité de tolérer les frustrations.» Association médicale: «Des règles souples sont essentielles.» Affaires: «... on observe un accroissement important de la productivité dans les compagnies où la direction a toute liberté de répartir ses employés de la façon la plus flexible possible[2].»

Nous avons pu observer ces attitudes flexibles dans le cadre de nos ateliers sur la créativité. En associant deux à deux des participants possédant des aptitudes et des capacités de raisonnement différentes, nous avons découvert que les personnes les plus ouvertes aux idées de leur partenaire trouvaient les solutions les plus innovatrices aux problèmes. Même celles qui, au début, refusaient d'écouter les autres et d'essayer de nouvelles méthodes finissaient par élaborer de meilleurs plans qu'en travaillant seules ou avec des partenaires partageant leur point de vue.

Au niveau personnel, les personnes les plus flexibles étaient celles qui s'adaptaient le mieux au changement. Ainsi, en l'espace d'un an, un homme d'affaires apprit que son fils était homosexuel, vit sa compagnie se dissoudre et subit de substantielles pertes financières à la suite du Lundi noir. Or non seulement il survécut à ces changements, mais il en sortit grandi. Il a toujours été sensible à la discrimination; maintenant, il défend avec fermeté mais gentillesse le droit de chacun à la différence. Et sa nouvelle compagnie est un modèle en ce qui concerne l'égalité des chances puisque tous les employés sont actionnaires et participent à la gestion de l'organisation.

Lorsque vous envisagez d'apporter des changements dans votre vie, rappelez-vous que vous avez le droit d'être désorganisé et confus. En tant qu'effets secondaires du changement, le chaos et la confusion sont des signes de santé mais ils peuvent vous pousser à résister au changement même si vous aspirez ardemment au résultat final. Vos succès vous aideront cependant à surmonter ces blocages car ils vous donneront confiance en votre flexibilité et vous permettront d'apprécier ses avantages.

Lorsque vous aurez surmonté un changement avec succès, vous comprendrez que vous n'avez plus besoin d'en être la victime impuissante et que vous pouvez être l'agent d'un changement positif.

Changer peut être une façon de prendre les commandes et de prévoir l'évolution de sa vie même si tout est imprévisible autour de soi.

Le changement radical

Comment prendre les commandes? Il faut tout d'abord comprendre la dynamique du changement.

Il existe trois façons de changer. On peut subir un changement *radical* ou imposé, un changement *adaptatif* ou graduel, ou une transformation qu'on a soi-même *amorcée*.

Les changements radicaux peuvent prendre de nombreux aspects: divorce, perte d'emploi, crise cardiaque, tous ces événements sont facteurs de changement. Certains événements peuvent vous ébranler mentalement, physiquement et émotivement, mais si vous êtes attentif, le choc peut vous réveiller et vous offrir une occasion unique de changer.

Certains changements sont si soudains et si cruels qu'ils vous coupent littéralement le souffle. Doris, trente-huit ans, a consacré cinq ans de sa vie à son travail; son employeur lui a donné une demi-heure pour vider la place après lui avoir signifié son congédiement en cinq minutes. «Et n'emportez surtout aucun document confidentiel», lui a-t-il dit en guise d'adieu.

Un an plus tard, sa voix trahit encore son incrédulité et son dégoût lorsqu'elle décrit la scène: «Cinq années rayées en cinq minutes.» Doris est une petite femme solide aux cheveux noirs qui paraît invincible jusqu'au moment où elle parle de son renvoi. Elle était analyste de systèmes dans une banque.

«J'ai eu l'impression soudaine de me trouver dans un réfrigérateur. J'étais glacée jusqu'à la moelle et pouvais à peine respirer. J'ai passé toute la journée du lendemain au lit à essayer de me réchauffer», nous confie-t-elle, les yeux embués de larmes.

«J'étais en état de choc... et j'ai mis un long moment à m'en remettre. Certains jours je ne faisais rien tandis que d'autres jours, je remuais ciel et terre pour trouver un emploi. J'oscillais sans cesse entre l'exaltation (quand j'avais un emploi en vue) et la dépression. Le fait de rester sans nouvelles après une entrevue ajoutait l'insulte à la blessure. Cela sapait mon énergie et ma confiance en moi.»

En fin de compte, Doris chercha de l'aide et passa un test sur le changement dans un centre pour femmes. Après avoir rempli notre questionnaire sur la faculté d'adaptation, elle comprit combien son milieu de travail à la banque avait été restrictif et avait entravé sa croissance personnelle et son bonheur.

«J'ai réfléchi à mes talents et à mes goûts, dit-elle aujourd'hui. J'ai vu que je possédais du flair pour les affaires et des tas d'idées chouettes. En combinant ces qualités à mon expérience en matière de systèmes, j'ai fondé ma propre entreprise de consultation en informatique à l'intention des individus et des petites entreprises. Je ne dépendrai plus jamais d'un employeur pour ma sécurité d'emploi.»

Et d'ajouter après un moment: «J'aime tenir ma vie en main. Mon congédiement est la meilleure chose qui me soit arrivée.»

Doris a développé cette attitude responsable après avoir subi le rude choc de son licenciement. Elle a découvert en elle des ressources qu'elle ignorait et, désormais, elle est plus heureuse et a davantage confiance en elle. Après avoir souffert et cherché de l'aide, elle a saisi, dans les bouleversements qui ébranlaient sa vie, l'occasion qui s'offrait à elle de changer de carrière.

Le changement adaptatif

Le deuxième type de changement est un processus quotidien et plus graduel. Les gens flexibles s'y adaptent assez naturellement. Ils remarquent de nouveaux événements et de nouvelles relations autour d'eux et s'y adaptent presque automatiquement.

La simple transformation de notre environnement nous pousse à changer et à prendre des mesures positives, comme l'illustre l'histoire de Thomas, un avocat grand et mince qui consacrait la plus grande partie de sa semaine de travail de 70 heures à des représentants de pétrolières.

«Thomas n'est pas exactement le genre de personne que vous saluez avec une tape dans le dos, se rappelle un collègue de travail. En fait, nous avions plutôt l'habitude de passer devant son bureau sur la pointe des pieds de crainte d'être pris dans le tourbillon de son affairement et de son humeur parfois mordante.»

Thomas était issu d'une famille de professionnels dont les normes élevées lui avaient conféré énormément d'intensité et d'énergie. C'était un travailleur qui n'entendait pas à rire. Son style analytique et son attitude responsable envers ses clients le poussaient à scruter le moindre détail juridique et à identifier chaque problème éventuel sans rien omettre. Ses clients s'inquiétaient parfois du grand nombre de points qu'il soulevait.

Toutefois, lorsque survint la crise du pétrole, Thomas eut deux fois moins de travail que l'année d'avant. Sa clientèle avait baissé et il disposait de beaucoup de temps pour réfléchir à son style de travail, à ses valeurs et à son avenir. «J'étais mal à l'aise sans travail, nous confia-t-il récemment, tout en éprouvant un sentiment de liberté que je n'avais pas ressenti depuis mes années d'université. Je regardais par la fenêtre de mon bureau et observais les mimiques et les gestes des passants. Puis, j'ai commencé à travailler au YMCA non loin d'ici.

«J'ai apporté des changements au bureau. J'ai laissé tomber ma place de stationnement pour prendre l'autobus ou ma bicyclette. J'ai sous-loué la moitié de mon bureau et abandonné un de mes téléphones. J'ai annulé mon adhésion à certaines associations et mon abonnement à certains magazines. Ces coupures et d'autres réductions dans mes dépenses courantes ont grandement diminué la pression que je subissais», d'affirmer Thomas.

«En fait, le temps libre dont je dispose a modifié ma façon de travailler. Comme je passe plus de temps avec chacun de mes clients, j'arrive à les connaître en tant que *personnes* et non pas seulement en tant que ressources financières. Maintenant, *j'évalue* leurs intérêts en mettant en relief les plus importants. Je suis certain de faire un meilleur boulot maintenant que je comprends mes clients davantage. En outre, j'aime beaucoup mieux travailler avec des gens qu'avec des problèmes juridiques.

«C'est étrange de voir comment un changement en entraîne graduellement un autre. Comme je travaille moins, je passe plus de temps avec ma famille et je fais des choses spontanément, par exemple jouer à la balle avec mon fils de onze ans ou faire une promenade.»

Thomas devint plus facile à aborder et plus conscient des occasions qui s'offraient à lui. Un an plus tard, il rencontra un présentateur et se rappela qu'étant jeune, il rêvait de devenir annonceur à la radio. Il se mit à écouter les postes de radio locaux afin de voir lequel était le plus proche de sa personnalité.

Aujourd'hui, Thomas poursuit une carrière auxiliaire en animant un magazine d'information sur le droit qui lui permet de mettre en valeur sa belle voix, son esprit vif et son expertise juridique. Cet à-côté ajoute du piquant à sa semaine et amène de nouveaux clients à son cabinet où il se penche désormais sur des problèmes variés et intéressants.

«Dès que j'ai eu quelques trous dans mon horaire, toutes sortes de nouvelles options se sont présentées à moi, dit-il aujourd'hui, quatre ans plus tard. Je ne reviendrai jamais à mon ancien mode de vie rigide.»

Apparemment, Thomas était plus flexible que ne l'avaient cru ses collègues de travail. Sa faculté de s'adapter au manque de travail lui a fait découvrir les possibilités inhérentes au changement.

Le changement qu'on amorce soi-même

Les gens comme Thomas, qui possèdent une grande flexibilité, sont prêts à affronter le troisième type de changement, plus complexe: le changement qu'on amorce soi-même. Marie, une femme sensible de trente-deux ans dont la mise élégante et la taille mince constituent une publicité ambulante pour son commerce de vêtements, en est un exemple.

«J'ai toujours été passionnée par les vêtements. Mes parents et grands-parents aussi, raconte-t-elle en riant. Donc quand Robert, mon mari, entreprit ses études en médecine, ma première pensée fut de travailler à la Mecque de la mode.»

Son enthousiasme pour les vêtements et la vente au détail l'a toujours aidée. Lorsque Robert termina ses études, le couple déménagea et, forte de l'expérience acquise, Marie trouva tout de suite un emploi dans un grand magasin. Elle gravit rapidement les échelons et devint bientôt acheteuse d'une ligne de vêtements de couturier.

Les époux achetèrent leur première maison et une seconde voiture, et leur vie se stabilisa pour la première fois. Quand sa sœur, sa belle-sœur et ses amis commencèrent à avoir des enfants, Marie éprouva le besoin d'en avoir aussi. Soudain, elle voyait des enfants et des femmes enceintes partout. Les allusions de ses parents à leur désir d'avoir des petits-enfants faisaient écho à son propre désir d'être mère.

Cependant, elle était tiraillée entre sa carrière et l'idée de fonder une famille. «Robert et moi avions toujours voulu avoir des enfants lorsque nous serions financièrement à l'aise, mais lorsque ce fut le cas, j'hésitai à perdre la position que j'avais acquise dans un domaine que j'aimais beaucoup.» En outre, elle craignait de nuire à l'agréable relation qu'elle et Robert avaient établie en tant que couple sans enfant jouissant d'un double revenu.

Tant qu'elle n'eut pas participé à notre atelier sur le changement, Marie fut incapable de résoudre ce conflit et d'accepter d'avoir des enfants. Une de nos techniques lui permit de voir sa vie telle qu'elle la souhaitait trois ans plus tard:

1. J'aimerais être la mère d'un bébé de six mois.
2. J'aimerais coordonner mon désir d'avoir des enfants avec ma carrière.
3. J'aimerais être mon propre patron tout en conservant un cercle d'associés avec lesquels je pourrais discuter affaires.
4. J'aimerais gagner au moins autant d'argent que maintenant.
5. J'aimerais être reconnue comme une sommité dans le domaine des tendances vestimentaires.

Tout un programme... que Marie réalisa tout en allant encore plus loin. Les légères secousses qui se produisirent dans son cerveau lui fournirent l'élan nécessaire pour *amorcer* un changement. Au cours de ses déplacements, Marie ne manquait jamais de faire un saut dans les magasins de vêtements de maternité et d'enfants. Elle touchait les tissus et observait les styles. Avec ses amies et sa famille, elle discutait de vêtements et d'accessoires pour les bébés et les mères. Elle cherchait des parallèles entre la mode pour bébés et la mode pour adultes.

Marie se rendit bientôt compte que si la conception des vêtements répondait aux besoins des adultes, la situation était tout autre en ce qui concernait les enfants (et leurs parents). La plupart des vêtements pour bébés ne possédaient pas l'originalité de la garde-robe destinée aux jeunes. Les vêtements les plus originaux n'étaient pas pratiques. Ils n'avaient pas de boutons à pression pour faciliter l'habillage, et les tissus naturels exigeaient des heures de repassage.

En s'immergeant dans cet univers, Marie se mit à imaginer un magasin qui répondrait tant aux besoins des nourrissons, des bambins et des enfants d'âge préscolaire qu'à ceux de leurs mères. Elle engageait mentalement les membres de sa famille comme commis, prévoyait la couleur des murs et la disposition des étalages et enfin, imaginait ouvrir des succursales.

Jusqu'à présent, Marie a pris un excellent départ dans sa nouvelle vie. Elle a un fils, Philippe, et un plan pour sa boutique Mère-Enfant. Elle discute de sites d'essai et travaille avec un spécialiste de la mise en marché. Elle est en contact avec des investisseurs japonais et plusieurs personnes prêtes à investir du capital de risque.

Marie a découvert qu'elle pouvait avoir des enfants et une carrière encore plus satisfaisante qu'elle ne l'avait imaginé. «Je suis comblée», dit-elle aujourd'hui avec le sourire.

Les personnes comme Marie s'adaptent facilement au changement. Si vous avez connu un succès semblable, bravo pour votre aptitude à amorcer des changements productifs.

Vers une plus grande flexibilité

Il vous reste encore plusieurs chapitres à lire avant de connaître en détail le processus qui a aidé Marie à transformer sa vie et à s'épanouir. Mais vous êtes à la veille d'entreprendre une démarche qui vous aidera à assouplir votre pensée et votre comportement. La première étape consiste à reconnaître si le changement qui se produit actuellement dans votre vie est un changement radical, imposé; une transformation graduelle; un changement que vous avez amorcé vous-même; ou un changement qui présente ces trois caractéristiques à la fois (exemple: un accident de voiture peut vous forcer à vivre sans permis de conduire et à faire un effort pour déchiffrer les horaires des autobus de la ville).

Dans le prochain chapitre, nous évaluerons votre degré d'adaptation au changement et celui de votre milieu. Vous apprendrez quelles sont vos forces et vos faiblesses en ce qui touche le changement et la manière de renforcer vos atouts. La deuxième partie vous permettra de clarifier les effets physiques et psychologiques du changement sur vous tandis que la troisième partie vous présentera des techniques permettant d'amorcer des changements. Enfin, dans la quatrième partie, nous appliquerons ces mêmes techniques aux organisations. Quelque part en chemin, vous ressentirez l'excitation de *kairos*. Vous découvrirez le moment propice pour saisir une occasion favorable!

En lisant un livre sur le changement, vous vous exposez à affronter des exercices dérangeants qui pourraient vous ouvrir au changement et vous convaincre d'envisager de nouvelles façons d'y faire face. Cette volonté de vous pencher sur vos aptitudes reflète votre souplesse potentielle. Souvent, cette ouverture s'allie à la discipline nécessaire pour devenir un innovateur efficace. Vous avez pris un bon départ et pouvez effectuer d'importants changements dans votre vie.

Ce livre constitue un guide clair et pratique qui vous aidera à réaliser ces changements. Bien que le changement soit déstabilisant par nature, ce livre le rendra stimulant et séduisant à vos yeux. Et nous commençons tout de suite: chaque chapitre des deux premières parties se termine par un bref résumé qui renferme des activités précises vous permettant de mettre à profit vos nouvelles connaissances. Vous pourrez ainsi réviser et appliquer les grandes lignes du chapitre. Vous changerez étape par étape.

Étape 1: Trouvez des moments particuliers de votre vie où vous avez expérimenté les trois types de changement: radical, graduel et amorcé. Prendre conscience du changement constitue la première étape vers le succès.

Chapitre 2

Votre faculté d'adaptation
au changement

Jocelyne se voyait comme une personne qui s'adaptait *très* facilement au changement. Elle s'enorgueillissait d'être toujours à l'avant-garde des nouvelles idées, techniques et aptitudes. À titre de conseillère en gestion, elle rencontrait différents clients et présentait divers produits dans des endroits nouveaux chaque jour. «J'aime le changement, disait-elle souvent. Il me stimule, m'enivre, me réussit!»

Puis, un jour qu'elle suivait son cours de tennis habituel, son moniteur lui dit: «Jocelyne, pour que tu changes ta façon de tenir ta raquette, il faudra que je t'y attache la main!» À plusieurs reprises il avait essayé de modifier la position de sa main afin que son service soit plus difficile à renvoyer. «C'était une solution qu'on pouvait envisager, mais à vrai dire, j'étais en colère», d'avouer Jocelyne.

En se rendant au travail ce matin-là, Jocelyne réfléchissait au commentaire de son moniteur. «Je suppose que je ne suis pas si ouverte au changement que je le croyais.»

Jocelyne n'est pas différente de nous tous. La plupart d'entre nous sont souples dans certains domaines de leur vie et moins souples dans d'autres.

Le test qui suit vous aidera à mesurer votre degré d'ouverture face au changement.

HISTORIQUE DU QUESTIONNAIRE
SUR LA FACULTÉ D'ADAPTATION

Nous avons perfectionné notre questionnaire pendant les quatre années où nous avons étudié la façon dont les êtres humains affrontent le changement et l'amorcent dans leur vie. La première partie du questionnaire s'inspire d'une version de 1984 qui établissait un vague parallèle entre le fonctionnement des hémisphères droit et gauche du cerveau, et l'aptitude à créer et à changer. Nous y avions soumis 680 professionnels de la santé. Après avoir analysé les résultats, nous avons modifié notre test pour l'administrer à 280 clients et participants à nos ateliers. Nous étions en 1986. En 1987, nous l'avons modifié de nouveau afin de tenir compte des travaux de Milton Rokeach sur le dogmatisme[3] et des corrélations établies par Silvano Arieti entre la flexibilité, la santé mentale et la créativité[4]. Nous avons également consulté Michael A. Solomon pour la formulation finale des parties 1, 2 et 3. Au début de 1988, le questionnaire prit sa forme actuelle avec l'ajout des parties portant sur la maison et le travail. Depuis lors, il a été administré à environ un millier de participants à nos ateliers. Trente professionnels œuvrant dans les domaines de la santé mentale et physique, de l'éducation et des affaires y ont répondu et le considèrent comme une façon utile de déterminer la faculté d'adaptation au changement.

Votre faculté d'adaptation au changement

Partie 1: Vous

Dans les situations décrites ci-dessous, nous proposons quatre réactions ou mécanismes d'adaptation. Imaginez-vous dans chaque situation et cochez toutes les réactions que vous pourriez adopter, en passant outre celles que vous auriez rarement ou n'auriez jamais. Inscrivez «1» devant votre réaction préférée.

1. Quels sont vos préférés parmi les dessins ci-dessous?
   a._____   b. _____   c. _____   d. _____

2. Si la compagnie réduisait nos prestations d'assurance:
   a. _____ j'en parlerais à l'agent d'indemnisation.
   b. _____ j'en discuterais avec mes collègues pour voir s'ils pensent comme moi.
   c. _____ je prendrais une assurance supplémentaire pour compenser le manque à gagner découlant de cette mesure.
   d. _____ je me demanderais si la compagnie connaît des difficultés financières et réviserais mes choix de carrière.

3. Si un collègue et ami qui devait déjeuner avec moi se décommandait au dernier moment:
   a. _____ je lui demanderais des explications.
   b. _____ j'interrogerais mes collègues pour savoir si ce comportement lui est habituel.
   c. _____ je me demanderais comment employer mon temps libre et comment celui-ci influe sur mon horaire.
   d. _____ je me demanderais si mon collègue avait une bonne raison d'annuler notre déjeuner.

4. Si je devais suivre une formation dans un domaine entièrement nouveau:
   a. _____ je me réjouirais d'apprendre quelque chose de tout à fait neuf.
   b. _____ je me renseignerais auprès de ceux qui ont déjà suivi cette formation.
   c. _____ je recueillerais des données utiles.
   d. _____ j'évaluerais le degré d'utilité de cette formation.

5. Si j'étais muté dans une autre ville:
   a. _____ je m'imaginerais en train d'y vivre et d'y travailler.
   b. _____ je me renseignerais sur cette ville auprès de mon entourage.
   c. _____ j'appellerais un courtier en immeubles pour régler la question de mon logement.
   d. _____ je passerais en revue les avantages et désavantages sociaux, personnels et financiers liés au fait d'habiter dans cette ville.

6. Si je remarquais que la santé d'un de mes parents était en train de décliner:
   a. _____ j'appellerais son médecin pour connaître son avis.
   b. _____ j'en parlerais avec les membres de ma famille et mes amis.
   c. _____ je lirais des articles sur la maladie dont il souffre et ses symptômes.
   d. _____ j'essaierais de déterminer la gravité de sa maladie.

7. Si une personne qui m'est chère mettait soudainement fin à notre relation:
   a. _____ je sortirais davantage, trouverais de nouveaux intérêts, exploiterais un nouveau talent.
   b. _____ j'adhérerais à un groupe de soutien pour les personnes ayant souffert d'une rupture; je parlerais à des personnes qui «sont passées par là».
   c. _____ je mettrais mon énergie dans les domaines de ma vie où tout va bien.
   d. _____ j'essaierais de déterminer la cause de la rupture et consulterais peut-être un expert.

8. Si mon chroniqueur préféré cessait d'écrire dans le journal:
   a. _____ j'appellerais le rédacteur en chef pour lui
   demander des explications.
   b. _____ je lirais la chronique de son remplaçant en la
   comparant à la sienne.
   c. _____ j'organiserais une pétition demandant le réta-
   blissement de sa chronique.
   d. _____ je passerais mentalement en revue les dernières chroniques afin de trouver des raisons
   justifiant ce changement.

9. Si un projet que j'ai élaboré était rejeté:
   a. _____ je protesterais et tenterais de faire changer
   d'avis les personnes qui s'y objectent.
   b. _____ je consulterais d'autres personnes puis je
   recommencerais à neuf.
   c. _____ si les objections soulevées me semblaient
   fondées, je renoncerais à mon projet et passerais à autre chose.
   d. _____ je rechercherais les failles dans mon projet.

10. Si un ami portait une tenue inappropriée:
   a. _____ je sourirais et dirais «Aux innocents les mains
   pleines».
   b. _____ je demanderais leur avis aux autres.
   c. _____ je l'inviterais à ne pas adopter cette tenue au
   travail.
   d. _____ je m'inquiéterais pour mon ami, mais ne dirais
   rien.

11. Si la circulation me retardait d'une demi-heure alors
    que je me rends à un rendez-vous important:
   a. _____ j'essaierais de prendre un raccourci ou un
   autre chemin.
   b. _____ je répéterais mentalement les raisons de mon
   retard.
   c. _____ j'essaierais de trouver un téléphone afin d'annoncer mon retard.
   d. _____ j'évaluerais la façon de tourner la situation à
   mon avantage.

12. Si on me demandait, 20 minutes avant une réunion, de présenter un projet dont je suis responsable:
   a. _____ j'accueillerais avec joie cette occasion de faire bonne impression et imaginerais une façon saisissante de le présenter.
   b. _____ je demanderais conseil aux membres de mon équipe; j'élaborerais un bref survol.
   c. _____ j'oublierais tout ce qui se passe autour de moi pour présenter les grandes lignes de mon projet.
   d. _____ j'attendrais d'être mieux préparé pour présenter mon projet.

13. Si on contestait mon point de vue pendant une discussion sur un sujet que je connais bien:
   a. _____ j'apprécierais la controverse si mon interlocuteur est intelligent et amical.
   b. _____ je demanderais des précisions à mon interlocuteur, puis je reformulerais ses paroles afin de clarifier son point de vue.
   c. _____ je comparerais nos points de vue respectifs et tenterais d'atteindre un consensus.
   d. _____ je referais le cheminement mental qui m'a conduit à adopter mon point de vue et me demanderais si mon interlocuteur possède plus de données que moi sur le sujet.

_____	_____	_____	_____
a	b	c	d

Pour calculer votre pointage, comptez le nombre de *premiers* choix que vous avez cochés en a, b, c et d et inscrivez-les ci-dessus.

Comptez maintenant toutes les réponses que vous avez cochées:_____

*　*　*

Que comporte la partie 1?

Vous venez de compléter la première partie d'un questionnaire qui en comprend trois et qui vous permettra de déterminer votre faculté d'adaptation au changement. Cette première partie comporte des questions destinées à sonder vos réactions face à diverses formes de changement.

En la relisant, vous verrez qu'elle touche plusieurs choses, depuis votre goût en matière de design jusqu'à votre manière de faire face aux changements mineurs et majeurs de votre vie quotidienne.

Pour chaque situation, vous avez le choix entre quatre réactions différentes, qui sont toutes des façons valables, normales et efficaces de réagir face au changement. Si vous avez coché les quatre réactions, cela indique que vous êtes très flexible et avez le choix entre plusieurs réactions face au changement proposé.

Quelle sorte d'innovateur êtes-vous?

Vos premiers choix laissent-ils entrevoir un modèle de comportement? Chaque ligne (a, b, c ou d) représente un mode de réaction face au changement. Si vos premiers choix se situaient pour la plupart à la ligne a, vous affrontez le changement avec enthousiasme, spontanéité et audace. Vous êtes ce que nous appelons un *risqueur*.

Si vous étiez surtout attiré par les réactions de la ligne b, vous avez tendance à rechercher les conseils de vos amis, de votre famille et des autres en situation de changement. Vous possédez une grande aptitude à communiquer avec les autres; la ligne b est celle du *communicateur*.

Si vos réactions préférées correspondaient surtout à la ligne c, vous êtes capable de canaliser votre énergie et aimez faire une chose à la fois. La ligne c représente le *canaliseur*.

Si votre préférence allait aux réactions de la ligne d, vous manifestez une attitude réfléchie et soigneuse, un style logique et ordonné face au changement. Ce style est caractéristique du *raisonneur*.

Comment des personnes possédant un style différent abordent-elles le même type de tâche? Par exemple, comment chacune d'elle apprend-elle à skier? Le risqueur se lance sur les pentes. Comme il progresse mieux sous pression, il se met continuellement au défi. Il apprend sur le tas.

Le communicateur apprend en posant des questions d'ordre technique aux skieurs chevronnés ou aux instructeurs; il comprend très bien les indices sensoriels. Ainsi, pour améliorer son slalom, on lui dira: «Pour ciseler tes virages et éviter de déraper sur la glace, mets ton poids sur tes pieds et imagine que tu presses une moitié d'orange sous tes skis.»

Le canaliseur fait abstraction de tout pour se concentrer sur ses sensations visuelles et sur chaque accident de parcours. Il affiche une attitude concentrée et intense.

Le raisonneur commence par prendre tous les renseignements qu'il peut sur le ski et achète un équipement haut de gamme. Il demande des instructions détaillées et cherche constamment des trucs qui lui faciliteront la tâche.

Le risqueur

Si vous aviez une préférence pour les réactions de la ligne a, vous êtes un risqueur, une personne qui n'a pas peur du changement. Que ce soit au niveau mental ou physique (ou les deux), vous aimez le risque. Vous êtes le chef qui a appris à diriger en dirigeant, l'innovateur qui a acquis son savoir-faire sur le tas. Votre aisance face au risque vous aide à effectuer de grands bonds en avant lorsque vous devez faire des changements importants. Le risqueur est en général une personne extravertie, visuelle, aimant l'action, qui ne s'arrête pas aux détails. Dans bien des circonstances, votre énergie et votre intuition vous aident à affronter le changement avec aisance, mais lorsque vous commettez une bourde, elle est de taille.

Le communicateur

Si la plupart de vos premiers choix se trouvaient sur la ligne b, vous êtes un communicateur et un sondeur d'opinion. Comme vous avez de la facilité à communiquer avec les gens, lorsque vous êtes confronté au changement, vous sollicitez leur avis plutôt que de vous concentrer sur les faits et les détails. Vous modifiez votre attitude en fonction de votre entourage. Comme vous êtes très sensible aux autres, vous exercez une profonde influence sur eux. Vous consultez des professionnels, des amis, des membres de votre famille et des gens ordinaires. Cette attitude est efficace dans la mesure où vous vous arrêtez à un moment donné pour effectuer le changement nécessaire. Mais un sondage d'opinion excessif peut vous laisser confus et découragé; si vous recueillez trop d'opinions contradictoires, vous n'aurez plus le courage de faire la part des choses.

Le canaliseur

Si vous manifestez une préférence pour les réactions de la ligne c, vous êtes un canaliseur centré sur ses objectifs. Même si vous possédez des attitudes bien définies face au changement, vous réévaluez périodiquement votre façon de faire les choses, surtout en présence d'un problème. En situation de changement, vous vous montrez pratique et essayez d'en tirer des avantages concrets. Si l'on vous interrompt ou vous offre une diversion agréable, vous n'avez pas de difficulté à vous remettre au travail. Votre profonde concentration vous rend très efficace et imperturbable même sous pression. Il peut vous arriver, toutefois, de négliger des circonstances ou des détails importants. Vous vous comportez alors comme le plombier qui, chargé de refaire la plomberie d'une cuisine, est si absorbé par son travail qu'il ne voit pas la pression qui s'accumule dans le réservoir d'eau chaude. Au moment où il met la dernière main à la magnifique cuisine design, le réservoir explose, maculant d'eau sale les surfaces virginales.

Le raisonneur

La ligne d est souvent la préférée du raisonneur, un être doté d'un esprit analytique, qui aborde le changement d'une manière réfléchie. Si vous êtes un raisonneur, vous fondez votre attitude et vos réactions sur vos expériences passées et sur des données recueillies avec soin. Avant d'entreprendre quoi que ce soit, vous consacrez beaucoup d'énergie à cette recherche, en vous assurant de bien saisir toutes les implications du changement. Vous êtes particulièrement à l'aise face aux changements qui exigent un grand sens de l'organisation. Par exemple, si vous envisagez de déménager à l'autre extrémité du pays, vous dressez des inventaires et des plans de travail pour chaque phase de l'entreprise. Vous adorez cette forme de planification que les autres trouvent fastidieuse. Votre tendance à trop planifier risque toutefois de vous nuire si vous irritez vos collègues ou vous passionnez pour vos recherches au point de ne plus agir.

Pour illustrer de façon saisissante les distinctions entre ces quatre types d'innovateurs, nous avons mis en parallèle le style de quatre journalistes de la télévision appartenant chacun à l'un de ces types.

Le risqueur révèle son caractère au moment des entrevues. Il fouine, ne met pas de gants et accule son interlocuteur au pied du mur. Il est toujours poli, mais provoque souvent son interlocuteur au point de lui faire perdre son sang-froid ou presque. Spirituel, il a recours à l'humour pour provoquer des réponses spontanées. Bien que connaissant à fond son sujet, il pose ses questions avec insouciance, s'exposant volontiers aux réprimandes des personnalités de marque qu'il interviewe.

Le communicateur, pour sa part, se spécialise dans les histoires détaillées qu'il obtient en effleurant un grand nombre de sujets avec chaque interlocuteur. Il est renommé pour son aptitude à poser des questions personnelles visant à soutirer à son invité des informations que celui-ci n'avait pas l'intention de révéler. Il lui arrive souvent de tisser les données tirées de plusieurs entrevues en une grande tapisserie colorée. Il emploie une méthode typique du communicateur: il parle à un grand nombre de personnes et tire une seule grande conclusion de ses découvertes.

Le canaliseur, quant à lui, dissèque un sujet chaque soir en interrogeant différents experts. Avec une insistance polie, il ramène son invité sur le sujet et pilote l'entrevue de manière à le couvrir à fond. Le lendemain soir, il passe à un autre sujet auquel il accorde la même attention soutenue.

Ses vêtements sobres, son timbre égal, et ses sujets et opinions soigneusement étudiés sont parfaitement conformes au style du raisonneur. En étudiant de plus près cette personne à l'allure sérieuse, on peut en distinguer le côté plus léger: son aptitude à s'exprimer de manière intelligente, son esprit vif et intellectuel, et sa passion pour le base-ball et la vie familiale.

Il est probable que ces quatre types de journalistes recourent aux autres modes de réaction à l'occasion. Ils peuvent adopter un style à la maison et un autre au travail. La plupart d'entre nous le font et c'est ce qui nous permet de maintenir un certain équilibre dans notre vie. Si vous agissez en raisonneur au travail, vous devez vous glisser à l'occasion dans la peau du communicateur ou du risqueur pendant le week-end afin de conserver une attitude souple, de stimuler votre créativité et de répondre aux besoins de votre famille.

Dans un article qu'il écrivit après avoir assisté à une représentation des *Misérables*, George Will décrit comment il a provisoirement abandonné son rôle de raisonneur pour endosser celui de risqueur: «Une moitié de mon cerveau — la moitié rationnelle et conservatrice — fait le commentaire suivant: «Quel sentimentalisme écœurant, tout cela n'est qu'un tissu de

balivernes pernicieuses et on nous manipule sans vergogne»,
tandis que la moitié plus complaisante et plus libérale dit:
«Ouais, et c'est drôlement chouette[5]!»

Les personnes qui traversent de grands changements avec
succès adoptent automatiquement leur mode de réaction
primaire tout en conservant un équilibre global entre les divers
modes. Voici quelques exemples tirés de nos ateliers:

- Sur les 120 bénévoles qui œuvraient au sein d'une
association aux prises avec de graves difficultés financières, on comptait 55 communicateurs, 40 canaliseurs,
20 risqueurs et 15 raisonneurs, soit un équilibre qui
devrait permettre à cette association de surmonter sa
crise.
- Cinquante-et-un pour cent d'un groupe de cent soixante
juges ont obtenu un nombre égal de points dans les
quatre catégories de réaction du test, ce qui n'est pas
étonnant dans une profession où on doit tenir compte
de tous les points de vue.
- Quarante-deux des cinquante ingénieurs et techniciens
en informatique que comptait une compagnie de télécommunications en cours de dessaisissement étaient
également répartis entre les canaliseurs et les communicateurs, une combinaison gagnante lorsqu'il s'agit de
restructurer des produits afin de les rendre concurrentiels.
- Chaque membre d'un groupe d'ingénieures et de direc-
trices des ressources humaines d'une même compagnie
a obtenu 25 p. 100 dans chacune des catégories de
réaction, ce qui indique que le groupe est formé de
personnes vraiment équilibrées.
- Soixante pour cent des nouveaux directeurs engagés
par une grande banque étaient des canaliseurs, ce qui
indique que la banque a trouvé les chefs dont elle a
besoin pour modifier son orientation.

Ces exemples illustrent le style de quatre journalistes et le
degré d'adaptation nécessaire aux innovateurs qui réussissent
démontrent que les quatre catégories de réaction offrent des
façons valables d'affronter le changement mais que l'idéal consiste à s'inspirer de plusieurs styles à la fois. Une compagnie
peut y parvenir en équilibrant ses effectifs. Au niveau personnel, vous pouvez atteindre ce même équilibre en découvrant

quelle catégorie vous devez renforcer en vous. L'idéal pour cette partie du test consiste à posséder un style privilégié mais aussi à démontrer une aptitude à employer les autres styles avec aisance. En observant cette mesure de votre flexibilité, remarquez les domaines où vous pourriez commencer à assouplir vos muscles face au changement.

Les deux parties suivantes du questionnaire visent à évaluer votre flexibilité au travail et à la maison. La partie 2 se rapporte à votre milieu familial et la partie 3, à votre milieu de travail.

Partie 2: La maison

Cochez tous les énoncés qui s'appliquent dans votre cas:

1. Tâches ménagères
   _____ J'exécute des tâches non traditionnelles pour les personnes de mon sexe.
   _____ Mon conjoint ou ma conjointe/mon ou ma colocataire partage les tâches ménagères avec moi.
   _____ D'autres personnes de la maison mettent la main à la pâte.
   _____ J'engage régulièrement une aide ménagère.
   _____ Il m'arrive de recourir à des services de livraison alimentaire (pizza, épicerie).
   _____ Je possède en général les plus récents appareils électroménagers.

2. Vacances
   _____ Il m'arrive de prendre des vacances seul(e).
   _____ Il m'arrive de rendre visite à ma famille ou à mes amis.
   _____ Je prends des vacances chaque année.
   _____ Je prends régulièrement des vacances avec mon conjoint ou ma conjointe/mon ou ma colocataire.
   _____ Il m'arrive de combiner un voyage d'affaires avec un voyage d'agrément.
   _____ Il m'arrive de partir en vacances sur l'inspiration du moment.
   _____ J'ai un endroit où aller pour me reposer (montagne ou mer).
   _____ Je voyage à l'étranger.

3. Transport

_____ Je voyage seul(e) pour aller au travail.

_____ En raison de la proximité de mon bureau et des magasins, je me déplace à bicyclette.

_____ Je peux prendre le train, l'autobus ou un moyen de transport rapide pour un tarif raisonnable.

_____ Je peux profiter d'un service de covoiturage pour aller travailler.

_____ Je fais mes courses avec des amis.

_____ J'utilise une voiture fournie par la compagnie (ou j'utilise le service de covoiturage de la compagnie, etc.).

_____ Mon horaire de travail me permet de voyager en dehors des heures de pointe.

_____ Je n'ai pas à conduire mes enfants, les membres de ma famille ni mes amis.

4. Finances

_____ Je ne suis pas l'unique source de revenus à la maison.

_____ J'ai des revenus autres que mon salaire.

_____ Mon revenu est assorti de certaines primes de rendement.

_____ Je pourrais tirer un revenu de certaines activités non professionnelles (artisanat, chant, etc.).

_____ Ma carrière est en plein essor.

_____ La carrière de mon conjoint ou de ma conjointe est en plein essor.

_____ Je possède généralement une marge confortable de revenu disponible.

_____ Je peux souscrire à un régime de retraite.

_____ Je bénéficie d'une pension alimentaire, de prestations d'anciens combattants, etc.

_____ J'ai fait des investissements.

_____ J'ai accès au crédit ou à un capital de risque ou les deux.

5. Repas

_____ Je mange une nourriture variée qui comprend des mets simples, des mets ethniques et des mets fins.

_____ Mes menus ont changé depuis cinq ans.

_____ Les membres de mon foyer aiment essayer de nouveaux mets.

_____ Comme je dîne souvent seul(e), je peux manger ce qui me plaît.

_____ Plus d'une personne prépare les repas dans ma famille.

_____ Je dispose d'outils de cuisson variés (four, micro-ondes, barbecue, marmite électrique).

_____ Il m'arrive de manger à l'extérieur, de me faire livrer de la nourriture, d'en acheter à un comptoir de mets à emporter ou de manger dans un restaurant minute.

_____ Je recours parfois aux services d'un traiteur.

6. Occasions spéciales

_____ Je consulte souvent mes amis pour mes divertissements.

_____ Les congés soulignent un grand nombre de coutumes familiales traditionnelles.

_____ J'ai beaucoup d'amis issus de tous les milieux.

_____ J'aime planifier des sorties inhabituelles (soirée tennis-barbecue ou projection de vieux films avec maïs soufflé et friandises glacées).

_____ Nous recevons fréquemment les amis de mon conjoint ou ma conjointe/de mon ou ma colocataire.

_____ Je suis à l'aise dans la plupart des groupes sociaux.

_____ Je choisis habituellement seul(e) les événements sociaux auxquels je participe.

7. Communication avec mon conjoint ou ma conjointe, la personne qui compte le plus pour moi, mon meilleur ami ou ma meilleure amie:

_____ Nous exprimons nos besoins clairement et sans ambages.

_____ Nous communiquons avec humour.

_____ Nos rapports sont émaillés de sarcasmes et de taquineries.

_____ Nous nous comprenons souvent à demi-mot.

_____ Nous nous réservons certains moments pour parler de nos activités et de nos pensées.

_____ J'ai des amis fiables à qui je peux parler franchement et librement.

Combien d'énoncés avez-vous cochés dans cette section? _____
(ajoutez 5 points si vous vivez seul(e).

Partie 3: Le travail

Cochez tous les énoncés pertinents dans votre cas.

1. Tâches professionnelles
   _____ Je change fréquemment de rôle.
   _____ La personne qui a une idée doit l'exécuter.
   _____ Les descriptions de tâches sont souvent modifiées en fonction de la situation.
   _____ Certains de nos employés se partagent un poste.
   _____ Nous pouvons recourir aux services de conseillers extérieurs si besoin est.
   _____ Nous pratiquons la formation par rotation de postes dans une large mesure.
   _____ Chaque membre du personnel possède des aptitudes variées.

2. Horaire de travail
   _____ Nous avons/j'ai des horaires de travail variés.
   _____ Il est assez facile de modifier nos horaires de travail.
   _____ Dans les moments critiques, quand nous sommes pressés par le temps, nous sommes centrés sur nos tâches, mais autrement nous organisons notre temps à notre guise.
   _____ Nous adaptons/j'adapte mes horaires aux besoins individuels si possible.
   _____ Nous avons/j'ai des employés à temps partiel.
   _____ Nous avons un horaire flexible.

3. Réunions
   _____ Nous dirigeons les réunions chacun notre tour.
   _____ Nous suivons un ordre du jour, mais il n'est pas sacré.
   _____ Nous sommes tous consultés au sujet de l'ordre du jour.
   _____ Il y a très peu de réunions obligatoires.
   _____ Si un employé est pressé par une échéance, il n'est pas tenu d'assister à la réunion.
   _____ Toute personne qui désire soulever un problème peut convoquer une réunion.

4. Style de gestion

_____ Plusieurs personnes sont autorisées à prendre des décisions.

_____ Notre P.d.g. pratique la politique du libre accès.

_____ Au travail, je prends la majeure partie des décisions sans consulter mon supérieur hiérarchique.

_____ Lorsque je commets des erreurs, mes supérieurs m'apportent leur soutien inconditionnel.

_____ Nous avons/j'ai une boîte à suggestions ou son équivalent.

_____ Notre compagnie publie un bulletin.

_____ Nous participons/je participe à des activités comme des événements sportifs, des fêtes et des retraites.

_____ Les lignes de communications ne sont soumises à aucune restriction.

5. Résolution de problèmes

_____ La compagnie est prête à courir des risques.

_____ Aucune idée n'est trop farfelue pour être prise en considération.

_____ On accorde du temps aux projets favoris de chacun.

_____ Nous faisons/je fais régulièrement un brainstorming.

_____ Nous disposons de ressources pour mettre en œuvre de nouveaux projets.

_____ Les nouveaux produits et techniques ont la priorité.

_____ Les initiatives et les efforts personnels sont récompensés.

6. Milieu physique

_____ Nous possédons/je possède un équipement de bureau moderne et complet.

_____ Il y a des restaurants et des banques près du bureau.

_____ La décoration des bureaux est laissée à la discrétion de chacun.

_____ Des pièces/des espaces sont réservés aux projets spéciaux.

_____ Nous possédons une pièce de repos ou une pièce d'exercice ou les deux.

7. Avantages

___✓___ Nous possédons un budget de formation adéquat.

___✓___ Les dépenses reliées au travail sont remboursées.

_____ Les lignes de conduite relatives aux vacances et aux congés de maladie sont flexibles.

_____ La compagnie met un stationnement à la disposition de ses employés.

___✓___ Ma compagnie est renommée et respectée.

Combien d'énoncés avez-vous cochés dans cette section? _____ (ajoutez 5 points si vous travaillez pour votre compte).

Vous avez maintenant évalué trois aspects de votre faculté d'adaptation au changement. Transférez ces totaux dans le tableau ci-dessous en doublant le pointage obtenu à la partie 1 (Vous).

Partie 1 - Vous_____/104

Partie 2 - La maison_____/54

Partie 3 - Le travail_____/44

Total_____/202

Le total obtenu constitue votre quotient d'adaptation au changement.

Si vous avez obtenu un total de 170 ou plus, vous vous adaptez facilement au changement et disposez de nombreuses options pour l'affronter. Suivez les indications ci-dessous pour interpréter votre pointage global:

170 à 202: Vous êtes très flexible. Servez-vous des résultats de votre test pour renforcer vos points forts.

130 à 170: Vous êtes passablement flexible. Servez-vous du test pour identifier les styles secondaires à développer.

100 à 130: Vous avez intérêt à vous concentrer sur le domaine où vous pourriez le plus facilement améliorer votre flexibilité.

Moins de 100: Votre milieu pourrait être restrictif; vous avez intérêt à acquérir une plus grande souplesse afin de compenser cette situation.

*　　*　　*

Que renferment les deuxième et troisième parties?

Plus vous avez coché d'énoncés dans la deuxième partie, plus votre situation à la maison est flexible. Ainsi, si vous êtes marié et que votre conjoint est très souple à propos des repas, des horaires et des tâches domestiques, vous avez obtenu un pointage élevé. Par contre, si votre conjoint est difficile pour ce qui touche la nourriture, qu'il possède des normes rigides de propreté et règle sa vie en fonction de l'horloge, votre milieu familial est moins flexible face au changement.

Si vous vivez seul, vous avez sans doute obtenu des pointages à peu près égaux pour ce qui touche la maison et le travail. Comme vous êtes votre propre maître pour ce qui concerne la vie de tous les jours, votre comportement à la maison reflète votre attitude à l'égard du changement. Ainsi, vous pouvez manger ce qui vous plaît, au moment et à l'endroit qui vous conviennent.

Si votre pointage pour la partie «maison» est beaucoup moins élevé, toutes proportions gardées, que dans les autres parties du test, cela indique vous pouvez améliorer votre souplesse dans ce domaine.

La troisième partie établit le même type de diagnostic pour votre milieu de travail. Si vos pointages sont beaucoup plus élevés dans les première et deuxième parties, vous devez concentrer vos efforts sur cette facette de votre vie.

Il est assez évident que la flexibilité de votre milieu de travail dépend pour beaucoup du style de gestion de votre patron ou de votre principal client, des lignes de conduite et de la santé financière de votre compagnie, et des aptitudes et attitudes de vos collègues.

Si vous êtes un travailleur autonome, un entrepreneur ou un cadre, il est probable que votre milieu de travail reflète votre propre attitude face au changement. Si vous occupez un poste de cadre, vos pointages touchant la maison et le travail auront tendance à se rapprocher.

Ici encore, votre indépendance ne vous confère pas automatiquement une flexibilité maximale. Le détaillant indépendant est souvent trop occupé pour trouver de nouvelles ressources et façons de faire, de sorte que son concurrent qui fait partie d'une chaîne est beaucoup plus souple. Toutefois, le supermarché qui possède un solide soutien financier et vend des fleurs, des cassettes vidéo et des articles de quincaillerie est encore plus flexible au niveau de la vente au détail.

L'expansion tridirectionnelle

Le questionnaire sur la faculté d'adaptation au changement a été conçu pour vous permettre d'évaluer rapidement votre flexibilité globale face au changement. Il reflète tant votre attitude personnelle que certains facteurs de votre vie professionnelle et privée qui influencent votre façon d'affronter le changement. Vous êtes peut-être ouvert aux nouvelles idées mais une ligne de conduite rigide au travail ou une vie familiale restrictive peut tempérer votre enthousiasme et votre aptitude à changer.

Pour comprendre cette interaction, pensez à un élastique. L'élastique mince de couleur chair est très extensible; il se contracte et s'étire facilement. Les élastiques plus épais sont plus difficiles à étirer et reprennent leur forme initiale avec un petit claquement. D'autres, souvent de couleur rouge, sont minces et fragiles, et brisent après une ou deux extensions.

Imaginez ensuite deux poteaux réunis par une bande élastique. L'un représente votre milieu de travail, l'autre, votre maison. Certains poteaux sont raides et fixés dans le béton; d'autres, mobiles parce qu'enfoncés dans le sable. La bande élastique représente votre flexibilité. Si elle est souple et de couleur chair, vous pouvez supporter beaucoup de changements même si vous manifestez de la rigidité à la maison et au travail. Si elle est épaisse, vous êtes moins flexible, mais plus solide. Enfin, si elle est mince et rouge, les deux pôles de votre vie devront bouger et plier jusqu'à ce que vous développiez un peu de flexibilité. Une bande élastique peut devenir plus extensible si on la réchauffe ou si on l'étire lentement. De plus, même les poteaux les plus rigides finissent par se relâcher. Heureusement, les êtres humains peuvent beaucoup plus facilement que les bandes élastiques s'étirer, se contracter, prendre de l'expansion et manœuvrer.

Les trois secteurs étudiés par le questionnaire sur la faculté d'adaptation au changement (flexibilité personnelle, à la maison et au travail) s'influencent fortement les uns les autres. Si vous avez un nouveau patron, les nouvelles lignes de conduite de celui-ci peuvent modifier votre attitude envers les procédés de marketing, ce qui en retour pourrait vous porter à voyager davantage, influençant votre vie familiale. Ou encore si votre conjoint reçoit une promotion ou poursuit une carrière prometteuse, il se peut que vous en appreniez davantage sur la gestion, les facteurs de production, etc., ce qui pourrait modifier votre attitude et vos connaissances.

Le questionnaire peut être d'une grande utilité pour identifier les trois aspects de votre faculté d'adaptation lorsque vous affrontez un problème très complexe. Ainsi, une jeune professionnelle, Anne, reçut deux propositions le même mois: une demande en mariage et un nouvel emploi. Plutôt emballant n'est-ce pas? Mais... il y a toujours un mais. Son fiancé, Vincent, possédait une entreprise au nord de la ville et l'emploi qu'on offrait à Anne se trouvait à 80 kilomètres de là. Pour les banlieusards endurcis des mégalopoles, cette distance est une bricole. Mais Anne détestait conduire aux heures de pointe et elle abhorrait encore davantage l'idée de passer en voiture de précieuses heures. En outre, son futur patron lui avait fait la mise en garde suivante lors de l'entrevue: «Voici comment les choses fonctionnent ici. Si nous décidons de faire une réunion un samedi, il se peut que nous ne puissions avertir tous les employés concernés avant le vendredi soir, et nous nous attendons à ce que tout le monde soit là le samedi.»

Les deux poteaux auxquels était fixée la bande élastique d'Anne semblaient plutôt inflexibles et tout le «jeu» devrait provenir d'Anne qui ne disposait pas d'une bien grande marge de manœuvre.

Toutefois, l'amour et la flexibilité servirent les intérêts des fiancés qui purent développer une certaine souplesse. En raison de l'éducation qu'elle avait reçue, Anne était timide et indirecte. Mais après avoir répondu à notre questionnaire, elle rassembla son courage et demanda à Vincent de déménager plus près de son travail. Elle courait un gros risque... et fut agréablement surprise de voir qu'il acceptait sans hésitation. Le couple s'acheta une maison dans la banlieue, réduisant ainsi de plus de 16 kilomètres le trajet quotidien d'Anne.

Le succès que lui valut sa franchise avec son fiancé incita Anne à faire pression sur la compagnie pour qu'elle réduise au minimum les réunions du samedi et l'exclut de toute réunion non prévue une semaine à l'avance. En outre, elle put négocier une semaine de travail de quatre jours, à raison de dix heures par jour.

En ce qui concerne son attitude envers le temps passé en voiture (la bande élastique), Anne suit avec enthousiasme un cours sur cassette intitulé «Apprenez l'anglais au volant». Sur le chemin du retour, elle se délecte en écoutant les romans qu'elle n'a jamais eu le temps de lire. En analysant son questionnaire, Anne a vu les changements mineurs qu'elle pouvait apporter à son attitude, ainsi qu'à sa vie familiale et professionnelle. Son objectif global concernant son mariage et sa carrière semblait dorénavant plus accessible. Chaque petit succès renforçait sa confiance et lui permettait d'apporter des changements majeurs dans sa vie. Ce qui au départ lui apparaissait comme un changement écrasant devint plus facile à réaliser lorsqu'elle put identifier des tâches précises à entreprendre.

Revenez à votre pointage et pensez à un problème auquel vous faites face actuellement. Quel petit changement pouvez-vous apporter à la maison afin d'améliorer la situation? Au travail? Comment pouvez-vous assouplir votre attitude afin de régler votre problème? Trouvez plusieurs énoncés non cochés dans les deuxième et troisième parties que vous pourriez mettre en pratique. Ainsi, dans la section «maison», commandez une pizza une fois par mois. Réparez la vieille bécane qui se trouve dans le garage et utilisez-la pour faire l'épicerie ou vos courses deux fois par mois. Au travail, proposez d'effectuer un échange temporaire de poste avec un collègue que vous aimez bien afin de parfaire votre formation. Envisagez la possibilité de travailler quatre jours par semaine, en vous rendant au travail une heure plus tôt et en partant une heure plus tard pendant plusieurs semaines.

Ensuite, réfléchissez aux quatre catégories d'innovateurs. Pouvez-vous employer une approche différente de celle qui vous est habituelle afin d'éliminer le problème ou d'en tirer parti? Si vous êtes du type raisonneur, relisez les autres options et engagez-vous à en essayer quelques-unes la prochaine fois que vous vous trouverez dans la situation décrite. En augmentant votre gamme de réactions, vous prenez de l'avance en ce qui touche l'application des techniques proposées dans la deuxième partie de ce livre.

Relisez la description des quatre types d'innovateurs. Vous reconnaissez-vous dans l'un d'eux? Si ce n'est pas le cas, il se peut que vous représentiez un amalgame de plusieurs types ou réagissiez différemment au travail et à la maison. Ou encore, vous auriez pu vous identifier à un certain type il y a quelque temps, mais votre comportement est devenu plus complexe.

La plupart d'entre nous se comportent parfois comme des raisonneurs, parfois comme des canaliseurs, des communicateurs ou des risqueurs. Dans le prochain chapitre, nous clarifierons ce qui provoque ces changements et comment nombre d'entre nous combinent plusieurs attitudes.

Étape 2: Afin de mieux voir la relation qui existe entre les trois facettes de votre faculté d'adaptation, ombragez la partie de chaque poteau qui représente le pointage obtenu dans les deuxième et troisième parties. Vous distinguerez ainsi plus clairement les domaines où vous êtes plus flexible et ceux où vous pourriez faire des progrès.

LES FACTEURS DE FLEXIBILITÉ

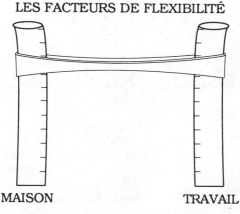

MAISON   TRAVAIL

Chapitre 3

Quatre innovateurs flexibles

«Sam, joue-moi cet air!» dit Humphrey Bogart
d'une voix étouffée dans Casablanca. *Il*
surmonte virilement son chagrin en allumant
une autre cigarette.

Paul Henreid allume deux cigarettes et en passe
une sans mot dire à Bette Davis. Le regard
provocant que se jettent les amoureux en dit
long sur l'intensité de leur amour.

De telles scènes tirées de films tournés dans les années quarante et cinquante illustrent le rôle prédominant que jouait la cigarette dans notre perception de l'amour et du raffinement à cette époque. Cette image fut longtemps omniprésente dans les films, les romans, les émissions de télévision et la publicité. Il n'y a pas si longtemps, fumer était un droit inaliénable alors qu'aujourd'hui, on fait la guerre à la cigarette dans les magasins, les restaurants, les avions et les bureaux.

Nombreux sont ceux qui voient ce changement radical d'un œil favorable. Mais si vous fumez, vous regrettez sans doute ce bon vieux temps où les scènes d'amour jouées à la télévision et au cinéma baignaient dans des volutes de fumée... où l'homme Marlboro était plus grand que nature... et où les belles femmes fumaient des Virginia Slims. Aujourd'hui les fumeurs sont mal à l'aise et éprouvent du ressentiment tandis que les non-fumeurs sont heureux et sûrs de leur bon droit.

Si vous étiez le P.d.g. de RJR-Nabisco, l'ancienne compagnie de cigarettes Reynolds, vous chercheriez des façons de lutter contre ce changement crucial en observant la façon dont

la cigarette est perçue ou en cherchant des produits susceptibles de remplacer la cigarette traditionnelle. J. Tylee Wilson
personnifie les types de changement que la compagnie
Reynolds a traversés ces dernières années. Il n'est pas l'un de
ces bons vieux garçons paternels qui avaient l'habitude de diriger la compagnie comme des planteurs bienveillants. Mais il est
courtois et vieux jeu comparé à son successeur, F. Ross
Johnson, le P.d.g. qui a négocié avec une poigne de fer le
rachat historique de RJR-Nabisco pour la somme de 24 milliards de dollars.

Bien que la compagnie Reynolds n'ait pas encore admis
les dangers du tabagisme pour la santé, des changements
majeurs dans sa politique indiquent que ce problème n'est pas
passé inaperçu. Elle a diversifié ses produits et lancé des
recherches très prometteuses. Elle a conçu une cigarette «sans
fumée» et d'autres produits de remplacement. En 1985, elle a
fusionné avec Nabisco tandis que son principal concurrent,
Philip Morris, joignait ses forces à celles de General Foods et de
Kraft. L'achat par Reynolds de Poulet Frit Kentucky reflète cette
tendance de l'industrie à se lancer dans le commerce d'aliments.

Afin de compenser la baisse des ventes de cigarettes,
Reynolds a intensifié ses recherches sur les cigarettes filtrées et
cherché un nouveau produit «vedette» susceptible de remplacer
le vieux produit à la réputation ternie. Dans le cadre de ces
recherches, des chimistes et d'autres chercheurs de la compagnie ont suivi nos séminaires sur la créativité et même étudié
les habitudes des fumeurs qui utilisent davantage l'hémisphère
droit ou l'hémisphère gauche de leur cerveau.

Le brusque changement d'attitude des consommateurs a
forcé cette compagnie sérieuse à mettre les bouchées doubles.
Fini les réceptions polies en plein air où l'on boit du whisky à la
menthe; la compagnie négocie impitoyablement dans les gratte-
ciel qui surplombent la rivière Hudson.

Les dirigeants de Reynolds ont affronté un changement
radical et imposé; et même s'ils ne l'ont pas encore tout à fait
assimilé, beaucoup s'en réjouissent. Un cadre haut placé
avouait: «Ce que je craignais depuis des années est arrivé. Je
savais que les statistiques sur la cigarette influeraient sur nos
ventes et sur notre politique commerciale. Au fond, je suis
heureux de la tournure des événements parce que cela a ra-
jeuni la compagnie. Nous avons dû nous moderniser et regarder la réalité en face en ce qui touche les dangers de la

cigarette. La diversification de ses produits et ses efforts continus pour améliorer la cigarette ont revitalisé la compagnie. Nous avons abaissé le taux de nicotine et de goudron de nos cigarettes et conçu des filtres qui sont maintenant utilisés par les pompiers, ainsi que dans les masques anti-poussière et les cigarettes. Je suis fier de travailler pour R.J. Reynolds.»

Percevez-vous le parfum de *kairos* dans toute cette fumée? Le changement que tous craignaient a fini par arriver et s'est révélé positif.

Le reste de ce chapitre sera consacré à quatre personnes qui ont, elles aussi, traversé des crises avant de saisir une occasion unique de changer. En lisant leur histoire, vous verrez comment un changement radical peut ébranler la vie de personnes ordinaires et les pousser à faire d'extraordinaires progrès. Vous trouverez à la fin du chapitre un plan conçu pour vous aider à affronter le changement.

Un fier-à-bras devenu rat de bibliothèque

Luc ne se ressemble pas du tout sur cette vieille photo. Aujourd'hui, il dirige la bibliothèque d'une prestigieuse université. Âgé de cinquante-cinq ans, il porte une courte barbe et un costume de tweed, et a l'air d'un intellectuel sensible. Sur la photo, on voit un sportif musclé et souriant, vêtu d'un jeans et d'une chemise à carreaux.

La différence la plus apparente, toutefois, a trait à sa main droite; en fait, à l'absence de sa main droite que remplace un intrigant crochet.

«C'est arrivé juste après qu'on ait pris cette photo. Je travaillais pour un constructeur, me familiarisant petit à petit avec les multiples domaines d'exploitation de la compagnie. Celle-ci comprenait une chaîne de magasins spécialisés dans les matériaux de construction, des bureaux de conception et de production, et des services de vente et de marketing.

«J'étais entré dans cette compagnie après mes études collégiales grâce à la recommandation de mon colocataire. Son grand-père avait fondé la compagnie. Le travail ne m'emballait pas, mais je voulais gagner beaucoup d'argent rapidement afin de pouvoir aller à l'université. J'étais diplômé en éducation physique mais, en fait, je voulais devenir bibliothécaire.

«Depuis l'âge de huit ans, j'adorais les bibliothèques. Ma famille vivait alors à la campagne et, au cours d'une de nos rares excursions en ville, on m'avait emmené dans une bibliothèque. J'avais peine à croire qu'on y prêtait vraiment des livres! La bibliothèque m'apparaissait alors comme l'endroit le plus merveilleux du monde. J'y passais des heures chaque fois que nous venions en ville. Je commençais par choisir les six livres que je voulais emprunter, puis je fouinais dans les étagères et m'installais à l'une des grandes tables de chêne pour lire. La bibliothèque avait une odeur particulière et rassurante dont je me souviens encore aujourd'hui. Je m'absorbais dans la lecture jusqu'à ce que papa ou l'un de mes frères vienne me chercher.

«Papa n'aimait pas beaucoup l'idée que je devienne bibliothécaire. «Ce sont les tapettes qui travaillent dans les bibliothèques, me disait-il. Et puis, tu ne pourras jamais gagner ta vie décemment.»

«À vrai dire, ces propos glissaient sur moi sans m'atteindre; ce n'était pas comme Aline. Elle était la nièce de mon patron et j'en étais tombé follement amoureux la première fois que je l'avais vue à un pique-nique organisé par la compagnie. À partir de ce moment-là, elle devint mon unique raison de vivre et travailler pour son oncle était le moyen le plus sûr de me rapprocher d'elle. En moins de dix mois, nous étions fiancés et je gravissais rapidement les échelons au sein de la compagnie.

«C'est alors que j'ai eu cet accident. J'étais en train de monter une filiale spécialisée dans les fermes de toit. Alors que j'essayais d'améliorer l'agencement des pièces de bois, ma main droite a été happée par une scie oscillante d'un mètre de diamètre.

«Cela s'était passé si rapidement que j'en suis resté étonné. Un instant j'avais une main, l'instant d'après elle avait disparu, emportant avec elle la vie que j'avais choisie.

«Après, je me suis senti très seul. Je me suis replié sur moi-même. Je me sentais dépossédé et, malgré la sollicitude de mon entourage, je suis presque devenu un reclus.

«Je trouvais la compagnie d'Aline particulièrement pénible. J'étais vraiment désagréable avec elle. Sa prévenance m'irritait. Elle me rendait visite deux fois par jour, qu'il pleuve, grêle ou neige. Elle avait l'air de suivre un programme; elle affichait une gaieté professionnelle et m'apportait des magazines, des disques, des fruits ou un petit présent à chacune de ses visites.

«Un jour, j'ai lancé un de ses magazines à travers la pièce en lui intimant de cesser de jouer les Florence Nightingale avec moi. Je l'ai traitée d'hypocrite et mise à la porte. Elle a quitté la chambre sans mot dire et m'a renvoyé sa bague de fiançailles par la poste.

«J'ai aussitôt regretté mon geste, mais je n'arrivais pas à rassembler l'énergie nécessaire pour tenter une réconciliation. Puis, ayant pesé le pour et le contre, j'ai décidé que tout était pour le mieux.

«Tout cela s'est produit à l'aube de l'ère spatiale. Je regardais toutes les émissions sur ce sujet à la télévision et dévorais les journaux. J'ai commencé à compiler des dossiers sur tous les types de carrières, la technologie et le futur... dans le simple but de me distraire. Lorsque John F. Kennedy a réagi au lancement du Spoutnik russe, j'ai applaudi, un véritable tour de force pour un homme doté d'une seule main.

«J'ai réfléchi à mon avenir. Le président Kennedy prônait des améliorations radicales de notre système d'éducation. Je me suis rappelé l'importance qu'avaient pour moi les bibliothèques dans mon enfance et j'ai remarqué, dans les statistiques que j'avais compilées, que les bibliothécaires étaient beaucoup mieux payés qu'avant. Pour la première fois depuis mon accident, je m'intéressais à quelque chose. J'ai dressé une liste des options qui s'offraient à moi et analysé mes chances d'avoir une bourse ou un prêt afin d'obtenir une maîtrise en bibliothéconomie.

«À cette époque, j'ai trouvé un emploi comme bibliothécaire dans la banlieue de la ville où j'habitais. Je savais que je devais faire un pas dans une direction ou une autre. Je ne pouvais pas continuer à me morfondre et à ne rien faire. Je pourrais toujours obtenir ma maîtrise plus tard.

«En faisant mes valises, je pensais à Aline... et j'ai décidé de l'appeler pour lui dire au revoir. Eh bien! il n'y a eu aucune hésitation, aucune barrière entre nous. Nous avons bavardé à perdre haleine afin de rattraper le temps perdu. Enfin, je lui ai demandé de but en blanc: «Que dirais-tu de devenir la femme d'un bibliothécaire?» Une semaine plus tard, nous étions mariés.

«Avant l'accident, je n'avais pas suffisamment confiance en moi ni foi en la profession pour devenir bibliothécaire. Mais une fois le pas franchi, les emplois et les bourses n'ont pas manqué. Une année, j'ai même reçu trois offres d'emploi.

«L'accident m'a poussé dans la bonne direction. Il m'a même aidé à épouser Aline, et non sa famille.

«Une autre conséquence plutôt bizarre, c'est que je me sens tout à fait différent. Je pourrais jurer que le fait d'être

devenu gaucher a modifié et élargi ma personnalité, mes intérêts, ma façon de penser. Et franchement, je suis très heureux
de ce changement. Je suis vraiment moi-même.

«Je ne préconiserais pas ce mode de changement particulier, mais aujourd'hui je fais bien des choses que je n'avais
jamais pu faire avant», de conclure Luc.

Une vente fabuleuse

Les supérieurs d'Henri lui demandèrent un jour de prendre
l'avion pour New York où il devait assister à une réunion. Henri
jubilait. Âgé de quarante-cinq ans, il était vice-président de la
compagnie et venait de conclure la plus importante vente
d'actions jamais enregistrée dans l'histoire de la Bourse de New
York. Il se demanda de quelle manière on allait l'honorer. Il
songeait que cette réunion marquait le sommet de sa carrière.

En observant son reflet long et mince dans le miroir, il
était fier de sa réussite dans un domaine aussi exigeant et au
sein d'une compagnie aussi réputée. Il choisit une cravate de
confection italienne en soie rayée afin d'éclairer son complet
gris. Sa pâleur résultait-elle du contraste de sa peau avec le
sombre vêtement ou des deux semaines de travail acharné qu'il
avait passées enfermé pour négocier cette vente historique?
«Peu importe, se dit-il, le jeu en valait la chandelle.»

Dans l'avion qui l'emportait vers New York, Henri spécu-
lait sur les discours et les récompenses qui devaient couronner
son exploit. En fait, bien que cela ne lui ressemblât pas, il
fanstasmait, appréciant à l'avance les accolades et les discours
humoristiques mais empreints de dignité qu'il prononcerait.

On comprend son étonnement lorsqu'il pénétra dans la
salle et entendit le directeur de la compagnie prononcer ces
mots: «Vous avez vraiment tout gâché.» Il fut sévèrement répri-
mandé devant tout le comité d'investissement et suspendu
pour une semaine pour avoir omis de respecter la procédure
normale de la compagnie dans ses négociations.

«J'étais complètement abasourdi et outré de voir qu'ils ne
voulaient pas déroger de leur sacro-sainte procédure. Comment
était-ce possible? J'avais fait mes preuves au sein de la compagnie. J'avais commencé au bas de l'échelle et, en quelques
années, j'avais occupé divers postes dans sept directions différentes. À chaque étape, je renonçais à une petite partie de moi-
même. Chaque fois que je voulais réduire un peu mes heures
de travail, de nouveaux enjeux se présentaient à moi. C'était

comme une expédition de chasse. Je me poussais à la limite,
me reposais un peu, puis repartais. Donc, même s'il m'arrivait
d'être épuisé et momentanément distrait, je repartais le lendemain, excité par l'odeur de ma proie. À chaque succès, je con-
sacrais plus d'énergie à mon travail, délaissant un peu plus ma
famille et mes intérêts personnels. Je manquais les fêtes d'anniversaire et les récitals de mes enfants; faute de temps, je
n'allais jamais au cinéma ni ne voyageais par plaisir. À vrai
dire, ce qui comptait à mes yeux se mesurait en dollars et en
cents.

«Lorsque j'étais entré au service de la compagnie, je
m'étais dit que je démissionnerais lorsque j'aurais atteint deux
millions en valeur nette. J'avais des tas de projets en tête. Mais
une fois mon but atteint, quelque chose m'a poussé à continuer. J'ai redoublé d'efforts afin d'atteindre un objectif encore
plus élevé et j'ai remis mon départ à plus tard. J'avais toujours
rêvé de fonder mon propre studio de cinéma, mais tout allait si
bien que j'avais peine à regarder ailleurs. Je ne manquais pas
d'argent, loin de là; j'étais tout simplement incapable de quitter
cette vache à lait qu'était la compagnie.

«Cette réunion mit fin à tout cela. Malgré mon humiliation
et ma colère, j'étais trop paralysé par la peur pour donner ma
démission. Je suis rentré chez moi avec un profond sentiment
d'humiliation. Après avoir parlé à ma femme, je me suis senti
un peu mieux. Pendant ma suspension, nous allions au cinéma l'après-midi, faisions des promenades dans le parc et
jouions au golf.

«C'est alors que je compris que je m'étais défini en fonction
de mon salaire et de mon statut au sein de la compagnie. Je
n'étais pas Henri Toussaint, mari, père, citoyen solide, membre
du Club Rotary. J'étais Henri Toussaint, vice-président de la
compagnie.

«Lorsque je revins au travail, j'avais complètement modifié
mon attitude. Cet incident pénible m'avait permis de m'arrêter
pour faire le point et voir ce que je voulais réellement dans la
vie; j'ai décidé d'élargir mes horizons et de travailler pour autre
chose que de l'argent.»

Henri quitta la compagnie au bout de six mois pour investir dans une société de production cinématographique. Il passa
ensuite six autres mois à s'initier au tournage de films et se
concentra enfin sur la production de films éducatifs. Un de ses
amis explique combien Henri a changé: «Même son apparence
s'est transformée. Avant, il s'habillait d'une manière plutôt

formelle, avec chapeau et parapluie, l'inévitable *Journal des affaires* glissé sous le bras. Il détonnait quelque peu parmi les gens d'ici. C'est comme s'il avait voulu personnifier l'image de marque de la compagnie. Il était très aimable, certes, mais il semblait distant et un peu absent.

«Mais après qu'il a fait le saut, de continuer son ami, il s'est mis à porter des chemises ouvertes et des pantalons ordinaires. À un moment donné, alors qu'il tournait un film au Yucatan, il a même porté des vêtements de safari! C'était amusant. Mais c'est son visage qui a le plus changé. Malgré ses cheveux gris, son visage possède cet éclat coloré de la jeunesse. Chaque fois qu'on le voit, il déborde d'enthousiasme pour un nouveau projet.»

Aujourd'hui, les intérêts financiers d'Henri sont répartis dans plusieurs domaines, y compris l'agriculture, la télévision et la radio. Il produit des vidéos de formation et des films d'orientation pour les sociétés. Le film dont parle l'ami d'Henri était destiné à l'association zoologique dont il préside le conseil d'administration. Pendant un congé sabbatique au Yucatan, il a tourné un film sur les animaux des basses et hautes terres afin d'aider cette association à ramasser des fonds. Henri utilise sa créativité pour le bénéfice d'entreprises commerciales, ce qui a renouvelé et intensifié son amour de la vie.

«Je réussissais si bien dans cette partie de ma vie que je croyais que c'était tout ce que la vie avait à m'offrir. Lorsque j'ai fini par quitter la compagnie, j'ai senti que j'étais une personne complète pour la première fois de ma vie. Je n'avais plus besoin de compter sur la compagnie pour gagner mon pain ou trouver mon identité.»

Plus qu'un simple déménagement

Dans les années soixante, lorsqu'on était jeune et ambitieux et qu'on vivait en Allemagne, il était «dans le vent» d'émigrer en Amérique. Les agences de voyages offraient même des forfaits réduits aux jeunes gens peu fortunés.

C'est ainsi que pour une somme très modique, Anna et Kurt avaient navigué jusqu'aux États-Unis à bord d'un ancien porte-avion converti en paquebot autour duquel flottait encore, semblait-il, une aura grisâtre de combats. Mais les jeunes gens ne se laissèrent pas démonter pour si peu. Ils se réjouissaient tellement à la pensée de l'avenir heureux et prospère qui les attendait qu'ils se comportaient comme des nouveaux mariés.

Ils en avaient assez de la vie en Europe. Les logements étaient rares, les villes envahies par les réfugiés et la menace russe pesait constamment sur eux.

Kurt gagnait à peine de quoi vivre à titre de photographe en Allemagne, mais Anna était une femme méticuleuse qui se contentait de peu. Elle avait accumulé un petit pécule qui avait servi à payer leur traversée et à leur permettre de vivre pendant les six premiers mois aux États-Unis.

À leur arrivée, Anna fut engagée dans une boulangerie et fit des travaux de couture à la maison. Quant à Kurt, il trouva un emploi dans un petit studio de photographie. Au cours des douze années qui suivirent, Anna mit au monde trois enfants et s'employa à faciliter la vie de sa famille. Lorsque Kurt était en chômage, elle faisait de menus travaux pour pouvoir joindre les deux bouts.

Quand les enfants furent plus grands et plus autonomes, Anna commença à s'agiter et à chercher une stimulation au-delà de sa maison et de ses menus travaux. Elle trouva un emploi de secrétaire dans une compagnie pharmaceutique où elle apprit la dactylographie et acquit d'autres aptitudes connexes.

Vers le milieu des années soixante-dix, nombre de leurs amis prenaient des vacances dans le Colorado d'où ils revenaient en vantant la beauté des montagnes et les bienfaits de l'air pur. Bien que Kurt touchât un maigre salaire comme photographe, Anna refusait de déménager au Colorado car elle se réjouissait de ses progrès au sein de la compagnie. Mais elle finit par céder: les enfants en tireraient profit, et son mariage aussi peut-être.

Dans l'imagination de Kurt, le Colorado était une «Suisse jouissant de l'économie de New York», mais il dut déchanter lorsqu'il chercha du travail. Le coût de la vie était moins élevé au Colorado, mais les emplois étaient aussi beaucoup moins payants qu'à New York.

Comme leur situation financière se détériorait, Anna se mit en quête d'un emploi et entra au service d'une compagnie d'ingénierie située dans un parc commercial de la banlieue comme secrétaire. «Tout le monde semblait si ennuyé et ennuyeux là-bas. Je m'ennuyais à mourir», de se rappeler Anna. À bout de ressources, elle consulta une agence de placement. Son conseiller lui dit: «Si c'est de l'excitation que vous cherchez, je vous envoie à Communications Mondiales», une compagnie de câblodistribution qui venait tout juste d'obtenir son permis pour installer le câble à Denver et dans 60 autres villes.

Lorsque Anna pénétra dans l'édifice de Communications Mondiales pour y passer une entrevue, elle s'arrêta net et huma l'atmosphère. «Il y avait de l'électricité dans l'air, dit-elle par la suite. La fontaine, la chute au milieu d'un atrium de deux étages. La musique de Beethoven diffusée dans tout l'édifice. Des fleurs magnifiques partout et l'agitation de gens intéressants et énergiques. Je voulais cet emploi... quel qu'il soit.»

«Directeur de bureau», c'était le titre du poste. Anna avait cru postuler un autre emploi de secrétaire. Elle n'avait même pas terminé son secondaire et ne possédait absolument aucune expérience de la gestion, de sorte que la perspective de postuler cet emploi la troublait particulièrement.

«Mais je savais que j'en étais capable. Je ravalai mes craintes et achevai de remplir le formulaire d'emploi. J'ai dû dire ce qu'il fallait car l'intervieweur appela le directeur en chef, lui parla de moi quelques minutes et je fus engagée.»

Anne s'adapta aisément à son nouveau travail, mais elle n'osait pas en parler à la maison. «Je ne voulais pas enlever à Kurt son statut de pourvoyeur, mais par ailleurs, j'en avais assez des petits emplois qui n'exigeaient aucun engagement. De plus, j'étais prête à abandonner mon rôle de doublure.»

Anna ne fut pas longue à se rendre compte que son patron avait l'habitude de déléguer; elle se trouva immergée dans les décisions à prendre à propos des lignes de conduite et procédés du bureau et adora cela. «Chaque jour me secouait et m'excitait. Je répondais à trois téléphones à la fois, mon supérieur était évidemment hors d'atteinte et il fallait prendre des décisions. Je les prenais la plupart du temps le cœur battant. Mais il m'appuyait toujours, que ma décision soit la bonne ou non.»

«Un an plus tard, un lundi matin, je trouvai sur mon bureau une plaque de cuivre portant cette inscription: Anna Kimmel, vice-présidente. Il y avait des fleurs, du champagne et un quatuor à cordes en smoking.

«J'étais éblouie, mais effrayée. Moi, la vice-présidente d'une société internationale! Comment avais-je pu, en un an, devenir vice-présidente d'une compagnie dont le chiffre d'affaires s'élevait à des millions de dollars alors que je n'avais aucun diplôme? Mais je n'avais pas le choix. Je savais que je devais accepter.

«J'ai songé alors qu'il me faudrait renoncer à mon image de ménagère et de «maman» du bureau pour devenir le chef d'une entreprise internationale. Quelles qualités m'avaient aidée à faire cet immense bond en avant? N'étaient-elles pas superficielles? Méritais-je cet emploi? Pourrais-je y faire face? Ma promotion susciterait-elle des ragots? Qu'en penseraient Kurt et les enfants?

«J'ai mis un certain temps à trouver les réponses à ces questions. Les premiers mois, j'étais très nerveuse. En dehors de mes heures de travail, j'ai terminé mes études secondaires et pris quelques cours de niveau collégial. Mon travail et mes études m'occupaient 16 heures par jour. Aujourd'hui, quatre ans plus tard, je suis diplômée et j'ai une grande confiance en moi en tant que vice-présidente. J'ai gagné le soutien et l'admiration de mon personnel ainsi que quelques honneurs de la part de mes collègues de l'industrie.»

Les amis et la famille d'Anna considéraient cet avancement comme une chance inouïe. Mais même s'ils sont souhaitables, les bouleversements peuvent ébranler temporairement la confiance et la détermination d'une personne.

Anna est passée de la confusion à la terreur, mais elle n'aurait voulu laisser passer aucun des défis qui s'offraient à elle. «Le feu du changement a tempéré mes attitudes et mes capacités. Aujourd'hui je travaille non pas pour gagner un petit pécule ou arrondir le revenu familial, mais parce que cela me procure une grande satisfaction.»

De ses propres ailes

Martin était tiraillé entre son éducation conservatrice et son enthousiasme juvénile pour les problèmes mondiaux. Il était issu d'une riche famille conservatrice, imbue de traditions. Les futurs conjoints des membres de la famille étaient choisis non pas en fonction de leur race, de leur statut social ou de leur religion, mais bien en fonction de leur allégeance politique. Si Martin n'était pas exactement la brebis galeuse de la famille, il en était souvent le mouton à cinq pattes. Le problème c'est qu'il n'entrait pas dans le moule familial. Il fut renvoyé du collège pour avoir accidentellement provoqué un incendie dans le laboratoire de chimie. Plus tard, à l'université, il ne put adhérer à l'association à laquelle appartenait son père parce qu'il s'était objecté au rituel d'initiation. Interrogé sur son plan de carrière, il avoua n'en avoir aucun. Il changea de spécialité si souvent qu'il mit cinq ans avant d'obtenir son diplôme, ce qui n'était pas si inhabituel dans les années soixante, mais tout à fait inacceptable pour un membre de sa famille.

Les emplois d'été de Martin embêtaient carrément sa famille. Il travailla comme réparateur de toitures, garçon de courses pour une compagnie d'autocars, serveur et enfin préposé à l'entretien dans un petit aéroport. Mais par-dessus tout, c'étaient ses opinions politiques qui gênaient le plus sa famille. Il sympathisait ouvertement avec les hippies, les révoltés et les bénéficiaires de l'aide sociale.

Au cours de cette période, Martin était très mal à l'aise dans les réunions familiales, où les «stupides libéraux» faisaient l'objet des sarcasmes familiaux. À l'occasion, il prenait la mouche et défendait des points de vue beaucoup plus libéraux que ce à quoi il croyait vraiment.

«En fait, ils avaient honte de moi... et c'était réciproque. Je comprenais leurs opinions politiques et étais d'accord avec la plupart d'entre elles, mais ils étaient si négatifs et dramatiques en parlant du communisme et de l'aide sociale que la moutarde me montait au nez.»

Muni de son diplôme, Martin obtint ce que son père considérait comme un véritable emploi au sein d'une organisation dans le domaine de l'agriculture; mais lorsque son père comprit qu'il s'agissait d'une organisation sans but lucratif qui cherchait à améliorer les techniques agricoles employées en Amérique du Sud, il poussa un soupir de résignation.

Un an plus tard, à l'âge de vingt-trois ans, Martin survolait Cuba avec son partenaire au cours de sa troisième mission au Costa Rica. Soudain, les forces de l'air cubaines interceptèrent son avion et le forcèrent à atterrir. Martin fut arrêté et passa 16 jours dans une prison cubaine.

«J'ai été envahi par un sentiment d'irréalité lorsque les six avions ont entouré le nôtre. Je rêvais sûrement! En sortant de l'avion, j'avais le cœur serré... debout sur cette piste étrangère, les carabines des soldats cubains pointées vers moi. Jean et moi n'en croyions pas nos yeux. Lorsqu'ils nous ont mis en prison, dans des cellules séparées, nous étions terrifiés.

«Au fil des heures, je suis passé par toute une gamme de sentiments: peur, colère, apathie, dépression. Le troisième jour, je me suis mis à faire des tractions de bras par besoin de bouger. Soudain, j'ai pensé que les Cubains devaient me trouver drôle: un grand gars mince faisant des tractions dans sa cellule. Mes geôliers étaient tous petits et replets avec des moustaches en guidon de vélo.

«Heureusement, je connaissais des rudiments d'espagnol. Alors j'ai blagué avec eux et je leur ai raconté des histoires à propos de mon pays. Cela m'a aidé à garder la tête froide, et m'a permis de glaner des renseignements que j'ai utilisés pour me sortir de là. Cela peut paraître étrange, mais j'en ai appris plus sur moi pendant ces seize jours qu'à n'importe quel autre moment de ma vie.

«La peur me tordait les boyaux. Même si Jean et moi étions bien traités selon leurs normes, je savais que cela pouvait changer à tout moment. La plupart des gardes tabassaient les prisonniers au moindre écart. Ils pouvaient rigoler et bavarder avec moi puis se retourner d'un coup pour brutaliser un prisonnier cubain.

«J'ai découvert en moi des talents inconnus. Comment comprendre une situation difficile et en sortir, comment garder mon sang-froid dans les moments dangereux et comment manipuler les gens et les structures qui m'étaient étrangers. Le fait de survivre à tout cela m'a donné une véritable confiance en moi.

«Mais le plus important, c'est que j'éprouvais un amour physique pour mon pays. Soudain, les notions de constitution et de liberté dont on m'avait rebattu les oreilles toute ma vie prenaient un sens pour moi. Je les sentais pour la première fois dans mes tripes.

«J'ai compris que je voulais faire quelque chose de concret pour moi-même et pour mon pays. Je voyais que les paysans ne sont pas automatiquement des gens chaleureux et merveilleux, et que les richesses matérielles ne vous durcissent pas nécessairement le cœur.»

Peu après son retour de Cuba, Martin entra au service d'une petite compagnie d'aviation qui traversait une crise financière. Il gravit rapidement les échelons et en devint le P.d.g. à l'âge de trente ans. Il travailla dans d'autres entreprises et finit par se tailler une réputation de sauveteur de compagnies en difficulté. Il brigua les suffrages et obtint deux mandats à la Chambre des représentants.

Aujourd'hui, Martin dirige une entreprise privée qui fabrique des pièces destinées à des centrales nucléaires. Il est convaincu que la meilleure façon de sauvegarder son pays tout en aidant les pays en voie de développement consiste à employer une énergie peu coûteuse.

«L'énergie est le fondement du pouvoir économique. Il existe un lien direct entre l'énergie dont dispose une nation et son produit national brut. L'énergie nucléaire ne coûte pas cher, et sa mauvaise réputation n'est pas méritée. Mon usine contribuera à modifier cette perception.»

Martin a découvert son propre pouvoir dans une prison cubaine. Il a clarifié ses convictions politiques et les a alliées à ses objectifs personnels. Il a réussi selon sa propre définition du succès. Sa terrifiante épreuve cubaine a constitué pour lui une occasion d'effectuer un changement capital.

Gagner au change

Luc, Henri, Anna et Martin ont saisi les occasions qui se présentaient dans les bouleversements de leur vie. La «secousse sismique» qu'a subie Anna était une occasion unique en soi, mais elle n'en a pas moins troublé sa quiétude tout en l'obligeant à modifier ses attitudes. Donc, ce n'est pas uniquement le changement *négatif* qui est source d'anxiété et de malaise. C'est *la façon dont nous affrontons le changement qui influence la qualité de notre vie et non pas le changement comme tel.*

Les innovateurs heureux présentent des traits communs qui peuvent servir de schéma directeur et vous aider à affronter un changement radical imposé de l'extérieur:

1. *Ils adoptent leur mode de réaction habituel face au changement mais sont capables de passer à des modes de réaction secondaires.*

Tous les innovateurs dont il a été question dans ce chapitre étaient assez flexibles pour employer une variété de modes de réaction. Ainsi, Martin, malgré son éducation conservatrice, était dès le début un risqueur. Il défendait des causes typiquement libérales presque sans préparation ni recherches. Il prouva son goût du risque en s'envolant vers l'Amérique centrale dans un bimoteur. Mais durant son séjour en prison, il adopta plusieurs autres modes de comportement face au changement: d'abord, il agit en raisonneur lorsqu'il analysa le comportement des geôliers, les conséquences possibles de sa capture et les options qui s'offraient à lui. Puis, il se glissa dans la peau d'un communicateur en mettant à contribution ses «aptitudes sociales» pour soutirer des renseignements à ses gardiens et gagner leur amitié. Même si l'on peut être tenté d'attribuer à son jeune âge son comportement de risqueur et une partie de sa flexibilité, la carrière qu'il poursuivit par la suite démontre clairement sa volonté de risquer d'abord pour passer ensuite à d'autres modes de réaction.

Chacune des autres personnes afficha cette tendance à recourir à son mode de réaction favori d'abord pour ensuite passer à d'autres modes. Luc, le bibliothécaire, de nature plus raisonneuse, essaya d'abord de surmonter son accident par le biais de la réflexion. Lorsqu'il échoua et sombra dans la dépression, il s'en sortit en «canalisant» son énergie dans une direction.

Henri était un canaliseur qui cherchait à appuyer les changements qu'il apportait sur des faits mais s'embourbait dans chaque nouvelle approche. Lorsqu'il brisa enfin ce modèle, il varia davantage son mode de réaction et endossa les rôles de risqueur et de communicateur.

Anna était par nature une communicatrice désireuse de plaire aux autres d'abord. Les pensées et propos d'autrui comptaient davantage à ses yeux que ses propres sentiments. En fin de compte, elle employa les approches du risqueur et du raisonneur pour faire le grand saut et devenir un vrai chef.

2. *À un certain point, les innovateurs avertis cessent de subir l'influence de forces extérieures pour se laisser guider par leurs convictions personnelles ou leur énergie.*

Chacun de nos quatre innovateurs a agi ainsi et cette transformation est nécessaire pour permettre un changement véritable et positif.

C'est ce qu'a fait Luc en décidant de devenir bibliothécaire, riche ou pauvre; Henri, lorsqu'il a démissionné; Anna, lorsqu'elle a souhaité un emploi stimulant au lieu de chercher à plaire à tout le monde; et Martin, lorsqu'il a forgé ses propres convictions politiques au lieu de déterminer ses opinions par rapport à celles de ses parents.

Avant son expérience traumatisante, chacune de ces personnes se définissait par rapport à des facteurs extérieurs. Par après, chacune d'elles prit consciemment des mesures pour changer. Martin cessa d'osciller entre deux pôles politiques et choisit une carrière conforme à ses convictions. Anna fit un prodigieux bond en avant, puis elle obtint son diplôme pour sa satisfaction personnelle et non parce que son emploi l'exigeait. Henri devint un entrepreneur créatif, plutôt que de travailler dans l'ombre d'une grande compagnie. Luc poursuivit la carrière de son choix.

Ces quatre changements ont été précipités par des forces externes venues interrompre des modèles de comportement confortables. Dès qu'elle fut forcée de reconnaître la nécessité d'un changement, chaque personne a effectué cette transformation d'une manière puissante, créative et profitable.

3. *Les innovateurs chevronnés connaissent le moment opportun et le choisissent soigneusement.*

Malgré sa dépression, Luc prit les mesures nécessaires lorsqu'un emploi en bibliothéconomie se libéra; tout en léchant ses plaies, Henri reconnut la chance qui s'offrait à lui; Anna fut prise par surprise, mais elle se jeta à l'eau; et Martin transforma sa vie brusquement et du tout au tout à l'âge de vingt-trois ans.

Luc, Henri, Anna et Martin auraient-ils suivi une voie différente si ces changements radicaux s'étaient produits à un autre moment de leur vie? Peut-être. Notre mode de réaction face au changement semble suivre un certain rythme ou plan directeur — certains moments sont idéaux pour apprendre à changer — et un calendrier intérieur.

Bien que l'on puisse modifier le cours de sa vie presque n'importe quand, certains moments s'y prêtent mieux que d'autres. Notre énergie et nos ressources fluctuent au cours de notre vie. Sans filet de sécurité, comme des économies ou un conjoint compréhensif, vous devrez peut-être restreindre vos bonds en avant. Si vous hésitez à effectuer un changement, cela signifie peut-être que vous vous trouvez dans une plage tranquille de votre calendrier, que vous êtes bien. Alors profitez-en. Ou vous ne voyez peut-être pas clairement ce que vous voulez faire et avez besoin de temps pour faire le point. Ne vous forcez pas à faire des changements dans ces moments-là et ne vous critiquez pas. Il est certes bénéfique de rechercher les occasions de se transformer et de grandir, mais pourquoi gaspiller son énergie? Attendez les moments où vos efforts sont plus susceptibles de produire des résultats. En prenant conscience des changements possibles et de votre calendrier intérieur, vous reconnaîtrez plus facilement les moments propices au changement tout en évitant les moments les moins favorables.

Les organisations suivent, elles aussi, un calendrier intérieur semblable. Prenez la compagnie RJR-Nabisco dont il était question au début du présent chapitre. Elle avait suivi la même courbe de croissance, employait le même style de gestion et fabriquait le même produit depuis 50 ans. Il y a 10 ans, elle commença à ressentir un malaise puis, petit à petit, les pressions externes se sont intensifiées et la compagnie s'est transformée.

Le moment était opportun. RJR-Nabisco a fait confiance à l'économie et au marché, à ses aptitudes et à son personnel. Ses dirigeants ont senti que la compagnie était assez forte pour s'approprier de nouveaux créneaux commerciaux et ils ont eu assez confiance pour mettre un terme à son association exclusive de longue date avec l'industrie du tabac. Ils ont pris l'initiative d'agir, d'élaborer de nouveaux produits et de nouveaux procédés, et de changer d'usine et de ville. Ils savaient qu'ils dirigeaient une organisation et un système gagnants. Grâce à cette confiance, à ce sentiment d'identité, à cet esprit d'initiative, et à une méthode précise, RJR-Nabisco a réalisé et continue de réaliser des changements bénéfiques. Vous verrez plus loin comment ces quatre aptitudes sont reliées à cette grande capacité qui permet de traverser le changement avec succès.

Nous avons choisi ces quatre exemples de changements réussis parmi des centaines de participants à nos ateliers et à nos séminaires parce que nous les connaissons bien et qu'ils personnifient le *kairos*. Ajoutons cependant que les changements que Luc, Henri, Anna, Martin et la compagnie Reynolds ont réalisés ne sont pas garants d'une vie sans perturbations ni douleurs. Anna se sépara de son mari peu après avoir reçu sa promotion et Martin brigua plusieurs fois sans succès les suffrages de l'électorat.

Mais n'ayez crainte; ils ont affronté ces difficultés beaucoup plus facilement grâce à leurs succès antérieurs.

En relisant leur histoire, il se peut que vous reconnaissiez certaines attitudes et expériences pour les avoir vous-même vécues. Vous comprendrez alors que vous avez souvent eu des réactions variées face au changement, même si l'une d'entre elles vous est plus familière. Vous vous rappelez peut-être un moment où vous avez brusquement maîtrisé les pressions extérieures qui vous poussaient à changer. Vous prendrez peut-être conscience de votre propre calendrier intérieur.

Plus vous serez conscient de votre attitude face au changement et de celle des autres, plus vous pourrez augmenter vos capacités et varier vos attitudes. Et plus vous décèlerez le «moment propice» dans les changements radicaux et moins radicaux de votre vie.

Toutefois, à moins de vous laisser emporter par l'exaltant défi du changement, vous devez connaître les pièges que recèle le «pseudo-changement». Nous décrirons ce phénomène dans le prochain chapitre.

Étape 3: Réfléchissez à un changement que vous avez apporté dans votre vie et essayez d'identifier les trois éléments d'un changement réussi:

- Avez-vous commencé par adopter votre mode de réaction habituel (raisonneur, canaliseur, communicateur, risqueur) avant de passer à un autre mode?
- Avez-vous cessé de subir les pressions extérieures pour vous laisser guider de l'intérieur?
- Aviez-vous l'impression que le moment était opportun pour effectuer ce changement?

Chapitre 4

Le pseudo-changement

Épuisé, le sergent ordonne à ses troupes de se mettre en rangs après deux semaines de combat intensif. Les soldats forment une troupe sale, puante et échevelée. Il annonce:

«J'ai de bonnes et de mauvaises nouvelles à vous annoncer. Voici une bonne nouvelle: nous avons mis l'ennemi en déroute. Une mauvaise: nous devons le poursuivre. Une bonne nouvelle: tout le monde pourra changer de sous-vêtements. Une mauvaise: Richard change avec Jean, Raymond avec André...»

Changer pour changer ne constitue pas une amélioration. Lorsque nous souffrons d'insécurité, que nous sommes effrayés, perturbés ou confus, il nous arrive de faire obstacle au changement avec une énergie excessive ou mal dirigée. Le tourbillon d'activités ainsi créé peut ressembler au changement, mais nous empêche, en fait, d'effectuer une véritable transformation. Un comportement qui *semble* favorable au changement peut nous empêcher de progresser.

Dans le monde des affaires, un remaniement rapide et superficiel peut donner l'illusion du progrès. Les ventes baissent? Qu'à cela ne tienne, remanions le service du marketing. Les dépenses d'exploitation sont en hausse? Adoptons un nouveau mode de planification budgétaire. Nos concurrents prennent le pas sur nous? Lançons une campagne de publicité visant à les dénigrer. Les accidents se multiplient? Élargissons la couverture du régime d'assurance-santé. Mais ces mesures ne résolvent en rien les vrais problèmes.

En fait, les modifications superficielles peuvent faire obstacle au véritable changement. «Pseudo» signifie faux, apparent plutôt que réel. Le pseudo-changement est donc un changement mal orienté et artificiel. Toutes ces caractéristiques sont mises en relief dans cette anecdote sur le naufrage du *Titanic*. Il semble que, pendant que le navire coulait, les stewards se soient affairés à replacer les fauteuils sur le pont. Cette activité, tout en atténuant leur angoisse, a peut-être fait obstacle au changement authentique et utile qui aurait pu sauver des vies.

Nous effectuons tous des pseudo-changements à certains moments. Nous nous fabriquons des horaires insensés, nous nous lançons dans de gargantuesques projets et effectuons d'intenses recherches qui nous font paraître ouverts et flexibles mais nous ôtent, en fait, toute énergie pour apporter un changement authentique et essentiel. Ce comportement est plus évident chez les autres qu'en nous-mêmes. Prenez les exemples ci-dessous:

- Une femme essaie toutes les nouvelles thérapies de croissance personnelle à la mode. Elle semble décidée à changer mais ne fait que calmer son angoisse face à la vieillesse.
- Un homme passe sans cesse d'un emploi et d'un projet à l'autre: il a soif de sécurité financière et croit que le *prochain* emploi ou projet fera de lui un millionnaire.
- Un comité recueille des données et modifie sans arrêt son orientation: il fait semblant d'apporter des changements pour éviter de prendre une décision.

Tous ces gens *ont l'air* flexibles, mais ils font semblant de changer. Ce sont des adeptes du pseudo-changement. Ce n'est pas le type de changement que nous conseillons et que visent les techniques enseignées dans ce livre. Par le présent chapitre, nous voulons vous aider à identifier le pseudo-changement dans votre vie et à l'en bannir.

Fait ironique, le type de pseudo-changement que nous pratiquons constitue habituellement un emploi erroné de notre mode de réaction habituel face au changement. Les méthodes qui aident le raisonneur, le canaliseur, le communicateur et le risqueur à apporter des changements positifs dans leur vie sont celles-là mêmes qui leur permettent d'éviter le changement. Voici comment s'opère cette transformation.

Le risqueur et le pseudo-changement

Lorsqu'il évite le changement, des quatre types d'innovateurs, le risqueur est celui qui semble y être le plus favorable. Il se lance tête baissée dans toutes sortes de projets. Mais la fascinante idée qu'il avait hier cède trop souvent le pas à celle encore plus fascinante qu'il aura demain. Le risqueur est souvent un «maniaque de la stimulation» qui trouve les possibilités de l'avenir plus emballantes que les mille et une bonnes idées qu'il a déjà commencé à exploiter. Il se jette à l'eau et court plusieurs lièvres à la fois sans jamais rien terminer.

Voici un exemple de «pseudo-changeur». Laurent possède un doctorat en économique et des manières suaves qui l'ont aidé à se tailler une place comme entrepreneur. Dans les années cinquante, il a convaincu un fabricant de bière légère et de boissons gazeuses en boîte de lui accorder un permis de distribution pour un investissement minime. Il a travaillé d'arrache-pied et, après une année, s'est retrouvé avec une jolie somme en poche. Mais comme il était impatient de gagner gros, il a abandonné ce commerce quelques années avant que ces produits ne connaissent une vogue extraordinaire.

Avec ses recettes, Laurent s'acheta une terre et s'improvisa éleveur de bétail. Il acheta la toute première machine — montrant ainsi son flair — convertissant le foin en boulettes. Mais malheureusement, ce prototype avait encore de nombreux défauts et n'était pas fiable.

Au cours des dix années subséquentes, Laurent abandonna l'élevage pour mettre sur pied un service d'hélicoptère à l'intention des prospecteurs de pétrole avant de se lancer dans les maisons préfabriquées, puis dans la prospection de l'or et de l'uranium. Il était très ouvert aux nouvelles idées; il était plus que souple, mais il n'était jamais satisfait de ses profits modérés et visait toujours plus haut. Il ne bénéficia jamais pleinement de sa largeur de vue et de son énergie parce qu'il était toujours en avant de son temps et trop impatient pour attendre un rendement maximal.

Bien que le pseudo-changement mis en œuvre par le risqueur semble positif et avant-gardiste, le manque d'engagement de celui-ci contrecarre souvent toute innovation productive. Si vous pensez être un risqueur, conservez votre ouverture d'esprit, votre flexibilité et votre amour du risque;

mais assurez-vous que les gains anticipés en valent la peine. Et soyez prêt à persévérer assez longtemps pour que votre changement porte fruit.

Le communicateur et le pseudo-changement

Le communicateur emploie une tout autre technique. Il se perd en consultations interminables afin de remettre un changement à plus tard ou de lui faire obstacle, bien sûr de façon inconsciente. Très sociable, il interviewe, discute, participe à des groupes de soutien, fait des sondages et des référendums afin d'obtenir les conseils des uns et l'appui des autres. S'il arrive à un consensus ou se voit offrir des solutions précises, il s'empresse de soulever un nouveau problème afin d'empêcher encore une fois le changement.

Prenons l'exemple du comité psychiatrique de l'université du Minnesota qui tint d'innombrables réunions pendant neuf ans pour élaborer un programme de thérapie avancé. Le comité se composait de quatre psychiatres renommés, investis du pouvoir d'élaborer le programme. Ils recueillirent des données, discutèrent de chaque détail en long et en large pour finir par compiler une liste de 50 thérapeutes potentiels au sein de la faculté. Enfin, ils s'entendirent pour écrire à ces candidats afin de les inviter à postuler l'emploi. C'est alors que la présidente du comité intervint: «En l'absence du Dr Gagnon, je crois qu'il vaudrait mieux remettre cette décision à la prochaine réunion.»

Frustré, un autre psychiatre dit: «Chaque fois que nous sommes sur le point d'appliquer nos décisions, nous demandons un nouveau délai. Que se passe-t-il au juste ici?» La présidente se rendit compte à ce moment qu'elle considérait ce projet comme son «bébé» et qu'elle redoutait de le voir se terminer.

On peut facilement comprendre pourquoi les comités et les équipes de travail sont si portés vers le pseudo-changement. La nature même de la responsabilité collective attire les communicateurs. C'est pourquoi il est très probable que plus d'un membre du groupe sera porté à résister ainsi au changement. Ils jonglent avec les problèmes pendant des années, en soulevant de nouveaux lorsqu'ils sont à la veille de résoudre les anciens.

Ce comportement saute aux yeux lorsqu'on observe un communicateur. Robert, cinquante-quatre ans, exerçait les fonctions d'administrateur dans un hôpital. Il demandait sans cesse l'avis de ses collègues au sujet de sa carrière. «Devrais-je prendre une retraite anticipée ou rester ici encore quelques années?» «J'ai obtenu une augmentation de 2 p. 100 cette année alors que le coût de la vie a augmenté de 8 p. 100. Pensez-vous que je toucherais un meilleur salaire dans un autre hôpital?»

Peu importe les réponses qu'on lui donnait, Robert n'écoutait pas. Il était tellement affairé à sonder l'opinion des autres qu'il n'utilisait jamais les renseignements qu'on lui fournissait. Il ne se rendit pas compte que la direction de l'hôpital avait décidé de mettre fin aux prestations de retraite anticipée, de sorte qu'il n'eut d'autre choix que d'attendre ses soixante-trois ans pour prendre sa retraite.

Si vous êtes du type communicateur, méfiez-vous de cet emploi abusif de votre mode de réaction favori envers le changement. Essayez d'entrer en contact avec votre motivation intérieure au lieu de solliciter l'avis des autres. Continuez de rassembler et de synthétiser les opinions de votre entourage, mais comprenez que vous tombez dans l'excès lorsque vous êtes anxieux ou particulièrement concerné par une situation. En vous fiant trop aux autres, vous risquez de rater le moment opportun d'apporter un changement bénéfique.

Le canaliseur et le pseudo-changement

Le canaliseur a tendance à effectuer des changements inappropriés ou inutiles. En raison de l'intensité de sa nature, il n'envisage souvent qu'une solution à la fois. Quand quelqu'un est centré sur une tâche précise, il ne voit qu'un seul aspect du problème. Plus le problème est complexe, plus il en aborde la résolution d'une manière rigide.

Un foyer pour enfants perturbés engagea un conseiller en santé mentale parce que les enfants ne présentaient aucun signe d'amélioration après des semaines de traitement. Cette maison d'accueil était censée stimuler l'indépendance et le sens des responsabilités des enfants afin qu'ils puissent retourner dans leur famille. Mais le conseiller remarqua que le programme de l'école était si fortement centré sur la structure et la discipline que les enfants n'avaient pas la possibilité d'acquérir l'autonomie nécessaire pour fonctionner seuls. Ainsi, la pâte dentifrice et le shampooing étaient distribués au compte-gouttes; et il était interdit de bavarder pendant les repas. Ces règlements ne faisaient qu'enseigner la dépendance aux enfants qui continuaient de se montrer irresponsables parce qu'on refusait de leur faire confiance et de leur confier des responsabilités. En se concentrant ainsi sur la structure et la discipline, l'école contrecarrait les qualités mêmes qu'elle cherchait à développer chez ses jeunes protégés.

La tragédie de la navette *Challenger* en 1986 illustrait le même type d'ineptie résultant d'une surconcentration. Toutes les parties concernées étaient si préoccupées par le décollage de la navette qu'elles négligèrent des détails plus importants. L'enquête qui suivit la catastrophe révéla que les joints coniques de la fusée avaient gelé en raison du froid exceptionnel qui sévissait et qu'ils ne s'étaient pas ouverts. Quelle fut la solution proposée après une enquête qui dura un an? Modifier la conception des joints en leur ajoutant des filaments chauffants pour les empêcher de geler par temps froid. Bien que cette solution, qui évitait la mise au rebut du matériel existant, soit innovatrice en soi, on ne fit aucune mention de la rupture sous-jacente du processus décisionnel. La commission présidentielle chargée d'enquêter sur la catastrophe souligna cette perception étroite du problème.

Au sein des entreprises, le canaliseur ergomane est le plus susceptible d'apporter des pseudo-changements. Il est difficile de prendre en défaut l'employé qui semble avoir mangé du lion, qui arrive le premier, part le dernier et ne prend jamais de vacances. On admire sa vitalité mais, en réalité, il gaspille une grande partie de son énergie en s'affairant inutilement.

C'est lorsqu'il se concentre sur des projets précis que le canaliseur est le plus à son aise parce qu'alors «les choses avancent». Inversement, le bourreau de travail typique n'aime pas l'innovation, l'ambiguïté, la délégation des tâches ou les nouveaux points de vue parce qu'ils menacent l'affairement qui remplit ses journées.

Prenons le cas de Donald, président-fondateur d'un cabinet de comptables agréés, qui fit part de son désir de moderniser l'approche du cabinet en matière de gestion à une époque où la concurrence était vive et où on assistait à la consolidation des cabinets de comptables. Donald plaidait intensément en faveur «du progrès, de la croissance et du changement», tout en continuant de passer soixante-dix heures par semaine à vérifier les comptes de ses clients. Les membres de son cabinet proposèrent des idées créatrices comme de se réunir dans un endroit retiré pour trouver des solutions nouvelles, de former des équipes de travail, de lancer une campagne de publicité et de relations publiques, et un programme visant à rehausser l'image de marque du cabinet en offrant un service public.

Mais Donald se préoccupait des échéances de ses clients. En s'employant à les recevoir personnellement et à enregistrer le temps facturable, il ne pouvait consacrer le temps et l'énergie nécessaires à l'application des recommandations de ses employés. Pendant qu'il se concentrait sur ses engagements courants, ses concurrents le devancèrent.

Si vous êtes un canaliseur, mettez à contribution votre merveilleuse capacité de concentration. Assurez-vous qu'un projet doit absolument être réalisé — et par vous — avant de vous y engager. Vous n'êtes pas responsable de tout, pas plus que vous ne devez livrer toutes les batailles.

En outre, si vous vous reconcentrez trop rapidement, vous risquez de passer outre d'importants éléments et d'aborder la mauvaise facette du projet avec les mauvaises méthodes. Donc, prenez du recul et observez longuement la situation avant de vous concentrer sur vos tâches; vous pourrez ainsi éviter le type de pseudo-changement dont est victime le canaliseur.

Le raisonneur et le pseudo-changement

Si le canaliseur évite le changement en se concentrant sur des objectifs restreints et à court terme, la perspective du raisonneur est plus distante. Lorsque celui-ci n'est pas à l'aise face à un changement imminent, il analyse, quantifie et se perd en considérations théoriques. Il est trop occupé à prendre les choses en considération, à vérifier la validité de ses renseignements, à faire des projections et à évaluer les coûts pour agir vraiment. En outre, le moment n'est jamais bien choisi pour agir. La temporisation est une conséquence, et parfois une distorsion, des aptitudes pourtant réelles à diriger du raisonneur.

Le raisonneur adopte ce comportement même en vacances. L'ingénieur qui passe un mois en France planifie chacune de ses activités et chaque minute. Des mois avant de partir, il lit une pile de livres sur l'histoire, la culture et les hauts faits de la France. Il compile une liste des sites et des gens qu'il veut visiter. Il s'arrange même pour assister à trois réunions d'affaires pendant ces vacances tant attendues.

Ces préparatifs pourraient ajouter au plaisir du raisonneur, mais malheureusement, celui-ci en déforme souvent le processus. Il se trouve à l'endroit de ses rêves mais n'arrive pas à se mettre en mode vacances. S'il se sent obligé de respecter à la lettre son horaire et son programme, il sape l'objectif même de ses vacances. Au lieu de changer de rythme, il change uniquement de décor.

Prenons l'exemple de Monique, une femme de carrière qui, à l'âge de trente-trois ans, commença à songer à la maternité. Elle fit une enquête poussée sur ses chances de donner naissance à un enfant normal. Rassurée sur ce point, elle mit son projet en veilleuse parce qu'elle entamait une période de travail très gratifiante mais extrêmement remplie.

Lorqu'elle eut un répit, elle se mit à lire toutes sortes d'ouvrages sur la maternité, l'allaitement et l'éducation des enfants. Ces lectures ravivèrent son désir d'enfanter, mais plusieurs choses la détournèrent de son projet. Chaque fois qu'elle était suffisamment renseignée et prête à avoir un enfant, quelque chose l'en empêchait.

Lorsqu'elle eut terminé ses recherches, Monique avait trente-neuf ans et se considérait trop vieille pour devenir enceinte. Elle songa alors à adopter un enfant, mais là encore, son âge constituait un handicap. Aux dernières nouvelles, elle se renseignait sur l'adoption privée. Il est dommage que l'attitude raisonnée et analytique de Monique ait fini par l'empêcher de mettre en œuvre le changement même qu'elle souhaitait.

La forme et le contenu

Le pseudo-changement se caractérise par un changement de forme alors que la réalité sous-jacente demeure la même. Les canaliseurs effectuent souvent ce type de changement parce qu'un arbre leur cache la forêt: ils se concentrent sur le mauvais problème et négligent complètement les détails et les modèles. Le raisonneur commet une erreur semblable en appliquant des renseignements véridiques à la mauvaise situation.

Les entreprises aussi font des pseudo-changements. Dans un ouvrage intitulé *The Change Resisters*[6], George Odiorne décrit ce qu'il appelle des «pièges d'activité» en vertu desquels les dirigeants d'entreprise s'affairent à modifier superficiellement la façon de mener les affaires sans vraiment en changer le fond. L'organisation est paralysée par le comportement désuet de ses propres employés.

On trouve un exemple frappant de cette situation dans l'incroyable entêtement manifesté par la haute direction de

Chrysler vers le milieu des années soixante et au début des années soixante-dix. Les ventes, les produits, les conceptions, la réputation et le moral du personnel baissaient d'une façon vertigineuse. Les dirigeants se cassaient la tête pour trouver une solution au problème. Ils élaborèrent de complexes organigrammes illustrant de nouveaux champs de responsabilité et de nouvelles lignes de commande et de communication. Ils espéraient transformer radicalement les procédés d'exploitation. Toutefois, ces organigrammes étaient révisés tous les deux ou trois ans. Bon gré mal gré on déplaçait les divisions et les services, et on modifiait les rapports hiérarchiques. Mais tout cela n'améliorait rien parce que rien ne changeait vraiment. La compagnie continuait de fonctionner de la même façon qu'avant la révision des organigrammes. Toute cette activité donnait bonne conscience à la haute direction et ce sentiment même constituait un obstacle au changement.

Il fallut attendre l'arrivée de Lee Iacocca à la direction de Chrysler pour assister à de vrais changements. Celui-ci établit un organigramme simple et logique, s'assura que tout le personnel le comprenait et instaura une méthode de gestion efficace qui restaura la santé de la compagnie.

Certes, soulager son anxiété dans un tourbillon d'activités peut constituer une réaction saine en situation de crise. Mais ne prenez pas l'habitude d'affronter ainsi les tensions car cette attitude peut être source de pseudo-changements et entraîner de graves conséquences à long terme, comme le démontre l'histoire de Chrysler.

Conflit et résolution

La plupart des pseudo-changements résultent du conflit qui nous tenaille face au véritable changement. La plupart d'entre nous sont très ambivalents face au changement. D'une part, nous avons hâte de vivre une nouvelle expérience et d'autre part, nous craignons de perdre ce que nous avons acquis. Ainsi, le bourreau de travail se sent coupable de ne pas se détendre davantage avec sa famille, mais sa compulsion à travailler le soir et la fin de semaine et à produire à chaque heure du jour est si forte qu'il n'arrive pas à briser ce modèle de comportement.

Dans le même ordre d'idée, la mère dont les enfants commencent à fréquenter l'école souhaite reprendre son emploi d'infirmière, mais elle craint que ce double rôle de ménagère et de femme de carrière mine son plaisir personnel et ses relations.

Voici un autre exemple: une femme écrivain souhaite terminer son premier roman, mais une partie d'elle-même redoute de le soumettre au public. Elle peut même exiger des conditions irréalistes de la part de l'éditeur, et saboter ainsi la publication de son livre.

Nos conflits intérieurs nous empêchent d'embrasser le changement avec tout notre cœur. C'est pourquoi nous en bouleversons souvent le processus en provoquant des pseudo-changements à la place.

Avez-vous déjà vu un enfant tripoter la nourriture dans son assiette lorsqu'on lui dit: «Finis ton assiette ou tu ne pourras pas regarder la télévision»? Il n'a pas décidé de manger son repas. En fait, il est bien décidé à *ne pas* le manger mais souhaite contenter ses parents pour pouvoir regarder la télévision. Le conflit intérieur qui résulte de cette situation le pousse à camoufler son pain de viande dans sa pomme de terre vidée et à éparpiller ses petits pois avec art sous la pomme de terre et autour. Lorsque sa mère lui dit: «Tu n'as pas touché à ton dîner», il peut sans mentir répondre: «Mais oui.»

Les adultes sont constamment aux prises avec ce type de conflit intérieur, mais ils trouvent des façons beaucoup plus indirectes de les régler. Cela est compréhensible puisque lorsque nous quittons l'enfance, nos conflits non résolus nous valent des punitions beaucoup plus sévères.

Les attitudes très différents qu'affichaient Robert McFarlane et Oliver North pendant les audiences de 1987 sur ce qu'on a appelé l'Irangate illustrent clairement la différence entre être en conflit avec ses actes et ne pas l'être. Lorsque le Congrès américain cessa d'appuyer les forces de résistance contras du Nicaragua, McFarlane et North camouflèrent les opérations du Conseil national de sécurité jusque-là publiques. Comme c'est souvent le cas pour les manœuvres complexes, on découvrit le pot aux roses, et les deux hommes durent s'expliquer devant le Congrès.

North devint un héros du jour au lendemain grâce à son témoignage passionné et personnel. Il était clair qu'il ne doutait pas de la valeur de ses actes et il reconnaissait même ses erreurs sans hésiter. McFarlane, au contraire, était un modèle de conflit intérieur non résolu. Il craignait d'avoir compromis le Président, la politique étrangère de son pays et son propre sens du bien et du mal. Son comportement et son apparence trahissaient sa détresse, de même que la tragique tentative de suicide qu'il fit plusieurs mois avant de passer en cour.

L'attitude orientée vers l'action de North semble typique du risqueur tandis que celle de McFarlane relève plus du raisonneur. Mais ces deux approches démontrent clairement l'effet de la présence ou de l'absence d'un conflit face à ses actes.

Résoudre le conflit

Vous avez peut-être remarqué dans vos rapports quotidiens avec les autres qu'il est beaucoup plus facile d'exprimer son point de vue lorsqu'on y croit fortement. On résout ses conflits intérieurs lorsqu'on prend le temps de clarifier ses *pensées* en s'assurant qu'elles s'harmonisent avec ses *sentiments*. Voici un dialogue intérieur qui illustre comment on peut résoudre un conflit:

VOUS	LE 2ᵉ VOUS
Ce nouveau projet pourrait être très avantageux pour moi et pour la compagnie. Si seulement je pouvais l'achever...	
	Chouette! Le P.d.g. m'a confié le projet en entier.
Mm... D'après le P.d.g., je dois «vendre» mon projet au conseil d'administration.	
	Ah, comme je vais m'amuser! Et comme j'ai hâte de les emberlificoter!
En fait, j'ai eu l'idée de ce projet en bavardant avec Jean, le comptable. Je me demande si je devrais l'associer à ma présentation.	
	Jean n'a pas imaginé le plan, il n'en a été que l'instigateur. Il a de la facilité à se rappeler les détails. Il pourrait m'appuyer pour ce qui touche les faits.
Voyons voir... pas de complications pour ce qui est des coûts. C'est le système complexe de facturation qui m'échappe.	

Peut-être que je devrais en parler à Jean, pour qu'il me mette au courant en ce qui touche la marche à suivre.

Le P.d.g. aime les gens responsables et autonomes... mais je ne veux pas lui présenter des chiffres imprécis.

Jean pourrait se sentir en droit de participer au projet si je sollicite son aide.

Il faudrait que je lui parle tout de suite. Je me demande s'il est dans le jus en ce moment.

Il peut être vraiment casse-pieds quand il cherche la petite bête. Il est tellement lent et méthodique, c'est presque pathétique. Mais c'est quand même un chic type.

Il faut absolument que je sois prêt à temps. Mieux vaut présenter les données que j'ai en main. Si le P.d.g. me pose une colle, je lui dirai que je fais des recherches sur la question actuellement.

Vos deux «vous» sont en conflit sur plusieurs points. En ce qui concerne l'éthique, doit-on accorder quelque crédit à Jean pour l'élaboration du projet? D'un côté pratique, avez-vous le temps de lui demander son avis? Comprenez-vous suffisamment les aspects techniques du projet pour le présenter vous-même? Votre réponse finale est: «Oui, je le peux.»

Ce cheminement de pensée vous aide à résoudre votre conflit de manière à vous permettre d'effectuer un changement. En fait, vous devez avoir résolu tous vos conflits avant de présenter votre projet, sinon vous ne serez pas convaincant.

Identifier le pseudo-changement

Comment reconnaît-on un désir authentique de changer? En quoi le fait d'apporter un vrai changement diffère-t-il d'un simple réarrangement des fauteuils ou de la modification d'un organigramme? Comment savoir si on effectue un pseudo-changement? Voici quelques questions qui vous aideront à clarifier vos sentiments lorsque vous êtes aux prises avec un conflit et embourbé dans un pseudo-changement, et lorsque vous avez résolu votre conflit et amorcé un changement productif:

Le détecteur de conflit en cinq questions

Pensez à un changement que vous affrontez à l'heure actuelle. Répondez par «oui» ou «non» aux questions ci-dessous:

1. Vous sentez-vous obligé(e) d'accepter le changement au lieu de l'effectuer par choix?
2. Les solutions vous viennent-elles aisément, sans nécessiter une trop grande réflexion?
3. Écoutez-vous les conseils des autres sans vous défendre? Êtes-vous ouvert à leurs idées?
4. Êtes-vous angoissé la plupart du temps pendant que vous mettez ce changement en œuvre?
5. Souffrez-vous d'une nouvelle maladie ou de nouveaux symptômes comme des migraines ou un estomac dérangé?
6. Êtes-vous irrité ou sur la défensive lorsque vous discutez de ce changement avec d'autres personnes?
7. Éprouvez-vous un sentiment général de bien-être?
8. Ressentez-vous de la bienveillance à l'égard de votre entourage, même des gens qui vous critiquent?
9. Buvez-vous davantage d'alcool? Mangez-vous davantage? Prenez-vous des amphétamines? Faites-vous moins d'exercice?
10. Vous sentez-vous plein d'énergie? Vos sens sont-ils plus aiguisés?

*   *   *

Si vous avez répondu «oui» à deux ou plus des questions 1, 4, 5, 6 et 9, vous êtes aux prises avec un conflit important face au changement que vous traversez et il se pourrait que vous réagissiez en apportant des pseudo-changements. Sondez votre degré de détermination et de confort face au vrai changement.

Le changement véritable peut s'effectuer graduellement pour certaines personnes et rapidement pour d'autres. Plus vous êtes sensible à des considérations d'ordre moral, aux sentiments des autres et aux conséquences de vos actes, plus vous avez de chances de subir un conflit. Vous mettrez peut-être plus de temps à le résoudre et cela exigera beaucoup de vous, mais le jeu en vaut la chandelle: affronter résolument ses doutes et ses sentiments au lieu de les enterrer est un signe de maturité et de force. Vous courez moins de risques d'avoir des surprises qui détruiront vos plans et vous causeront des regrets plus tard. Rappelez-vous cependant que se battre constamment constitue un moyen d'éviter le changement.

Le problème le plus épineux consiste à transformer ses doutes en détermination et sa résistance en enthousiasme. Vous trouverez au chapitre 5 les quatre qualités susceptibles d'accentuer votre détermination à changer.

Étape 4: Le pseudo-changement peut prendre bien des formes et devenir une manière de vivre lorsque nous doutons de nos actes. Pour déterminer votre degré de détermination face à un changement imminent, répondez au «détecteur de conflit en cinq questions».

Deuxième partie

La psychologie du changement

Chapitre 5

Les quatre flexi-qualités

Imaginez qu'un génie apparaît devant vous à l'instant et vous promet de vous conférer les quatre qualités essentielles au succès si vous pouvez les nommer. Que répondrez-vous?

Ces quatre qualités sont celles qui vous rendent souple face au changement:

Confiance — en soi-même et dans le monde
Sentiment d'identité — le sentiment puissant et réaliste de ce qu'on est
Esprit d'initiative
Méthode — un mode d'apprentissage

Il s'agit là d'aptitudes qu'on acquiert tôt dans la vie et qu'on affine en vieillissant. Voici à quoi elles ressemblent et comment elles émergent pendant l'enfance:

La *confiance* nous permet de nous fier aux autres et d'établir des relations intimes. Elle est présente chez l'enfant mais doit être renforcée tout au long de sa vie.

Le nourrisson à qui sa mère donne le sein apprend à faire confiance. C'est de la confiance que manifeste la bambine de deux ans qui se jette du haut de la table dans les bras affectueux de son père. Par après, cette sorte de confiance dans les relations se change en confiance en soi.

Développer son *sentiment d'identité,* c'est prendre conscience que l'on est distinct de ses parents, de ses frères et sœurs, de sa famille et du voisinage. C'est le sentiment qui nous fait dire: «Je veux être moi.» En fait, il se peut que vous vous sentiez si différent de votre frère que vous ayez l'impression d'être adopté. Ou bien vous vous sentez unique et spécial lorsqu'un adulte vous dit:

«Oh! c'est toi le petit Baillargeon qui fait de si bons tours de magie.» Une réaction positive des personnes qui vous sont chères contribue à la formation d'une image de soi positive.

L'*esprit d'initiative* vous permet d'avoir vos propres idées et de les mettre en œuvre. Vous fabriquez un bouquet de fleurs sauvages pour votre mère ou réunissez les enfants du voisinage pour construire une cabane. Bien que cet esprit d'initiative soit lié à votre attitude subséquente face au travail, il possède aussi un aspect social. Ainsi, pour épargner dans le but d'acheter un présent à votre père, vous devrez trouver un emploi ou exécuter des tâches moyennant rémunération, puis choisir un cadeau et l'acheter; pour raccompagner votre petite amie chez elle après l'école, vous devrez surmonter la peur du rejet et mettre à l'épreuve vos nouvelles aptitudes à communiquer. Ce sont là des opérations préparatoires à l'établissement de relations d'amitié et d'amour.

Il est indispensable de posséder certaines *méthodes* pour résoudre les nouveaux problèmes si l'on ne veut pas repartir à zéro chaque fois. Ces méthodes vous permettent de tirer profit de chaque expérience et d'acquérir de la sagesse. Vous possédez une base de données dans laquelle vous pouvez puiser chaque fois que vous affrontez un nouveau problème. Chacun de nous acquiert un petit bagage d'aptitudes à résoudre ses problèmes, à s'attirer des éloges et à influencer les gens, qu'il généralise et complète avec le temps. Ainsi, si vous êtes responsable d'un animal domestique, vous pouvez étendre le champ de vos responsabilités à vos frères et sœurs, puis mettre à contribution les mêmes aptitudes pour devenir un superviseur compétent.

Ces qualités, confiance, sentiment d'identité, esprit d'initiative et méthode d'apprentissage, prennent racine dans l'enfance et s'affinent au cours de la vie, la plupart du temps sous l'influence du changement. Elles émergent dans la petite enfance et se développent l'une après l'autre. Les spécialistes du développement de l'enfant[7] associent des «tâches de vie» à chaque étape. Ainsi, le degré d'autonomie qu'on acquiert pendant l'étape marquée par le développement de son identité dépend du degré de confiance acquis pendant l'étape précédente. De même, on développe son esprit d'initiative dans la mesure où on a exécuté avec succès les tâches de la vie associées aux deux premières étapes. Si vous voulez devenir un adulte capable de travailler en équipe (au travail, dans votre relation amoureuse ou dans votre communauté), vous devez maîtriser assez bien chacune des qualités mentionnées ici.

Les innovateurs avisés et les flexi-qualités

Pour voir ces quatre qualités à l'œuvre, revenons à nos quatre innovateurs et voyons comment elles les ont aidés à affronter les changements radicaux survenus dans leur vie. Bien qu'elle ait exploité tour à tour chacune des quatre qualités, chaque personne éprouvait un besoin particulier à l'époque et s'est donc concentrée sur une aptitude précise. Remarquez également que même si nos innovateurs possédaient de solides aptitudes au départ, les changements torturants qu'ils ont affrontés les ont poussés à manifester ces qualités à un degré encore plus élevé.

Au moment où Luc perdit sa main droite dans un accident, il avait choisi un mode de vie axé tant sur le succès physique et financier que sur le statut social. Mais comme il manquait de confiance en lui, il avait nié ses propres désirs et opté pour la sécurité parce qu'il ne se fiait ni à lui-même ni au monde extérieur pour subvenir à ses besoins. Son accident lui permit de clarifier ce conflit et cette nouvelle clarté lui permit de se fier suffisamment à sa propre démarche intellectuelle et à son instinct pour *faire confiance* au monde dans lequel il voulait vivre.

Henri reconstruisit son *sentiment d'identité* après avoir été déçu et humilié à la suite de sa fameuse vente d'actions. Il s'était fortement identifié à son employeur. En tant que vice-président d'une entreprise aussi importante et prestigieuse, il possédait une grande sécurité financière assortie d'un potentiel presque illimité de gains pécuniaires. Au fil des ans, il avait réprimé son désir d'exercer un travail plus stimulant et créateur. Mais lorsque vint le coup, malgré sa souffrance et son embarras, il comprit que c'était la politique de la compagnie qui était en cause et non ses propres capacités. En outre, il accueillit bientôt avec plaisir l'idée de quitter le giron maternel de la compagnie et cette séparation renforça son identité personnelle.

Anna traversa de nombreux changements afin d'accommoder son mari et ses enfants car elle se souciait constamment des autres. Mais lorsqu'elle eut la possibilité de devenir vice-présidente, elle était prête à agir pour elle-même. Elle prit des initiatives, changea d'emploi, découvrit ses propres capacités et surmonta ses doutes sur sa compétence. C'est alors qu'elle put exercer ses excellentes aptitudes à diriger sans menacer son rôle familial ni son identité personnelle.

Martin finit par apprécier sa propre *méthode* de résolution des problèmes pendant son séjour dans une prison cubaine. Cet épisode pénible l'aida également à accepter ses croyances politiques et à les intégrer à sa carrière. Il put ensuite canaliser son attention et son énergie d'une manière qui lui convenait et plaisait à ses parents.

C'est donc en maîtrisant certaines aptitudes fondamentales que l'on devient un innovateur heureux. Vous saurez que vous avez réussi lorsque vous amorcerez des changements parce que vous le voulez et non parce qu'une force extérieure vous y pousse.

Nos quatre innovateurs avisés se sont ainsi affranchis des forces extérieures pour se laisser guider par leur force intérieure. Cette étape est essentielle à un changement réel et positif, et elle renforce notre pouvoir. Nous ne nous contentons plus de réagir aux forces qui nous entourent ni de répondre aux attentes des autres. Nous prenons des décisions et agissons au meilleur de notre connaissance.

Anna obtint son diplôme parce qu'elle le voulait. Martin poursuivit une carrière conforme à ses propres convictions politiques et non plus orientée en fonction de ses parents. Luc devint bibliothécaire par amour des livres et non pour obtenir la sécurité, un emploi ou même l'amour d'Aline. Henri travailla d'arrache-pied pour lancer des projets créatifs qui le rendaient heureux.

Bien que Luc, Henri, Anna et Martin aient connu des changements radicaux qui ont mis à l'épreuve leurs aptitudes, il n'est pas nécessaire de connaître des bouleversements aussi extrêmes pour réussir comme eux. Chaque jour, nous traversons de petites crises qui peuvent nous permettre d'apprendre et de grandir.

Le qualitest

Réfléchissez pendant un moment à des expériences que vous avez vécues et à la façon dont vous les avez affrontées. Teniez-vous vraiment la barre ou n'étiez-vous qu'un «pion sur l'échiquier»? Ces expériences ont-elles été heureuses?

En y réfléchissant, voyez-vous des indices quant aux qualités (confiance, sentiment d'identité, esprit d'initiative et méthode) que vous avez bien intégrées et à celles qui ne sont que latentes en vous? Pour vous aider à découvrir les réponses à cette dernière question, faites le Qualitest.

Qualitest

Lisez chaque énoncé ci-dessous et inscrivez «1» s'il vous apparaît moyennement pertinent, «2» s'il vous apparaît très pertinent ou «0» s'il n'est pas du tout pertinent dans votre cas.

_____ 1. Lorsqu'on me demande d'expliquer mon travail à un tiers, cela m'inquiète de partager mon savoir avec un éventuel rival.

_____ 2. J'ai beaucoup de bonnes idées mais j'ai l'impression qu'elles ne sont jamais assez au point pour être exprimées.

_____ 3. Je me laisse souvent persuader par de beaux parleurs, des personnes très sociables, originales ou fascinantes.

_____ 4. Je pardonne facilement aux retardataires.

_____ 5. Je ne prête pas attention aux commentaires négatifs de la plupart des gens parce qu'ils ne sont pas qualifiés pour juger mon travail.

_____ 6. J'ai de la difficulté à participer à des projets d'équipe et à des tâches collectives parce que je sais que je travaille plus efficacement seul.

_____ 7. Je m'opposerais à une mutation, aussi prometteuse soit-elle, parce que de puissants liens me retiennent ici.

_____ 8. Je suis du genre à refuser un emploi du tonnerre si je crains de susciter l'envie ou le ressentiment des autres.

_____ 9. J'accepte n'importe quel travail.

_____ 10. Bien que j'aime les romans et les polars, la plupart de mes lectures sont liées à mon travail ou à ma croissance personnelle.

_____ 11. Je ne demande jamais d'augmentation, de promotion ni de reconnaissance publique.

_____ 12. Lorsque je vois des signes de réduction des activités, de mises à pied et de congédiements, je me dis à moi-même: «Je verrai en temps et lieu.»

_____ 13. Je refuse de modifier mes plans ou mon horaire pour des soi-disant urgences.

_____ 14. Face à un problème, j'emploie toujours l'attitude qui
       m'a réussi dans le passé.
_____ 15. J'ai de la difficulté à transmettre mes connaissances
       dans mon domaine de compétence.
_____ 16. Chaque nouvelle étape de ma vie me paraît plus
       difficile que la précédente.

* * *

Vous avez sans doute remarqué que les énoncés du Qualitest sont placés par groupes de quatre. Chaque groupe représente l'une des quatre qualités à maîtriser de manière à affronter le changement avec succès. Les énoncés du premier groupe se rapportent à la confiance; ceux du deuxième, au sentiment d'identité; ceux du troisième, à l'esprit d'initiative et ceux du quatrième, à la méthode de résolution des problèmes.

Reportez le chiffre (1, 2 ou 0) que vous avez inscrit devant chaque énoncé sur la ligne de pointage ci-dessous.

Énoncé	1	2		3	4	
Méfiance	2	2	CONFIANCE	1	0	Excès de confiance

Si vous avez obtenu plus de deux points à l'une ou l'autre extrémité de la ligne, vous avez sans doute des progrès à faire dans ce domaine particulier. Dans l'exemple ci-dessus, le pointage indique que la personne pourrait être assez *méfiante* puisqu'elle a obtenu quatre points à gauche. Comme les énoncés représentent tous des points de vue extrêmes, un «0» indique ordinairement une attitude équilibrée. La personne qui inscrit quatre «0» sur sa ligne démontre qu'elle possède une bonne maîtrise de la qualité en question ou qu'elle n'a pas encore été éprouvée à cet égard.

Rappelez-vous que ces quatre questions par qualité ne font qu'illustrer vos sentiments. En conséquence, vos résultats pourraient refléter la sorte de journée que vous passez ou une expérience difficile récente.

Feuille de pointage

1er groupe - Confiance

Énoncé	1	2		3	4	
Méfiance			CONFIANCE			Excès de confiance

Si vous avez développé une assez grande confiance, vous n'aurez aucun chiffre sur cette ligne. Si vous avez 2 points à gauche, vous pourriez avoir une légère difficulté à faire confiance aux autres et manquer parfois de confiance en vous.

Quatre points indiquent une grande *méfiance* face à votre entourage. Au contraire, un 4 du côté droit reflète une tendance à *trop faire confiance*. Si vous avez 4 de chaque côté de la ligne de pointage, vous hésitez à vous lancer dans de nouveaux projets et à nouer de nouvelles amitiés.

Mais ne vous inquiétez pas. Vous avez intérêt à connaître ce qui vous inhibe le plus dans votre vie quotidienne. Les techniques présentées dans ce livre vous aideront à développer la confiance et d'autres qualités qui influent sur votre faculté d'adaptation au changement.

2e groupe - Sentiment d'identité

Énoncé   5 6   7 8
Indépendance | | SENTIMENT D'IDENTITÉ | | Dépendance

Si vous avez 4 points d'un côté ou de l'autre, votre *indépendance* ne vous laisse pas indifférent. S'ils sont du côté gauche, vous êtes peut-être un solitaire alors que s'ils sont du côté droit, vous avez besoin de l'appui des autres pour affronter le changement. Si vos chiffres sont inférieurs à 4, les notions d'indépendance et de dépendance vous perturbent moins et vous possédez un sentiment d'identité plus marqué.

3e groupe - Esprit d'initiative

Énoncé   9 10   11 12
Dynamisme | | ESPRIT D'INITIATIVE | | Passivité

Les personnes énergiques qui se sentent toujours obligées d'agir obtiennent souvent des chiffres élevés du côté gauche de la ligne de pointage. Souvent, leurs pairs les trouvent manipulatrices. À l'autre extrême de la ligne, on trouve la personne plutôt passive qui attend les ordres des autres et espère que les problèmes se résoudront d'eux-mêmes (comme cela arrive parfois). Si votre pointage est élevé de chaque côté, vous pourriez avoir tendance à prendre trop d'engagements, puis à vous épuiser et à abandonner. En trouvant un équilibre entre ces deux extrêmes, vous développerez l'esprit d'initiative qui vous permettra d'agir de façon positive mais sans vous éparpiller lorsque vous effectuez un changement.

4ᵉ groupe - Méthode de résolution des problèmes

Énoncé	13	14			15	16	
Perfectionnisme			MÉTHODE				Incompétence

Si vous obtenez un chiffre élevé à gauche de la ligne de pointage, il se pourrait que vous soyez trop systématique ou *perfectionniste*. Même s'il est bon d'être organisé et de suivre un horaire, vous avez tendance à trop dépendre de ces éléments et à être trop rigide face au changement. Si vous obtenez un chiffre élevé à l'autre extrême, l'*incompétence*, vous paniquez souvent parce que votre vie est chaotique. Un peu d'organisation et d'attention envers les détails vous faciliteront la vie. Les personnes qui obtiennent un bas pointage arrivent à comprendre la plupart des situations.

Un point de vue différent

Il est très difficile d'évaluer son propre comportement et ses attitudes — surtout dans les domaines subtils caractérisés par les quatre aptitudes de la vie. Pour vous aider à surmonter cette difficulté, nous avons élaboré une version parallèle du test que vous venez de faire. Demandez à une personne qui vous connaît assez bien de le remplir: votre conjoint ou conjointe, votre meilleur ami ou un collègue. Vous trouverez peut-être utile de comparer vos pointages à ceux de membres de votre famille ou de collègues. Si l'idée vous sourit, faites plusieurs copies du Qualitest 2. Vous apprendrez un peu plus loin comment relier les résultats des deux tests et affiner ce reflet de votre attitude face au changement.

Qualitest 2

Une personne que vous connaissez assez bien vous a demandé de remplir ce test. Dans le questionnaire ci-dessous, «X» représente cette personne. Veuillez lire chaque énoncé et inscrire «1» s'il s'applique dans une certaine mesure à «X», «2» s'il s'applique parfaitement à X ou «0» s'il ne s'applique pas du tout à X.

_____ 1. Lorsqu'on lui demande d'expliquer son travail à un tiers, X s'inquiète de devoir partager son savoir avec un éventuel rival.

_____ 2. X a beaucoup de bonnes idées mais il a l'impression qu'elles ne sont jamais assez au point pour être exprimées.

_____ 3. X se laisse souvent persuader par de beaux parleurs, des personnes très sociables, originales ou fascinantes.

_____ 4. X pardonne facilement aux retardataires.

_____ 5. X ne prête pas attention aux commentaires négatifs de la plupart des gens parce qu'ils ne sont pas qualifiés pour juger son travail.

_____ 6. X a de la difficulté à participer à des projets d'équipe et à des tâches collectives parce qu'il se croit plus efficace lorsqu'il travaille seul.

_____ 7. X s'opposerait à une mutation, aussi prometteuse soit-elle, parce que de puissants liens le retiennent.

_____ 8. X est le type de personne à refuser un emploi du tonnerre s'il craint de susciter l'envie ou le ressentiment des autres.

_____ 9. X accepte n'importe quel travail.

_____ 10. Bien qu'il aime les romans et les polars, la plupart des lectures de X sont liées à son travail ou à sa croissance personnelle.

_____ 11. X ne demande jamais d'augmentation, de promotion ni de reconnaissance publique.

_____ 12. Lorsqu'il voit des signes de réduction des activités, de mises à pied et de congédiements, X ne cherche pas à se recycler ni à chercher un autre emploi.

_____ 13. X refuse rarement de modifier ses plans ou son horaire pour des urgences.

_____ 14. Face à un problème, X emploie toujours l'attitude qui lui a réussi dans le passé.

_____ 15. X a de la difficulté à partager ses connaissances dans son domaine de compétence.

_____ 16. Chaque nouvelle étape de sa vie paraît plus difficile que la précédente à X.

* * *

Les résultats de votre test sont-ils comparables à ceux du test de votre ami? Si c'est le cas, vous pouvez sans crainte vous concentrer sur le domaine où vous avez obtenu le plus fort pointage. Il est clair que si vos sentiments profonds et l'opinion de cette personne convergent vers la même qualité, c'est par là que vous devez commencer.

Le tableau ci-dessous vous permet de voir rapidement la corrélation entre vos deux pointages.

CONFIANCE

	Méfiance		Excès de confiance	
Mon pointage				
Collègue				
Autre				

SENTIMENT D'IDENTITÉ

	Indépendance		Dépendance	
Mon pointage				
Collègue				
Autre				

ESPRIT D'INITIATIVE

	Dynamisme		Passivité	
Mon pointage				
Collègue				
Autre				

MÉTHODE

	Perfectionnisme		Incompétence	
Mon pointage				
Collègue				
Autre				

Si vous n'êtes pas toujours d'accord avec le pointage inscrit par votre collègue, discutez-en avec lui. Découvrez ce qui l'a incité à vous appliquer un énoncé particulier que vous ne trouvez pas pertinent dans votre cas.

En cas de désaccord total concernant la qualité sur laquelle vous devriez vous concentrer, vous pouvez demander à une autre personne de remplir le questionnaire. Comme votre comportement à la maison diffère de votre attitude au travail, vous voudrez peut-être avoir un autre point de vue. Si vous avez demandé à un collègue de travail de remplir le Qualitest 2, ne vous étonnez pas si votre pointage concorde plus étroitement avec le sien qu'avec celui de votre colocataire ou d'un membre de votre famille. Après tout, la plupart d'entre nous passent plus de temps et s'expriment davantage au travail qu'à la maison.

Grâce aux deux questionnaires du présent chapitre, vous possédez maintenant une idée des qualités que vous maîtrisez bien et de celles qui laissent à désirer chez vous. Si vous avez l'impression que vous commencez à peine à développer votre confiance, votre sentiment d'identité, votre esprit d'initiative et une méthode, souvenez-vous que la vie vous offrira d'innombrables occasions de le faire. Chaque période de la vie vous offre une nouvelle chance de raffiner ces qualités essentielles à l'heureux innovateur.

Le prochain chapitre décrit comment les expériences précoces de quatre personnes ont influé sur leur aptitude à affronter le changement comme adulte et illustre comment nous faisons obstacle au changement parce que nous ne maîtrisons pas entièrement les quatre flexi-qualités.

Étape 5: Votre comportement reflète votre attitude à l'égard du changement, qui dépend de la mesure dans laquelle vous maîtrisez les quatre aptitudes fondamentales de la vie: confiance, sentiment d'identité, esprit d'initiative et méthode. Vous savez maintenant lesquelles d'entre elles vous avez développées et lesquelles exigent encore du travail. Passez maintenant en revue les pointages obtenus aux Qualitests et songez à l'aptitude qui vous cause le plus de désagréments.

Chapitre 6

Comment nous apprenons à faire obstacle à la flexibilité

En travaillant avec des centaines de personnes dans nos ateliers et nos séminaires au cours des trois dernières années, nous avons fini par déceler un modèle de comportement chez celles qui affrontaient avec difficulté les changements professionnels. En les connaissant mieux, nous avons découvert que leurs ennuis à ce chapitre semblaient s'accorder avec les phases difficiles de leur enfance.

Nous nous sommes donc penchées sur la psychologie des adultes afin d'identifier des obstacles spécifiques au changement et nous avons découvert des barrières inconscientes qui correspondent aux quatre premières étapes de l'enfance décrites par les psychologues. Erik H. Erikson, l'un des premiers psychanalystes à étudier le comportement des personnes *saines*, est peut-être le plus connu pour ses recherches poussées et ses nombreux écrits.

De nouvelles entrevues avec des clients ont confirmé le fait que les personnes qui, pendant les étapes appropriées de l'enfance, ont eu des expériences positives en ce qui touche la confiance, le sentiment d'identité, l'esprit d'initiative et la méthode offraient peu de résistance aux changements inévitables de la vie. Par contre, si leur expérience avait été insuffisante ou négative, ces personnes, devenues adultes, étaient bouleversées par les changements mettant directement en cause ces aptitudes.

Le présent chapitre renferme quatre histoires qui illustrent particulièrement bien cette corrélation tout en montrant l'évolution des personnes à la suite des bouleversements qu'elles ont connus. Le chapitre se termine par une cinquième étape, qui constitue une nouvelle chance de passer au travers du changement.

Chacune des quatre étapes à franchir apparaît sur un continuum. L'état idéal est le milieu, les deux extrêmes représentant un échec. Cette disposition en dents de scie illustre comment vous pouvez perdre l'équilibre dans une direction ou l'autre, habituellement à la suite de traumatismes ou d'une expérience inappropriée survenue dans l'enfance. Ainsi, le premier stade consiste à atteindre un niveau adéquat de confiance et à éviter les extrêmes que représentent la confiance excessive et la méfiance.

Dans ces quatre histoires, surveillez les signes indiquant comment on développe des barrières face au changement. Essayez aussi de reconnaître votre propre attitude face au changement.

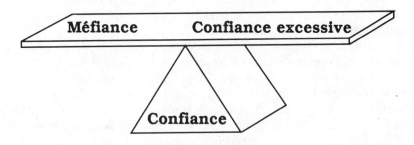

Première aptitude: la confiance

Julien, conseiller en conception de produit, est né prématurément et dut passer les premiers quatre-vingt-dix jours de sa vie dans une couveuse. Ni ses parents ni personne ne purent le toucher. La personne qui le nourrissait, le baignait et le soignait portait des gants de latex stériles.

Ayant reçu le nec plus ultra des soins médicaux, Julien survécut. En fait, s'il connut une enfance heureuse, c'est dû en grande partie à ses parents qui firent tout en leur pouvoir pour compenser son état d'«intouchable» pendant la période si cruciale où l'enfant établit des liens intimes avec ses parents.

Aujourd'hui, Julien est un adulte heureux et bien adapté. Voici ce qu'il dit des répercussions de cet incident de sa petite enfance: «Malgré tous les bons soins que j'ai reçus, je crois que j'en subis encore les conséquences. Le moindre changement me met mal à l'aise. Je mets beaucoup de temps à m'adapter et lorsque je suis vraiment bien, je ne veux plus partir.

«En ce qui concerne le travail, je pense que cette expérience influence la façon dont je prends les décisions importantes de ma carrière. Ainsi, alors que je travaillais pour une petite compagnie sans envergure, j'ai reçu d'une autre compagnie une offre alléchante que j'ai presque refusée parce que j'aimais bien mes collègues de travail. Au fond, je suis plutôt énergique et ambitieux, mais j'ai de la difficulté à modifier mes engagements et à faire confiance aux inconnus. Dans ce cas précis cependant, mon hésitation m'a servi puisque cette compagnie m'a offert un salaire plus élevé. Ses dirigeants appréciaient ma fidélité envers ma compagnie et cherchaient quelqu'un comme moi.

«J'ai eu beaucoup de chance dans mes relations sans doute parce que je devine aisément les intentions d'une personne. Si je perçois des vibrations négatives, je vérifie. Je réfléchis avant de m'engager, je suis lent à me faire des amis, mais quand je les ai, c'est pour la vie.»

Julien a appris à faire confiance aux autres, même s'il ressent encore les effets du retard qui a marqué les premiers mois de sa vie. Au contraire, la personne demeurée méfiante voit souvent la vie d'une manière pessimiste. Comme une maison bâtie sur des fondations branlantes, elle a l'air solide mais s'effondre facilement. Elle souffre d'insécurité, manque d'assurance et fait peu confiance aux autres.

Pour compenser, elle essaie de manipuler les autres injustement: elle triche pour obtenir un traitement équitable, place ses pions dans l'équipe chargée de l'interviewer pour obtenir un emploi, cherche à obtenir des données confidentielles afin de survivre dans ce qu'elle considère comme un monde féroce. Si un collègue appelle pour expliquer son retard, elle ne croit pas que sa voiture est tombée en panne. Devant la promotion d'un camarade, elle se croit l'objet d'un complot.

Ce pessimisme constitue un formidable obstacle au changement de toute sorte. Dans nos ateliers, les personnes méfiantes ont été soulagées de comprendre pourquoi elles étaient si anxieuses et soupçonneuses face aux changements même les plus minimes. L'une d'entre elles a déclaré: «J'ai été soulagée de voir que je n'étais pas mesquine ni méchante. Le fait d'apprendre que ma résistance au changement prenait racine dans des événements survenus il y a longtemps m'a vraiment encouragée.»

Les enfants privés de contacts avec le monde extérieur et auxquels les parents ne parlent pas franchement des dangers peuvent aussi développer une confiance excessive. Ainsi, l'enfant que ses parents poussent constamment à être gai ou à «voir le bon côté» des choses peut continuer à fuir la réalité à l'âge adulte.

De même, les enfants chez qui on réprime toute expression de colère ou toute critique ne se fient pas à leur intuition lorsqu'ils deviennent adultes. En conséquence, ils tombent dans toutes sortes d'embûches parce qu'ils ont réprimé leur colère et leurs critiques si longtemps qu'ils ne reconnaissent plus les messages cachés et exacts que véhiculent ces sentiments.

Les personnes qui atteignent l'âge adulte sans se faire confiance deviennent souvent naïves; elles nient les réalités pénibles, évitent la confrontation et se laissent facilement manipuler.

Si votre planche penche trop fortement dans une direction, c'est peut-être que votre sentiment d'identité présente des lacunes. La confiance en son entourage entraîne la confiance en soi dont découle l'estime de soi, un sentiment d'identité propre et l'aptitude à l'autonomie. Voyez comment tous ces éléments s'entrecroisent dans l'histoire de Richard.

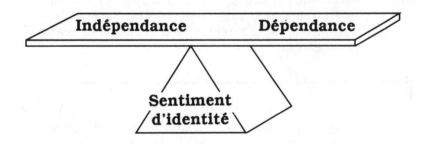

Deuxième aptitude: le sentiment d'identité

Richard, directeur du contrôle de la qualité dans une usine de produits informatiques, passa les deux premières années de sa vie dans une ville où ses parents menaient une vie politique active et possédaient un vaste cercle social. Ils voulaient être des parents parfaits et avoir un enfant parfait, mais leurs aptitudes parentales étaient limitées et ils ignoraient quelles étaient les manifestations de la lutte pour l'autonomie que mènent tous les enfants terribles de deux ans. Richard pouvait être charmant un instant puis se mettre à bouder et à sucer son pouce l'instant d'après. Il faisait fondre sa mère en disant un mot charmant au commis, puis l'humiliait en piquant une colère. Au milieu de tout cela, la famille déménagea dans une autre ville.

Là, ses parents ne remarquèrent pas l'intérêt grandissant de leur fils pour l'exploration du voisinage et ne fixèrent jamais de limites à son vagabondage. À leur grand étonnement, plusieurs semaines après leur arrivée, Richard s'éloigna de la maison et se perdit. Lorsqu'un voisin le ramena en pleurs à ses parents, ceux-ci le grondèrent parce qu'il pleurait.

Maintenant qu'il a des enfants lui-même, Richard comprend la difficulté de fixer des limites aux enfants de cet âge tout en leur permettant d'acquérir une certaine autonomie. Néanmoins, il en veut encore aujourd'hui à ses parents de ne pas l'avoir surveillé adéquatement, puis de l'avoir humilié alors qu'il avait vraiment besoin de leur sympathie.

Toutefois, il impute en partie à cette expérience pénible son sens de la discipline et sa volonté. Il se souvient de s'être promis que personne ne le traiterait de pleurnicheur à nouveau. Malgré sa petite taille, il persévéra dans la pratique des sports et excella au soccer, en athlétisme et au tennis.

Aujourd'hui, Richard est heureux, tant sur le plan professionnel, social que familial. Il ne conserve que deux vestiges de cette expérience de son enfance: un programme d'entraînement physique rigoureux et une tendance à surplanifier même les événements sociaux.

Les parents parfaits

L'une des intéressantes découvertes que fit Milton Rokeach au cours de ses recherches sur le dogmatisme a trait aux effets des styles parentaux sur la flexibilité d'une personne devenue adulte. Il découvrit que plus les enfants idéalisent leurs parents et approuvent leurs méthodes, plus ils ont de chances, plus tard, d'adopter un mode de pensée rigide. Par ailleurs, les adultes qui étaient ambivalents face à l'attitude de leurs parents à leur égard sont les moins dogmatiques et les plus flexibles[8].

Le désir de faire des choix et d'être indépendant émerge soudainement vers l'âge de deux ans. L'enfant qui apprend à faire confiance à son environnement pendant la première année devient assez sûr de lui pour se risquer à sortir et à prendre ses propres décisions.

Chaque fois que ses sorties sont couronnées de succès, sa confiance et sa compétence s'en trouvent renforcées. L'enfant s'affirme et s'aventure de plus en plus loin. Parfois, il s'inquiète de cette nouvelle liberté et craint de ne plus se maîtriser. C'est pourquoi il faut lui imposer des limites pour le sécuriser dans ces incursions vers l'indépendance.

L'enfant apprend tant du succès que de l'échec de ses expériences d'émancipation, mais si les limites imposées par ses parents ne le protègent pas des erreurs, il éprouvera un sentiment de honte et doutera de lui-même. Un trop grand nombre d'échecs créera chez lui le désir de dominer son environnement d'une manière obsessive et minutieuse lorsqu'il sera plus vieux. Souvent, les parents éprouvent un sentiment de «je-m'en-foutisme» à cette période du développement de leur enfant. Mais cette ambivalence pourrait bien être la meilleure attitude pour développer la flexibilité de leur enfant. (Voir l'encadré intitulé «Les parents parfaits».) La deuxième tâche cruciale qui préside à la formation d'un sentiment d'identité propre s'accomplit lorsque l'enfant apprend à se distinguer de ses parents et à être autonome. Lorsque nous jouissons d'un équilibre sain entre restriction et liberté, nous développons une indépendance et une force que nous conservons tout au long de notre vie.

Dans le cas contraire, cependant, nous aurons tendance à résister au changement de diverses façons. Si nous doutons de notre autonomie, il se peut que nous passions d'un projet, d'un emploi ou d'un intérêt à l'autre, en refusant d'écouter ceux qui nous conseillent d'être patient ou de ralentir.

À l'autre extrême, nous risquons de planifier et de surplanifier, de prolonger nos préparatifs et nos recherches *ad nauseam*. Nous prévenons toute résolution hâtive en cherchant un milieu prévisible et sûr.

Nous avons tous besoin d'un certain sens de l'autonomie. Nous devons être conscient de notre valeur et ne pas nous définir en fonction de la présence ou de l'absence d'un conjoint, d'enfants, d'un travail, d'un statut social ou d'une organisation.

De même, nous devons être conscient de notre *dépendance* puisqu'il y a des moments où nous avons besoin des aptitudes et de l'aide des autres. Nous devons reconnaître les moments où nous avons vraiment besoin d'aide et ceux où il vaut mieux que nous agissions seul. Au travail, un excès d'indépendance peut nous isoler, nous rendre incapable de communiquer avec les autres et d'accepter leur aide ou leur opinion.

Trouver l'équilibre entre la dépendance et l'indépendance nous aide à établir un sentiment d'identité clair et positif.

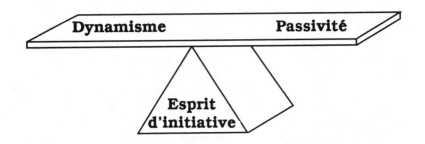

Troisième aptitude: l'esprit d'initiative

Mireille, propriétaire d'une agence de voyages, était très consciente des problèmes conjugaux de ses parents. À l'âge de quatre ans, elle avait senti une baisse de l'affection et du respect que se portaient les deux personnes qui étaient toute sa vie. «Mimi» trouvait son père charmant et affectueux, et ne comprenait pas pourquoi il s'enlisait rapidement dans l'alcoolisme. Inconsciemment, elle attribuait le fait que son père se désintéresse de sa mère au manque d'attraction sexuelle de celle-ci. Pour elle, l'indifférence de son père était attribuable à quelque chose que sa mère ne faisait pas ou faisait mal. Mimi cessa alors d'imiter le comportement de sa mère pour essayer de communiquer avec son père de multiples façons. Pendant son adolescence, alors que l'alcoolisme de son père s'était aggravé, elle forma, avec sa sœur et sa mère, une alliance destinée à «sauver papa». Désormais, Mimi comprenait pourquoi sa mère avait perdu sa force et son entrain. Mais elle ne lui pardonnait pas de «laisser» son père gâcher sa santé, leur vie familiale et sa propre perception positive de l'amour, de la vie et du mariage.

Mimi devint une adulte forte et dynamique qui, pour une raison obscure, avait de la difficulté à jouir de son succès considérable.

«Je suis toujours portée à faire plus et mieux. Il faut qu'on m'admire; je ne peux m'arrêter tant que je n'ai pas plus de succès, mais alors je sens que les autres me voient comme une personne manipulatrice et compulsive», avoue-t-elle.

«Les conflits que j'ai éprouvés au sujet de l'alcoolisme de mon père m'ont rendue très sensible aux sentiments des autres et très ambitieuse. Le ressentiment qu'entraînait en moi la passivité de ma mère m'a incitée à devenir forte. D'une certaine façon, ces problèmes m'ont aidée à me tailler une place dans le monde des affaires et maintenant que je possède une sécurité financière, j'essaie de mettre de l'ordre dans ma vie privée. Je comprends maintenant mon ressentiment envers maman de sorte que je ne me sens pas coupable ni craintive en sa présence.» Maintenant qu'elle approche de la cinquantaine, Mimi a fait de grands progrès pour surmonter les conflits intérieurs qui découlent de ces années d'enfance.

C'est lorsque l'enfant «tombe amoureux» du parent du sexe opposé qu'il apprend à agir de sa propre initiative. Il modèle son comportement sur celui du parent du même sexe dans l'espoir de gagner le cœur de l'autre parent. Après tout, «elle l'a bien épousé, lui!» Les garçons recherchent activement l'affection et l'admiration de leur mère tandis que les petites filles soignent leur apparence et cherchent à séduire leur père.

L'ironie de ce conflit tient au fait que l'enfant ne veut pas vraiment séduire le parent de l'autre sexe parce qu'il craint de perdre l'amour du parent de son sexe, cruciale pour lui.

En fait, les enfants «gagnent» lorsque leurs parents divorcent ou s'éloignent l'un de l'autre pendant cette étape. Si la mère permet à son fils d'être son «petit homme», qu'elle se confie à lui et recherche sa compagnie, elle l'invite tacitement à remplacer son père. L'enfant l'emporte sur celui-ci mais perd son modèle masculin. Il n'a plus de père à admirer.

Le père qui emmène sa fille partout ou lui demande conseils et affection lui permet de remplacer sa femme.

Dans les deux cas, l'enfant l'emporte sur le parent du même sexe que lui et, à l'âge adulte, oscille souvent entre la passivité et la compulsion. S'il devient passif, il ne réussira ni à l'école ni au travail parce qu'il ne veut pas l'emporter de nouveau sur son père. La jeune fille épousera un homme qu'elle n'aime pas ou échouera constamment dans ses relations afin d'obtenir «ce qu'elle mérite» pour avoir vaincu sa mère. La personne compulsive ne tient pas en place, elle recherche constamment la compétition, que ce soit dans la salle du conseil ou sur un court de tennis, mais la victoire lui procure bien peu de satisfaction. Elle n'a jamais assez de soutien, d'argent ni de reconnaissance.

Dans un contexte plus sain, l'enfant perd cette bataille contre le parent du sexe opposé et, en règle générale, s'en tire avec une admiration accrue pour ses deux parents. Il possède alors un bon modèle à imiter. Plus tard dans la vie, les hommes qui ont traversé cette étape avec succès peuvent être sensibles sans être efféminés, forts sans être des Rambos. La femme peut s'affirmer sans agressivité et se montrer vulnérable sans exagération.

L'esprit d'initiative est vital pour nous tous car il implique que nous reconnaissons la partie de nous-même qui aime agir, faire des choses, réagir, produire. Mais il y a également une partie de nous qui aime l'oisiveté, le statu quo, n'aime pas gaspiller son énergie ou craint d'entreprendre du nouveau. Pour développer cette qualité, nous devons reconnaître ces deux facettes de nous-même. Nous avons appris qu'agir n'est pas mauvais. Qu'il ne s'agit pas de vaincre maman ou papa; que l'esprit d'initiative nous permet de devenir des personnes compétentes et travailleuses à l'étape suivante de notre croissance.

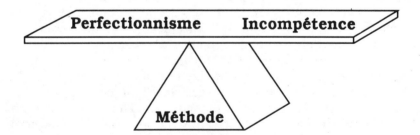

Quatrième aptitude: la méthode

La vie heureuse que menait Henriette dans sa campagne fut réduite en miettes lorsqu'elle déménagea dans une grande ville avec sa famille à l'âge de treize ans.

«Je me rappelle que j'étais constamment sur la sellette. Je ne parlais ni n'agissais comme les autres enfants de ma nouvelle école. Je ne leur ressemblais pas. Ils semblaient si durs et si compliqués. Ils connaissaient toutes les chansons à la mode et tous les mauvais coups et m'appelaient «Henriette la péquenaude».

«Comme nous avions déménagé pendant l'été, j'ai commencé l'école en même temps que les autres, mais je tranchais sur tout le monde. Mes vêtements étaient différents des leurs, je croyais que les autres me trouvaient mal ficelée. J'étais vêtue de vêtements pastel avec des chaussures blanches et des bijoux alors qu'ils portaient des espadrilles et des pantalons de velours cordé. Leurs vêtements étaient signés tandis que les miens affichaient en gros l'étiquette «faits par maman.»

L'enfance d'Henriette avait été tissée de plaisirs simples et familiaux dans un décor rural. Elle avait vécu dans une petite ferme à l'orée du village, ce qui lui avait permis de se faire des amies et d'exercer des activités tout en développant son amour de la solitude.

Henriette était pauvre mais elle l'ignorait parce qu'elle n'avait jamais eu froid ni faim. Son père travaillait à temps partiel dans l'unique usine de la ville, qui fabriquait des caisses de carton. Sa mère s'occupait du jardin et des récoltes lorsque son mari était débordé. Tous s'épaulaient pour la fabrication des conserves, l'entreposage des légumes et l'exécution des travaux de la ferme. Henriette se chargeait de plusieurs tâches complexes qui lui valaient l'admiration des siens. Elle recueillait, comptait, triait et emballait les œufs que la famille vendait au marché de la ville. En fait, à l'âge de dix ans, elle avait conçu une méthode remarquablement complexe pour enregistrer les transactions de ce petit commerce. Elle était fière de l'importance de sa contribution à la survie familiale. Sans elle, la famille n'aurait pas pu aller au cinéma ni suivre des cours de musique.

Sa sœur suivait des cours de guitare, mais elle-même avait choisi le cinéma. Lorsqu'elle en revenait, la famille entière l'écoutait raconter le scénario du film, en décrire les héros, les vêtements et les décors. Personne ne se doutait que ces comptes rendus amélioraient son vocabulaire et son élocution, et que cela lui servirait plus tard.

Comme le sort des petits fermiers empirait, les parents d'Henriette décidèrent de déménager dans une région où les emplois et les bons salaires abondaient. Son père fut muté au siège social de la compagnie. La famille était enchantée de la maison qu'elle avait trouvée dans un magnifique quartier plein d'espaces verts qui lui rappelait son village natal. Mais dès le début de l'école, Henriette n'eut plus un moment de répit.

«J'avais été une élève studieuse et populaire. C'était un vrai choc tout à coup de n'être plus personne. Je suppose que je me suis simplement retirée en moi-même. J'étais grognon à la maison. Je pleurais, boudais et menaçais de m'enfuir. Si on me l'avait offert, j'aurais sans doute essayé de prendre de la drogue ou n'importe quoi pour m'intégrer à un groupe. Puis un jour, nous devions parler de notre vie personnelle pendant cinq minutes devant la classe. J'ai commencé par décrire certains aspects comiques de mon village natal, en affirmant qu'il comptait 703 habitants jusqu'à notre départ, et qu'il en comptait désormais 699. Que l'unique usine de la ville avait été détruite en 1976 lorsque la fabrique de nouilles avait brûlé. Puis j'ai parlé de moi-même, des travaux de la ferme, des responsabilités qui m'incombaient.

«Lorsque j'eus terminé, tous les élèves étaient intéressés et impressionnés. À partir de ce moment-là, je me suis sentie à l'aise et acceptée. J'ai éprouvé un sentiment soudain de liberté et un désir urgent de faire de nouvelles choses. C'est de ce moment-là que date mon amour des ordinateurs. Je les comprenais si bien... la programmation était aussi logique que les activités de la ferme. Je termine mon baccalauréat en informatique cette année et j'ai l'intention de créer des logiciels appliqués à l'agriculture. Qui sait, peut-être que je pourrai sauvegarder la ferme familiale!» de conclure Henriette avec un sourire.

Si l'enfance d'Henriette ne lui avait pas offert tant d'occasions de maîtriser les trois premières aptitudes de la vie, elle aurait pu rater la quatrième, qui consiste à trouver une méthode d'apprentissage et à la généraliser. Henriette savait comment mener ses activités à bien dans sa campagne natale, mais son déménagement l'avait temporairement déstabilisée. Puis, en prononçant son discours, elle comprit qu'elle pouvait mettre à contribution ce qu'elle avait appris à la ferme pour réussir en ville.

Lorsque nous avons maîtrisé les trois premières aptitudes essentielles à notre santé affective, nous avons ouvert la voie à la quatrième, une méthode d'apprentissage.

Des expériences positives comme de construire une cabane d'oiseaux sans surveillance, faire un jardin, coudre une jupe et interagir avec les autres nous confèrent un sentiment de compétence et une méthode d'action.

Une fois la première méthode d'apprentissage établie, l'enfant l'applique à des tâches aussi utiles que de trouver un nom dans l'annuaire, faire des changements et déterminer qui commande dans une situation précise. Chacune de ses expériences contribue à raffiner encore davantage ces aptitudes chez lui. Les personnes qui n'acquièrent pas de méthode d'apprentissage et d'action pendant l'enfance affrontent chaque nouvelle tâche comme si c'était la première. Leur résistance au changement devient systématique. Ce sont peut-être des personnes intelligentes et attirantes qui peuvent trouver un emploi, mais elles n'ont pas compris comment mettre leurs connaissances en application. Résultat: le moindre bouleversement les traumatise et elles détestent le changement.

Les enfants dont on attend trop ou qu'on complimente uniquement lorsqu'ils travaillent sont susceptibles de devenir des adultes qui n'apprécient que leurs qualités professionnelles. Ils ne goûtent pas leurs moments de loisir et n'aiment pas «perdre» du temps en relations personnelles. Ce sont souvent des bourreaux de travail qui transforment tout en tâche, des adeptes des vacances de travail et de la semaine de sept jours. Et en réaction au changement, ils redoublent d'ardeur au travail.

La cinquième aptitude

Si vous avez passablement bien maîtrisé les quatre flexi-qualités à l'adolescence, il est probable que vous n'aurez aucune difficulté à assimiler la cinquième, qui consiste à réorganiser, à renouveler, à réviser et généralement à réussir. Les enfants qui ont connu des expériences insuffisantes ou des échecs en ce qui touche les quatre flexi-qualités peuvent se rattraper à l'adolescence. Plus l'occasion leur en est donnée tôt, plus ils ont de chance de réussir avec facilité. Nous avons vu comment un changement radical a perturbé Henriette pendant son adolescence et comment elle a amorcé la cinquième étape avec une assez grande facilité. Par ailleurs, la principale occasion qu'a eue Mireille de se renouveler s'est produite dans la quarantaine, autre moment privilégié très semblable aux années de l'adolescence.

Fait ironique, les moments de la vie ou on est le plus désorganisé, le plus tiraillé et le plus confus sont aussi ceux où l'on est le plus apte à repartir à zéro, à réévaluer sa situation et à terminer toutes les tâches incomplètes du passé.

Cette occasion de réussir se présente parce que nous sommes dans un véritable état de fluidité. Un jour, nous réagissons comme des adultes, le lendemain, comme des bambins. Un jour, nous avons confiance en nos aptitudes, le lendemain nous détestons notre apparence, doutons de notre intelligence et de notre valeur. Un moment, nous aimons une personne, l'instant d'après nous la détestons. Une minute, nous voulons de l'aide, la minute d'après nous préférons nous débrouiller seuls.

En fait, cet état de flexibilité nous offre une seconde chance d'acquérir de saines aptitudes à changer. Bien que ce soit le moment idéal pour se rattraper, il y a toujours d'autres occasions d'accomplir ce travail. Dans *Passages*[9], Gail Sheehy souligne que les conflits intérieurs qui nous tiraillent pendant la «crise du milieu de la vie» sont semblables à ceux que nous connaissons pendant l'adolescence. Nous sommes peut-être heureux d'être responsables, mais subissons comme un fardeau la dépendance de chacun envers nous. Nous apprécions nos relations paisibles et engagées, mais en même temps, les rapports intenses et excitants de la jeunesse nous manquent. Sur le plan physique, nous apprécions un rythme et des activités plus lents qui nous permettent de réfléchir, mais à d'autres moments, nous avons l'impression de perdre peu à peu notre énergie et notre entrain.

L'un des éléments les plus perturbants de la maturité est la reconnaissance que, malgré nos aptitudes et notre expérience, le temps passe. Nous avons l'impression de ne pas pouvoir nous permettre de commettre des erreurs. Nous souhaitons peut-être lancer une nouvelle entreprise ou changer de mode de vie, mais la rapidité avec laquelle nous devons nous décider nous rend nerveux.

Il y a d'autres moments dans la vie où nous sommes capables de nous rattraper. Fait intéressant, ces moments accompagnent presque toujours un profond bouleversement: divorce, mutation, nécessité de se recycler au niveau professionnel. En d'autres mots, si nous n'avons pas complètement maîtrisé les quatre aptitudes de la vie étant jeunes, puis avons manqué l'occasion de nous rattraper pendant l'adolescence, nous aurons toujours le temps et l'occasion de le faire.

Plus on a raté d'occasions à une étape particulière, plus les choix risquent d'être limités. Plus on tarde à acquérir les flexi-qualités, plus cela est difficile. Certaines personnes s'endurcissent tout simplement et deviennent réfractaires au changement. Mais il y a des coûts associés à cette résistance. Si une personne retire plus d'avantages que de désavantages du fait de ne pas changer, elle sera peu encline à changer.

Mais si vous le voulez, que vous en avez besoin, que votre vieux modèle de comportement n'a plus de sens à vos yeux, il est toujours possible d'acquérir ces aptitudes, et ce de trois façons: 1) les changements radicaux diminuent votre résistance au changement; 2) vous traversez une étape de votre vie où vous êtes naturellement flexible; et 3) vous prenez des mesures conscientes pour surmonter votre résistance au changement.

Au chapitre 3, vous avez vu comment quatre innovateurs heureux ont s' . une occasion unique dans des situations créées par des forces extérieures radicales. Au chapitre 4, vous avez vu des exemples de changement pour le changement. Et dans les questionnaires du chapitre 5, vous avez découvert vos forces et vos faiblesses face au changement. Le présent chapitre vous a donné une idée de la façon dont vous avez pu développer des barrières au changement.

Dans le prochain chapitre, vous découvrirez les modifications physiques que subit le cerveau lorsque vous affrontez des changements.

Étape 6: Maintenant que vous comprenez comment se développent les obstacles au changement, choisissez-en un sur lequel vous travaillerez. Puis, afin de déterminer la période où vous êtes le plus malléable, réfléchissez à la façon dont vous avez déjà apporté d'heureux changements dans votre vie.

Chapitre 7

Le cerveau flexible

Les recherches scientifiques ont démontré que les changements qui surviennent dans notre vie entraînent des modifications physiques dans notre cerveau. Dans le présent chapitre, vous apprendrez quelles sont les répercussions physiques de ce que vous vous permettez de penser et de faire.

Souriez et modifiez votre cerveau

Non seulement l'expression de votre visage influence l'humeur de votre entourage, mais elle modifie également la température de votre cerveau, et du même coup votre état d'esprit. Robert B. Zajonc, professeur de psychologie et de sciences sociales à l'université du Michigan, signale que les mimiques faciales reflètent et régissent le climat du cerveau. Lorsque vous froncez les sourcils pour vous concentrer, cela «garrotte» votre carotide et les veines de votre visage, ce qui augmente l'influx sanguin au cerveau; cet effet est très important lorsque vous équilibrez vos comptes ou apprenez un nouveau logiciel, et peut aussi faire comprendre à votre entourage que vous ne voulez pas être dérangé.

Que se passe-t-il lorsqu'on s'efforce de montrer un visage gai? Cette falsification de votre humeur apporte-t-elle de véritables changements? Oui, répond Robert Zajonc, puisque certaines expressions modifient notre rythme cardiaque et notre débit sanguin (ce qui influence grandement notre cerveau). C'est peut-être ce qui explique la personnalité changeante des comédiens. Leur cerveau se modifie en réaction aux expressions qu'ils affichent pour personnifier différents rôles. Ils se glissent dans la peau de leurs personnages. Donc lorsqu'ils passent d'un rôle à l'autre, ils ne changent pas seulement de rôles, mais ils modifient également leur cerveau[10].

Voici des exercices qui vous aideront à sentir les effets du changement. Le fait de savoir que le changement est réel et que vous pouvez le maîtriser vous rendra la tâche plus facile et plus stimulante.

Afin d'avoir une idée de la façon dont fonctionne le cerveau, faites l'exercice ci-dessous, sans sauter d'étape:

Commencez par additionner ces deux chiffres:

```
1000
  40
```

Dites le total à voix haute.

Puis, additionnez les chiffres ci-dessous:

```
1000
  40
1000
```

Dites le total à voix haute.

Procédez ainsi avec chacun des problèmes qui suivent:

```
1000
  40
1000
  30
```

N'oubliez pas de dire le total à voix haute.

```
1000
  40
1000
  30
1000
```

```
  1000
    40
  1000
    30
  1000
    20
 _____

  1000
    40
  1000
    30
  1000
    20
  1000
 _____

  1000
    40
  1000
    30
  1000
    20
  1000
    10
 _____
```

Quel était votre dernier total? Vous avez sans doute répondu 5000 comme la plupart des gens et vous avez tort. La bonne réponse est 4100. Si vous vous êtes trompé, vérifiez à quel endroit vous avez fait une erreur.

Lorsqu'on fait seulement le dernier problème, il est facile de trouver le bon total. Mais si on suit toutes les étapes en disant chaque total à voix haute, on est bercé par le rythme des augmentations de l'ordre de 1000 et on dit presque toujours «cinq mille».

Pendant que vous résolviez ce problème mentalement, une réaction physique précise se produisait dans votre cerveau. Pour simplifier les choses, disons que lorsque vous réfléchissiez et disiez «mille quarante», certains neurones de votre cerveau se connectaient les uns aux autres. Lorsque vous disiez «deux mille quarante», les mêmes connexions s'établissaient auxquelles s'en ajoutaient d'autres.

Après avoir fait cet exercice quelques fois, les connexions initiales deviennent très solides de sorte que votre pensée a tendance à suivre le chemin tracé. Un modèle de pensée s'est

créé. Votre manière d'aborder ce problème particulier est devenue rigide. C'est ainsi que nous prenons des habitudes — en
créant des modèles de pensée de plus en plus forts.
La majorité d'entre nous résolvent la plupart de leurs problèmes de cette façon méthodique, soit en prolongeant simplement leurs pensées précédentes dans la même direction. Nous
économisons du temps et de l'énergie en exécutant nos tâches
routinières de cette façon automatique. Toutefois, en suivant
des modèles de pensée bien établis, nous commettons souvent
des erreurs en présence d'éléments nouveaux ou négligeons
d'employer la meilleure approche. Nos réactions face au changement sont parfois aussi rigides que celles de certains
animaux.

L'oie cendrée et le ver de terre

Konrad Lorenz et Nikolaas Tinbergen ont mis en évidence les
dangers de cette façon de penser dans le cadre de leurs
recherches sur l'oie cendrée décrites dans *Trois essais sur le
comportement animal et humain*[11]. Le mâle comme la femelle
possèdent, imprimée dans leur cerveau peu complexe, une
réaction fixe face aux gros œufs rouges pondus par la femelle.
Celle-ci se met automatiquement à les couver jusqu'à leur éclo-
sion tandis que le mâle lui apporte de la nourriture pendant
toute la durée de l'incubation, soit environ 10 jours.
Les chercheurs qui ont suivi de près les travaux de Lorenz
et de Tinbergen se sont demandé s'il était possible de tromper
les oies au moyen d'un œuf artificiel et, le cas échéant, combien de temps dureraient leurs réactions fixes. Ils ont donc
placé plusieurs œufs de bois dans le nid. Ils ont découvert que
la femelle couverait les faux œufs jusqu'à ce qu'ils éclosent ou
qu'elle meure tandis que le mâle continuait à la nourrir
pendant 10 jours avant de l'abandonner.
Comme les oies cendrées ont des cerveaux programmés,
elles ne peuvent pas modifier leurs réactions conformément
aux «accidents de parcours».
Le ver de terre, doté d'un cerveau isomorphique, est encore plus limité. Selon David Hubel, un neurophysiologiste cité
dans *L'incroyable aventure du cerveau*[12], il est possible d'identifier une cellule particulière chez un ombilic, puis de retrouver
la même cellule correspondante dans un autre ombilic de la
même espèce. En fait, quand on a vu le cerveau d'un ver de
terre, on les a tous vus.

Il n'en est pas ainsi du cerveau humain. Robert Ornstein, professeur à Stanford, qui a observé plus d'une centaine de cerveaux humains, affirme qu'ils sont aussi différents les uns des autres que nos visages. Il croit que la topographie de notre cerveau reflète notre mode de pensée, de sorte qu'il diffère entièrement d'un autre cerveau. Lorsque nous prenons une décision ou émettons une pensée particulière, la structure de notre cerveau se modifie. Autrement dit, l'utilisation que nous faisons de notre cerveau en détermine l'apparence. Nos expériences font «grossir» les bosses et les replis qui donnent à notre cerveau son caractère distinctif qui, en retour, reflète notre mode de pensée.

Notre cerveau renferme environ 100 billiards de cellules appelées «neurones», soigneusement rangées dans un crâne de la grosseur d'un pamplemousse. Ce crâne est mou et flexible à la naissance, non seulement pour faciliter notre entrée dans ce monde mais également pour permettre la croissance rapide de l'enveloppe externe du cerveau pendant les deux premières années de notre vie.

Cette croissance découle non pas de l'augmentation du nombre de neurones mais du développement de nombreuses connexions entre les cellules du cerveau. À mesure que nous emmagasinons des données, ces connexions se multiplient, ce qui grossit le cortex cérébral, l'enveloppe superficielle du cerveau. À l'âge adulte, cette couche extensible mesurerait près de trois mètres si on l'étendait comme une nappe.

Comment cette «matière grise» en expansion continuelle est-elle logée dans un crâne devenu aussi dur qu'une noix de coco à l'âge de six ans? Elle se plisse de plus en plus, prenant peu à peu l'apparence d'une noix. Seuls les mammifères ont des cerveaux plissés, les primates ayant plus de plis que les membres des espèces inférieures. Le cerveau de votre chat ou de votre chien présente une surface bosselée, mais non celui de votre perroquet ou de votre poisson rouge. Comparé à celui des humains, le cerveau du chimpanzé est le plus plissé, comme l'illustrent les dessins de la page suivante.

La surface convolutée du cerveau explique pourquoi les humains possèdent un bagage de réactions beaucoup plus étendu que le ver de terre ou l'oie cendrée. Comme nos cerveaux sont beaucoup plus complexes, nous pouvons nous transformer et modifier notre environnement. Nous pouvons non seulement changer notre situation familiale et professionnelle de manière à augmenter notre faculté d'adaptation, mais

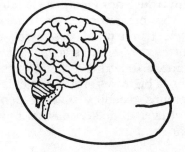

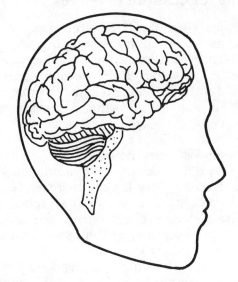

nous pouvons devenir plus flexible en apprenant de nouvelles façons de faire et en relevant de nouveaux défis. Nous disposons d'une gamme incroyable d'aptitudes non seulement pour manipuler notre environnement mais également pour maîtriser nos pensées et nos actes.

Nos capacités font de nous des animaux curieux, excitables et grégaires qui doivent simplement bricoler avec leur environnement qui, une fois modifié, leur offre des expériences stimulantes. C'est pourquoi nous avons besoin de stimulation et de changement pour nous épanouir. Plus nous observons et plus nous sommes conscients, plus il se produit dans notre cerveau des connexions susceptibles de déboucher sur de nouvelles idées potentiellement utiles.

Nous éprouvons tous ce besoin d'exciter notre cortex cervical, mais chacun trouve des façons de le faire qui correspondent à ses goûts et à sa personnalité. Certaines personnes adorent apprendre par le truchement des livres ou d'un professeur tandis que d'autres préfèrent les voyages, les sports, les affaires ou les arts. Même le «télézard» en nous assouvit son besoin de stimulation dans la bière, les croustilles et la télévision.

Des recherches récentes se sont penchées sur la façon dont ce besoin universel de stimulation influe sur le cerveau et est influencé par celui-ci.

Comment fonctionne le cerveau

Au cours des trois dernières décennies, les chercheurs en science cognitive, une branche interdisciplinaire de la science axée sur l'étude du cerveau, ont établi plusieurs modèles de fonctionnement du cerveau. Nous examinerons de près les plus populaires d'entre eux qui expliquent comment le cerveau se modifie d'une manière physique à mesure qu'il assimile de nouvelles idées et pourquoi cette stimulation contribue à augmenter notre puissance mentale.

La technologie des neurosciences permet désormais de retracer les modifications du cerveau humain à chaque instant. Comme le déclarait Gary Lynch, chercheur en neuroscience à l'université de Californie: «Nous avons prouvé que les nouvelles connaissances modifient le cerveau: tout apprentissage laisse une empreinte biologique, qu'il s'agisse d'un nouveau mot ou de la conceptualisation d'une idée[13].»

Le modèle électrochimique explique comment les neurones, ces cellules de base du cerveau, communiquent entre eux. Les messages sont transmis par le truchement de fibres nerveuses appelées «axones» et «dendrites». Un neurone possède un grand nombre de petites dendrites, qui *reçoivent* des signaux provenant d'autres neurones, et un axone pouvant mesurer un mètre de long, qui *émet* des signaux. Mais il y a un écart entre l'axone d'une cellule et la dendrite d'une autre. Lorsque nous émettons une pensée, une minuscule étincelle électrique envoie du sodium et du potassium à une vitesse d'au moins 800 km/h dans l'espace situé entre les neurones. Le pont ainsi créé s'appelle «synapse». Chaque pensée laisse une légère trace de ces éléments chimiques. Lorsque les passages se multiplient, la pensée devient ancrée, elle emprunte facilement la même voie, mais est difficile à modifier.

L'exercice réduit la tension

Si vous avez résolu en vous concentrant le problème présenté en début de chapitre, il se peut que vous éprouviez une légère tension. Les recherches ont démontré que lorsqu'on se concentre très fort pendant 20 à 30 minutes, le sodium et le potassium s'accumulent dans le corps et le cerveau en quantité suffisante pour produire une rétention d'eau. Si vous aviez fait suffisamment d'exercice pour transpirer tout de suite après avoir exécuté le problème, votre tension serait minime ou absente. Voilà pourquoi l'exercice peut faciliter l'apprentissage et prévenir la tension[14].

Le langage des cellules du cerveau

Donald Hebb, l'un des spécialistes les plus en vue de la structure du cerveau, soutient qu'un souvenir ou une pensée résulte de la formation d'«assemblées associatives de cellules» dans lesquelles les cellules sont reliées en circuits spécifiques. En temps normal, ces cellules s'activent les unes les autres, un peu comme si elles conversaient sur une ligne partagée. L'oubli résulte d'une communication manquée entre les assemblées nerveuses. C'est comme s'il y avait des parasites sur la ligne: l'information est disponible, mais les parties ne communiquent pas. Pour conserver notre mémoire, nous devons renforcer notre «ligne partagée»; pour augmenter le nombre de circuits de notre cerveau, nous devons lui fournir de nouvelles stimulations. C'est ce qui explique que nous ayons besoin d'expériences variées afin de provoquer continuellement un élargissement du réseau en permettant un grand nombre de conversations entre ces assemblées de cellules associatives. C'est le rôle que jouent le changement et le défi dans nos vies.

La spécialisation du cerveau

La survie de l'humanité est certainement la plus grande réussite de tous les temps. Et nous l'avons réalisée de la façon la plus traditionnelle qui soit: nous l'avons méritée! Nous n'avions aucune armure comme celle des tricératops pour nous préserver d'un milieu hostile. Pas plus que nous ne possédions la masse, la vitesse ou les dents acérées du chat des cavernes pour assurer notre pitance quotidienne. Nous n'avions pas non plus la queue ni l'agilité du singe pour esquiver nos ennemis. Nous devons notre survie à notre cerveau et aux tâches que nous lui avons confiées.

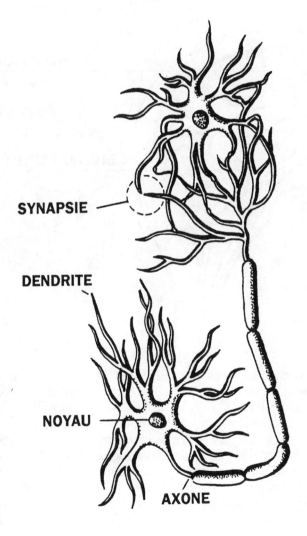

La théorie du triple cerveau élaborée par Paul MacClean explique ce phénomène. Il affirme en effet que, pour affronter son environnement, notre cerveau a développé, avec le temps, des couches distinctes mais reliées entre elles qui ont apporté diverses contributions à notre capacité de réflexion.

Le triple cerveau

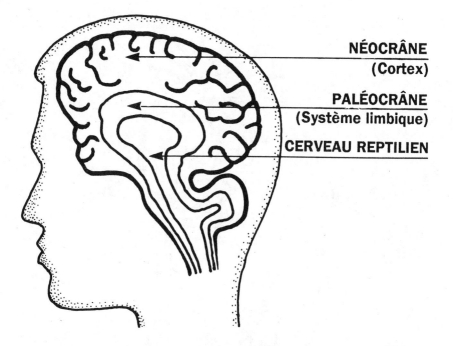

NÉOCRÂNE
(Cortex)

PALÉOCRÂNE
(Système limbique)

CERVEAU REPTILIEN

La plus ancienne de ces couches est lovée au plus profond de notre crâne et repose sur le tronc cérébral. Appelée «cerveau reptilien», elle contrôle la respiration, la transpiration et d'autres fonctions automatiques semblables. Lorsque nous sommes inquiets, cette partie primitive de notre cerveau émet des messages visant à accélérer le flux sanguin, les ondes cérébrales, le pouls et la tension musculaire, nous préparant à une réaction «de combat ou de fuite». Cette couche du cerveau et ses réactions sont responsables des troubles liés au stress dont nous souffrons aujourd'hui face aux dangers de la jungle du travail. Lorsqu'on nous attaque verbalement ou qu'un ennemi surveille nos points faibles, nous adoptons une réaction reptilienne de fuite ou de combat. Comme ni l'une ni l'autre de ces réactions n'est appropriée, nous déglutissons et la réprimons. Répétés maintes fois, ces incidents sont responsables de la tension, des brûlures d'estomac et des sautes d'humeur. Le cerveau reptilien n'a pas de mémoire; il est instinctif et réflexif. Quant au cerveau intermédiaire ou limbique, il est beaucoup plus sophistiqué. Il nous permet d'établir des distinctions précises qui nous aident à reconnaître ce qui est à nous: enfants, maison, voiture. Notre mémoire actuelle doit beaucoup au cerveau limbique qui nous permet également de concevoir d'ingénieuses techniques de survie — par exemple perdre mystérieusement toutes les parties de golf qu'on dispute à son patron bien qu'on soit un golfeur émérite. Par contraste, le cerveau reptilien nous incite à frapper automatiquement en présence d'une menace.

Ces deux vestiges du cerveau primitif sont recouverts d'un nouveau cerveau qui porte divers noms: cortex cérébral, néocortex ou simplement cortex. Cette couche est propre aux mammifères et c'est chez les êtres humains qu'elle est le plus développée. C'est l'endroit grâce auquel on apprend, on formule sa propre perception de son environnement et invente de nouvelles façons de l'affronter.

Lorsque le cerveau s'est développé, le cortex s'est divisé en deux hémisphères distincts dotés de fonctions particulières. Le cerveau hautement complexe que nous possédons aujourd'hui est donc constitué des hémisphères droit et gauche.

Roger Sperry, neuroscientiste, a gagné le prix Nobel de médecine en 1981 pour ses recherches sur le cerveau dédoublé. Sperry et ses collègues se sont penchés sur les patients souffrant d'épilepsie fatale chez qui on avait tranché le corps calleux, ce tissu qui relie les deux hémisphères du cerveau. Le but de cette opération, appelée commissurotomie, est d'interrompre l'envoi erroné de charges électriques entre les hémisphères, qui cause parfois l'épilepsie[15].

Ils ont déterminé que les deux hémisphères du cerveau exécutent des fonctions uniques et différentes. Chez la plupart des droitiers, l'hémisphère droit du cerveau régit le côté gauche du corps et traite l'information d'une manière générale et émotive tandis que l'hémisphère gauche domine le côté droit du corps et traite les données d'une manière plus précise et plus logique. Cette situation est parfois inversée chez les gauchers. En effet, dans une étude menée auprès de 262 personnes gauchères et ambidextres qu'ils soumirent au test Wada, les chercheurs ont découvert que chez 15 p. 100 d'entre elles le centre de l'élocution se trouvait dans l'hémisphère droit tandis qu'il se trouvait dans les deux hémisphères pour 15 p. 100 des personnes examinées[16].

HÉMISPHÈRE GAUCHE	HÉMISPHÈRE DROIT
LOGIQUE	**RECONNAISSANCE**
Raison	Modèles de
Mathématiques	comportement
Analyse	Métaphores
LANGAGE	Analogies
Lecture	**VISION**
Écriture	Images
Verbalisation	Vision spatiale
LINÉAIRE	**SENTIMENTS**
Établissement de listes	Révélation
Établissement	Émotions
de priorités	Intuition

Par la suite, des recherches connexes ont révélé que la plupart d'entre nous sont portés à employer un hémisphère plus que l'autre et possèdent donc une «prédominance cérébrale», soit une façon particulière de travailler, de communiquer, de jouer et de se comporter.

Ce partage des tâches entre les deux hémisphères du cerveau nous permet de nous perfectionner. Nous pouvons écrire des lettres et réparer des circuits parce que nous possédons des aptitudes spécialisées. Chez la plupart d'entre nous, la dextérité requise pour écrire provient de la moitié droite de notre cerveau alors que nous utilisons la moitié gauche pour choisir les mots les plus appropriés. La réparation de circuits exige un ensemble d'aptitudes qui ont peut-être commencé à s'accumuler il y a des millions d'années lorsque notre ancêtre frappa un animal avec un bâton, découvrant ainsi un outil de chasse. L'idée d'utiliser un bâton comme outil a surgi des couches reptiliennes et limbiques du cerveau, mais les nombreux raffinements qu'a subis la notion d'outil pour devenir un circuit imprimé ont été conçus dans le cortex. Au moment où nous avons commencé à réparer des circuits, la couche supérieure de notre cerveau s'est divisée et les aptitudes spécialisées se sont réparties ainsi:

Hémisphère gauche	*Hémisphère droit*
énoncer le problème	image mentale du circuit imprimé
faire des calculs	concept de l'électricité
déceler les différences	habileté manuelle
analyser le problème	cerner le problème

Au lieu de se fier à leurs cerveaux reptilien et limbique pour se contenter de survivre, les êtres humains ont développé une nouvelle couche cérébrale afin de pouvoir se rappeler, planifier, inventer et communiquer. Le nouveau cerveau se divise en deux parties, chacune d'elles ayant développé des aptitudes spéciales que nous avons raffinées à chaque nouveau défi, à chaque changement. Même nos lointains ancêtres ont saisi le moment opportun de faire des changements.

Aujourd'hui, nous utilisons ce cerveau spécialisé d'une manière plus complexe afin d'accomplir des tâches encore plus sophistiquées. Plutôt que de préparer une chasse au bison, nous élaborons un plan opérationnel. Au lieu de tailler un nouvel outil, nous créons un logiciel. La stratovision et des centaines de langages ont remplacé les peintures murales et les grognements monosyllabiques.

Les êtres humains ont survécu et se sont raffinés parce qu'ils ont développé plus d'une manière d'affronter les changements. Résultat, quatre éléments de notre cerveau font de nous des êtres mentalement supérieurs aux autres créatures vivantes:

- Notre cerveau présente le plus grand nombre de circonvolutions, ce qui indique une capacité beaucoup plus grande de mémoriser et d'apprendre.
- Les hémisphères de notre cerveau sont les plus nettement divisés, ce qui indique un degré plus élevé de spécialisation et de sophistication.
- Proportionnellement au poids du corps, notre cerveau pèse plus que celui des animaux, ce qui indique l'importance de la réflexion pour notre survie.
- Notre cerveau possède l'ensemble le plus complexe de lobes frontaux, ce qui pourrait signifier que le siège de la planification, de la sensibilité sociale et de l'invention continue de se développer.

Mais quel aspect prend ce cerveau hautement sophistiqué en pleine action? Comment réagit-il lorsqu'il est stimulé? Une belle musique provoque certaines réactions dans notre cerveau. Lorsque nous assistons à une conférence ou remplissons le lave-vaisselle, d'autres parties de notre cerveau sont influencées. La circuiterie du cerveau se recâble donc sans cesse en réaction aux changements qui surviennent dans l'environnement.

Dresser la liste des milliers d'études qui identifient ce qui stimule ou endort le cerveau ne réussirait sans doute qu'à engourdir le vôtre. Donc, pour saisir quelques-uns seulement des divers stimuli qui entraînent des modifications de votre cerveau et de votre comportement, imaginez que vous passez une matinée comme la suivante.

Le dilemme de Jojo

Vous vous réveillez à 6 h 29, une minute avant la sonnerie de votre réveil. Vous détestez cette sonnerie et votre cerveau semble réagir à cette aversion en vous éveillant à temps pour que vous puissiez fermer la minuterie avant qu'elle ne se déclenche.

Vous abaissez le bouton, puis demeurez étendu quelques minutes en essayant de rassembler les pensées brumeuses qui flottent dans votre esprit. Vous avez rêvé et vous vous réveillez avec le sentiment précis que votre rêve contenait de précieux indices... sur... qu'était-ce au juste... ah oui! le problème de Jojo.

Vous avez engagé Jojo à temps partiel il y a six mois et vous vous en mordez les doigts. Vous travaillez à votre compte et aviez besoin d'un assistant pour effectuer des recherches, organiser vos dossiers et répondre au téléphone lorsque vous êtes en voyage d'affaires. Mais les projets de recherche n'avancent pas et Jojo néglige les dossiers. Il étire le travail de sorte qu'il passe environ 30 heures par semaine à votre bureau. Vous avez l'impression de passer la moitié du temps à l'aider. Vous ne lui avez jamais promis un emploi à temps plein, mais il semble très dépendant de vous et de ce travail. Vous avez une proposition à préparer dans un délai très court et Jojo vous cause plus d'ennuis qu'il ne vous aide.

Alors que vous êtes étendu là à essayer de faire le lien entre votre rêve et votre problème, vos pensées flottent vers les activités de la journée et vous vous rappelez qu'on a annoncé de la neige pour la nuit dernière. «Les rues risquent d'être glissantes ce matin... je devrais y aller sinon je risque d'arriver en retard à mon rendez-vous de 8 h 30», pensez-vous.

Vous sautez hors du lit, glissez une cassette dans votre magnétophone et faites de vigoureux exercices pendant 20 minutes. Au début, vous gardez un œil sur l'horloge mais une fois pris par le rythme, vous oubliez où vous êtes. Vous voyez Jojo assis devant votre ordinateur et vous vous demandez s'il est capable d'écrire des propositions. Soudain, les 20 minutes sont écoulées et vous voilà de retour dans le présent; vous vous sentez plein d'entrain, sûr de vous et positif.

Vous mettez le café en train et sautez dans la douche. De nouveau, vous semblez oublier où vous vous trouvez. Le bruit et la sensation de l'eau sur votre peau libèrent vos pensées et vous voyez votre bureau encombré de dossiers. Vous ne déchiffrez aucun mot sauf la date, 21 février, qui brille comme un néon orange. «Combien de jours me reste-t-il?» vous demandez-vous; puis vous comptez le nombre d'heures dont vous disposez pour terminer votre projet.

Se souvenir de ses rêves

Les E.E.G. révèlent que, chez la plupart d'entre nous, c'est l'hémisphère droit qui présente la plus grande activité pendant le sommeil, surtout au cours des cycles où nous rêvons. Nous tombons dans un «sommeil profond» vers le milieu de la nuit au moment où l'hémisphère gauche est le plus paisible. Si vous vous réveillez pendant un rêve, vous vous souviendrez de 20 p. 100 seulement de ce rêve parce que votre hémisphère droit, où est logé le centre de la parole, est «endormi». À l'approche du matin, l'activité de cet hémisphère décline alors que celle de l'hémisphère gauche augmente. Vous devenez alors plus conscient de l'heure, de votre horaire et du fait que vous ne désirez pas entendre la sonnerie du réveil.

Votre capacité de vous souvenir de vos rêves dépend aussi de votre façon de penser. Dans une étude effectuée à l'université d'Édimbourg, les personnes intellectuelles et conformistes qui utilisaient davantage leur hémisphère gauche ne se rappelaient que 65 p. 100 de leurs rêves tandis que les personnes moins logiques et plus créatives dont l'hémisphère droit était plus actif se rappelaient leurs rêves dans une proportion de 95 p. 100[17].

Ondes têta

Au moment de vous endormir et de vous réveiller, votre cerveau émet normalement des ondes «têta». Ces moments agréables vous permettent de retrouver certaines pensées volatiles de la journée et de les rassembler dans des modèles qui constituent parfois des solutions complètes à un problème ou de merveilleux concepts créatifs. Pour préserver ces images et ces idées fragiles, laissez-vous glisser dans le sommeil tranquillement et éveillez-vous lentement sans le beuglement de la radio ou de la télévision[18].

Vous sortez votre nouveau complet du placard, mais vous vous imaginez soudain arrivant à votre premier rendez-vous. «Non, Daniel est trop conservateur pour celui-ci.» Vous remettez le nouveau complet en place et sortez votre costume marine.

En vous habillant, vous dialoguez mentalement avec Daniel en révisant tous vos arguments. À la fin, vous regardez droit dans la glace en disant: «Daniel, ce logiciel ne vaut pas plus de 300 $. C'est à prendre ou à laisser.»

Soudain, vous prenez conscience du délicieux arôme de café qui émane de la cuisine. L'image de votre petit déjeuner apparaît devant vos yeux (croissant et banane) et vous salivez. En mangeant, vous parcourez du regard les grands titres du journal pour vous arrêter enfin sur l'histoire d'une femme sans abri trouvée morte de froid sous un pont non loin de chez vous. Votre petit déjeuner ne passe pas très bien. En vous rendant au travail en voiture, vous vous demandez si Jojo a des économies. Vous remarquez un certain nombre de personnes pauvrement vêtues et grelottant aux arrêts d'autobus, et vous vous sentez coupable de conduire une voiture bien chauffée et voyante. Vous songez à faire monter la prochaine personne misérable que vous rencontrerez sur votre route. Malheureusement, il s'agit d'un auto-stoppeur à l'air sinistre qui fait un pied de nez au conducteur qui vous précède. Vous changez d'idée et évitez son regard en le dépassant. Du coin de l'œil, vous le voyez brandir le poing dans votre direction. Votre cœur cesse de battre un instant, puis vous appuyez sur l'accélérateur et inspirez profondément.

De l'exercice pour les muscles et le cerveau

Il semblerait que l'exercice physique améliore non seulement notre apparence, mais aussi nos aptitudes mentales. Les psychologues Louise Clarkson-Smith et Alan A. Hartley ont découvert que les personnes âgées de cinquante-cinq à quatre-vingt-neuf ans qui faisaient au moins 75 minutes d'exercice énergique chaque semaine possédaient une mémoire, une capacité de raisonnement et un temps de réaction meilleurs que ceux des personnes du même âge qui en faisaient moins de 10 minutes par semaine. Bien que les chercheurs admettent que le premier groupe puisse avoir été en meilleure santé et plus éveillé au départ que les autres, ils croient que cette étude comparative démontre le lien qui existe entre la vigueur physique et les aptitudes mentales[19].

Les effets de la caféine

Selon William Revelle, professeur de psychologie à l'université du Nord-Ouest, l'influence de la caféine absorbée le matin dépend du type de personne qui l'absorbe. Le professeur Revelle a étudié 700 personnes pendant sept ans et il a découvert que les extravertis impulsifs réussissent mieux les tâches exigeant un raisonnement complexe comme la correction d'épreuves après avoir consommé de la caféine. Par contre, celle-ci retarde les personnes plus introverties et réfléchies, qui aiment prendre leur temps pour se décider. Les deux types de personnes réussissent mieux les tâches extrêmement simples lorsqu'elles ont pris de la caféine sous une forme ou une autre[20].

Ayant pris l'ascenseur pour monter jusqu'à votre bureau, vous vous sentez d'humeur plus légère. Peut-être cela est-il dû à la musique joyeuse et entraînante qui jouait dans l'ascenseur.

Vous introduisez la clé dans la serrure et constatez que celle-ci n'est pas fermée. «Merde, Jojo a laissé la porte ouverte hier soir. Ce type est vraiment crétin. Je suppose qu'il a de nouveau oublié de fermer l'ordinateur», songez-vous. Vous sentez de la colère au creux de l'estomac, à l'endroit précis où, selon votre médecin, vous êtes en train de fabriquer un ulcère.

Évidemment, il y a de la lumière dans votre bureau et vous entendez le bourdonnement de l'ordinateur. Mais votre colère se change en peur, puis en culpabilité à la vue de Jojo affaissé sur le bureau. «Il est mort. Je l'ai tué à l'ouvrage. Mon Dieu, faites qu'il ne soit pas mort!»

En vous approchant rapidement, vous remarquez pour la première fois à quel point il ressemble à votre père: mêmes cheveux bruns qui se raréfient et mêmes sourcils épais et indisciplinés. Vos craintes s'apaisent lorsque vous entendez un puissant ronflement qui vous rappelle de nouveau votre père. Un instant, vous le voyez tel qu'il vous était apparu ce dimanche-là: vous aviez huit ans, votre père ronflait bruyamment sur le canapé; le journal, affaissé sur son visage, tremblait à chaque ronflement. Vous et votre frère étiez morts de rire. Vous revoyez cette scène pendant un moment assez long pour qu'un gloussement monte dans votre gorge.

Vous vous détendez et votre douleur à l'estomac s'apaise. Vous éprouvez une certaine sympathie à l'égard de Jojo. Au moment où vous allez le réveiller, le téléphone sonne et Jojo décroche d'un geste automatique. «Allô... c'est... euh...», marmonne-t-il. Désemparé, il jette un regard autour de lui et vous passe le combiné avec un soulagement manifeste.

À l'autre bout du fil, vous avez Daniel, la bombe explosive, qui vous attend à neuf heures. «Qui était cet australopithèque? Pourquoi n'engagez-vous pas des employés doués d'un minimum d'intelligence?» gueule-t-il. Daniel parle plus vite que l'éclair, ce qui en fait un interlocuteur intéressant mais un auditeur impatient. Il vous demande d'apporter le cahier des charges à la réunion et raccroche au bout de 45 secondes.

Respiration profonde

Inspirer profondément pour soulager son anxiété est une réaction de survie très indiquée puisqu'elle amène une plus grande quantité d'oxygène au cerveau, ce qui améliore notre capacité de réflexion. Comme le cerveau utilise 90 p. 100 de l'oxygène du sang, cet élément est sa véritable nourriture. Le bâillement et le rire sont d'autres façons d'augmenter l'influx d'oxygène. Voilà peut-être pourquoi nous rions nerveusement et même bâillons ou soupirons dans certaines situations stressantes[21].

La musique et vous

Les effets de la musique sur votre cerveau peuvent vous aider à changer. Ainsi, les musicothérapeutes s'en servent pour calmer les patients souffrant de troubles cardiaques, pour mettre un terme à l'isolement psychologique des enfants autistiques, améliorer le moral et augmenter le nombre d'anticorps des malades, atteindre les enfants sourds et traiter les toxicomanes et les alcooliques. La musique douce augmente les ventes d'épicerie. Les recettes des supermarchés connaissent une hausse de 38,2 p. 100 lorsqu'on y fait jouer de la musique lente et «facile» plutôt que de la musique rapide. La «musique d'ascenseur» est programmée en périodes de 15 minutes qui alternent les tempos et les instruments afin d'augmenter la «valeur du stimulus». Les violons et les flûtes sont moins stimulants que les trompettes; les rythmes lents, moins toniques que les rapides. Dans les entreprises, on a recours à cette forme de programmation musicale pour compenser les baisses d'énergie du milieu de la matinée et de l'après-midi, pour accroître la vigilance, augmenter la productivité et réduire le roulement de personnel[22].

Jojo semble encore légèrement hébété et, dans un élan d'émotivité, il vous raconte une histoire décousue afin d'expliquer son comportement des six derniers mois. Vous êtes étonné de voir à quel point vous l'avez mal compris, tout en éprouvant un énorme soulagement. Jojo a reçu une autre offre d'emploi mais, comme il vous croyait dépendant de lui, il ne pouvait se résigner à vous quitter. Il a travaillé toute la nuit pour finir le projet afin de pouvoir démissionner la conscience tranquille. Vous acceptez sa démission avec le même sérieux qu'il vous l'offre, mais au fond de vous, vous éprouvez une grande allégresse.

Au cours de cet épisode, vous avez rencontré au moins 10 sortes de stimulation qui ont provoqué des changements en vous. Même si vous n'aviez pas trouvé de solution au problème de Jojo, vous vous sentiriez mieux en raison de la variété de stimuli auxquels vous avez été soumis. Plus votre cerveau est stimulé, plus il se porte bien et plus vous êtes capable de réfléchir.

Pendant ces deux heures, vous avez réagi face à certains changements et en avez amorcé d'autres qui ont entraîné des réactions physiques précises dans votre cerveau et votre corps. Vous avez affronté diverses situations auxquelles vous avez réagi d'une manière automatique ou entièrement nouvelle. Comme l'indiquent les études décrites en parallèle, ces activités ont eu des répercussions physiques sur votre cerveau.

L'histoire de Jojo permet également de démontrer comment nous sommes tiraillés entre les hémisphères et les couches de notre cerveau. Lorsque vous vous êtes réveillé en vous rappelant votre rêve à propos de Jojo, vous étiez sous l'emprise de votre hémisphère droit (en supposant que vous avez le cerveau d'un droitier typique). Lorsque vous avez appuyé sur l'accélérateur à la vue du stoppeur en colère, vous étiez guidé par votre cerveau reptilien. Lorsque votre colère à l'endroit de Jojo s'est changée en un sentiment affectueux parce qu'il vous rappelait votre père, votre cerveau limbique est entré en jeu. Et votre hémisphère gauche? Il a analysé l'histoire décousue de Jojo et l'a rapidement reconnue pour ce qu'elle était: une solution à votre problème.

Rapidité d'élocution

Comme les écoutants trouvent généralement les parleurs rapides plus intéressants et plus crédibles, une industrie entière a vu le jour afin d'accélérer les bandes vidéo et audio. Des études démontrent que les messages publicitaires comprimés peuvent augmenter la masse d'information dont se souviennent les téléspectateurs dans une proportion pouvant aller jusqu'à 40 p. 100 et que les messages diffusés à un rythme rapide retiennent davantage l'attention. Ces dernières années, les bandes comprimées sont devenues des outils acceptables à la télévision et à la radio, aux fins de la formation des représentants, de l'enseignement collégial, de l'enregistrement de livres parlants destinés aux aveugles et des relevés des appels d'urgence dans les hôpitaux. Les stations radiophoniques accélèrent les chansons du palmarès depuis des années afin de créer de l'excitation chez leurs auditeurs[23].

Cette technique et d'autres aspects de notre monde hautement technologique pourraient bien entraîner un accroissement de l'impatience. Dans son ouvrage intitulé *Time Wars*, Jeremy Rifkin cite des études qui révèlent que les maniaques de l'ordinateur, qui passent des heures rivés à leur moniteur, privilégient tellement la communication efficace qu'ils fuient ou ignorent les personnes qui s'expriment lentement ou en termes généraux[24].

On n'est jamais trop vieux

Pendant toute notre vie, notre cerveau a besoin de stimulation pour croître. Certaines personnes croient que leur cerveau commence à «diminuer» vers le milieu de la vie, qu'elles sont alors trop vieilles pour apprendre du nouveau. Mais la science cognitive et ses modèles ont prouvé que la recherche consciente de nouvelles stimulations peut augmenter notre puissance cérébrale quel que soit notre âge.

De la naissance jusqu'à l'âge de deux ans, notre cerveau crée des connexions entre ses cellules plus rapidement qu'à tout autre moment de notre vie. Mais notre capacité de raisonnement se raffine pendant toute la vie proportionnellement à l'usage que nous faisons de notre cerveau. L'âge de cinq ans marque le début d'un processus d'«émondage» qui se poursuit en vieillissant. Les connexions les plus fréquemment utilisées sont renforcées tandis que celles qui le sont moins disparaissent. Lorsque nous arrivons à l'âge adulte, notre cerveau perd environ 40 p. 100 des fibres chevelues des synapses, ces points de contact entre les neurones du cerveau.

1	2	3	4	5

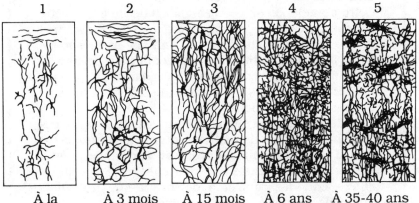

À la naissance   À 3 mois   À 15 mois   À 6 ans   À 35-40 ans

Mais ne vous inquiétez pas, votre cerveau ne se contente pas de perdre du volume, il devient plus intelligent. Cette perte de volume équivaut à une rationalisation du cerveau et de ses pouvoirs. Les connexions neuronales fréquemment employées deviennent plus fortes alors que les autres disparaissent. Ce processus, appelé «émondage synaptique», est aussi bénéfique que l'élagage des arbres. Il nous permet de réagir et de décider rapidement et efficacement, et pourrait expliquer pourquoi nous conservons si peu de souvenirs de notre petite enfance.

Les dendrites qui reçoivent des impulsions sont, elles aussi, stimulées par l'utilisation. Selon Carl Cotman, professeur à l'université de la Californie à Irvine, «les dendrites du cerveau d'une personne plus âgée et en bonne santé grossissent avec l'âge, ce qui démontre la plasticité du cerveau[25]».

Des tranches de cerveau

Marian Diamond, professeur de neuro-anatomie à l'université de la Californie à Berkeley, qui a étudié une tranche du cerveau de Einstein, rapporte qu'il renferme 73 p. 100 plus de cellules gliales pour chaque neurone qu'un cerveau normal. Les cellules gliales sont des excroissances chevelues qui entourent les neurones et les nourrissent.

Cette abondance de cellules gliales découle peut-être de la grande variété des centres d'intérêt d'Einstein et des transformations qu'il a connues dans sa vie. Nous le voyons habituellement comme un scientiste, mais il était aussi musicien. Nous l'imaginons dans un laboratoire, mais il cumulait aussi les fonctions de professeur et de fonctionnaire.

L'étude de Marian Diamond sur les cellules gliales démontre que la stimulation est vraiment un facteur décisif. Cette chercheuse a passé des années à étudier la relation entre les neurones et les cellules gliales chez les rats et a découvert que les sujets auxquels on donnait des moulins et d'autres jouets développaient plus de cellules gliales pour chaque neurone[26].

Cotman compare en outre le cerveau à un ordinateur qui se reprogrammerait constamment afin de pousser les cellules saines à «stimuler les secteurs affaiblis et à créer de nouvelles connexions».

L'expérience contribue aussi à raffiner nos aptitudes mentales: la sagesse ne semble vraiment venir qu'avec l'âge. Deux chercheuses, Karen Strohm Kitchener, de l'université de Denver, et Patricia King, de la Bowling Green State University, ont fait des découvertes très intéressantes sur le «jugement réfléchi», une aptitude qui, selon elles, commence à se développer à la préadolescence et s'épanouit pleinement vers le milieu de la vie[27]. Elles décrivent le jugement réfléchi comme la capacité de trouver un équilibre entre la réalité et ses propres préjugés. Les personnes qui conservent une attitude ouverte tout au long de leur vie atteignent le plus haut niveau de jugement réfléchi. Ce sont le chef de la tribu, la grand-mère avisée ou l'homme d'État plus âgé vers lesquels on se tourne pour leur grande sagesse. Leurs activités variées sont les stimulants qui les gardent vivants et flexibles.

Donc, si vous visez la sagesse et la santé, variez les stimulants que vous offrez à votre cerveau. Les techniques présentées dans le présent ouvrage peuvent vous aider car elles sont conçues pour stimuler différentes parties du cerveau afin d'en exploiter toutes les facettes.

De la variété avant tout

Passons maintenant à des exercices mentaux qui mettront à contribution plusieurs parties de votre cerveau.

* Commençons par quelques devinettes:

Question: Combien de psychiatres faut-il pour changer une ampoule?
Réponse: Un seul, mais l'ampoule doit vraiment vouloir changer.

Que dites-vous de celle-ci?

Question: Qu'est-ce qui est blanc, noir, blanc, noir, blanc, noir?
Réponse: Une nonne qui déboule l'escalier.

Ces bonds dans la logique sont très efficaces. Voici d'autres exercices mentaux.

* Restez où vous êtes et identifiez une odeur agréable. Que vous soyez à votre bureau, dans la cuisine, à l'aéroport, dans le métro ou n'importe où, trouvez une odeur qui vous plaît: le parfum d'un bouquet de fleurs, l'arôme du maïs soufflé ou de la pizza, la senteur d'une lotion ou d'un parfum sur le dos de votre main, l'odeur de l'encre de ce livre ou la senteur de laine mouillée qui vous rappelle un moment romantique. Sentez cette odeur, goûtez-la.

* Maintenant, passez à un autre sens et fredonnez l'un des airs ci-dessous:
   «Au clair de la lune»
   «À la claire fontaine»
   «Plaisir d'amour»
   ou toute autre chanson de votre choix.

- Installez-vous confortablement, inspirez profondément, laissez-votre regard revenir momentanément à cette page, puis lisez la comptine ci-dessous:

Maman, les p'tits bateaux
Qui vont sur l'eau
Ont-ils des jambes?
Mais oui, mon gros bêta,
S'ils n'en avaient pas,
Ils ne marcheraient pas.

- En voici une autre:
Une souris verte
Qui courait dans l'herbe
Je l'attrape par la queue
Je la montre à ces messieurs.
Ces messieurs me disent:
Trempez-la dans l'huile,
Trempez-la dans l'eau,
Ça fera un escargot
Tout chaud.

- Maintenant, remplissez les blancs de la comptine ci-dessous:
C'est demain dimanche,
La fête à ma tante
Qui balaie sa chambre
Avec sa robe _____.
Elle trouve une orange
L'épluche et la mange,
Oh! la grosse _____!

Dans notre version, les mots qui manquent sont *blanche* et *gourmande*.

Vous pouvez à votre guise y ajouter des vers. Mais si votre muse est fatiguée, passez au prochain exercice d'imagination.

• Regardez les dessins ci-dessous et remplissez les bulles.

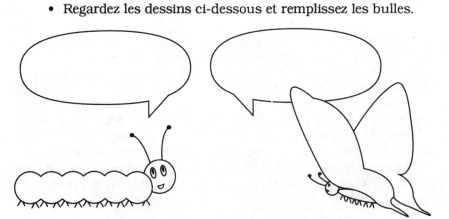

Est-ce que nos propos sur le changement ont influencé le dialogue que vous avez inscrit dans les bulles?

Puisque vous venez d'«assouplir» différents sens, utilisez-les pour dessiner votre portrait à partir du trait ci-dessous:

TITRE:

Puis, donnez-lui un titre et signez-le, parce que vous en êtes très fier!

Les exercices que vous venez de faire visaient à stimuler votre odorat, votre sens de la rime et de l'humour et, enfin, votre capacité de relier des images visuelles avec le langage. Chacun d'eux sollicitait une partie différente de votre cerveau.

Dans le premier exercice, une odeur bien actuelle a suscité un sentiment ou une image se rapportant à une expérience vécue antérieurement ou à un fantasme. Le sentiment et l'image ont dû normalement stimuler l'aire visuelle de votre cerveau. Si cette image est un souvenir, l'influx nerveux suit d'anciennes voies neuronales mais s'il s'agit d'une nouvelle image, il emprunte d'abord une voie ancienne avant de faire des détours. Les autres exercices déclenchaient un processus semblable:

- Fredonner un air familier peut faire apparaître l'image de la personne qui était avec vous lorsque vous l'avez entendu pour la première fois. Un musicien chevronné peut «voir» les notes de la chanson. Un compositeur peut s'élancer dans de nouveaux espaces, entendre une mélodie et en voir les notes.
- Si vous avez l'habitude de lire des poèmes humoristiques, la lecture d'un nouveau poème active un des ensembles de cellules associatives décrits par Donald Hebb. Même si votre cerveau ne connaît pas ce poème précis, la cadence mélodieuse de ses rimes vous aide à remplir les blancs. En outre, comme un poème humoristique est toujours absurde et drôle, vous possédez d'autres indices sur la façon de le compléter. Et puisque l'humour stimule la production d'endorphine dans le cerveau, vous êtes plus détendu et plus ouvert aux nouvelles idées.
- Dans l'activité précédente, vous disposiez de plusieurs indices pour trouver les deux mots manquants d'un poème. Pour remplir les bulles du dessin animé, il vous a fallu aller un peu plus loin et faire le lien entre les dessins d'un tiers et le langage. Bien que les œuvres d'art des autres puissent raviver nos souvenirs et nous inspirer, la traduction de ces souvenirs et idées en mots complique le processus et accentue la difficulté de l'exercice. Par contre, on éprouve une immense satisfaction lorsqu'on crée un brillant dialogue!
- Comme la plupart d'entre nous ne dessinent ni ne peignent depuis leur enfance, nous ne savons pas trop

comment reproduire nos images mentales sur papier et nous sommes donc bloqués par la dernière activité. Même si vous disposiez d'un trait pour vous aider, cette activité peut être difficile si les voies neuronales de votre cerveau qui sont reliées au dessin sont rarement empruntées ou ont été perdues dans le processus d'émondage synaptique. Retrouver une certaine facilité à dessiner peut être très difficile mais aussi très gratifiant parce que l'on accède alors à des pouvoirs non exploités du cerveau.

Nos ateliers sur la créativité mettent en œuvre des activités semblables à celles-ci. Les participants passent des activités familières et faciles qui mettent en jeu les images mentales et le langage, le chant et les rimes à la création d'un dessin titré. Ils commencent par emprunter de vieux sentiers bien établis pour passer ensuite à de nouveaux sentiers éparpillés. Comme ils stimulent leur cerveau de diverses façons (odeur, musique, images mentales, rimes et humour), ils ont plus de facilité à dessiner, même s'ils ne possèdent ni expérience ni talent particulier dans ce domaine. Le fait est que plus on met à contribution les diverses parties de son cerveau, plus on peut être créatif et productif.

Autre leçon: en stimulant votre cerveau de diverses façons, vous pouvez améliorer la qualité de votre pensée. Plus vos expériences sont variées, plus vous avez de choix et plus votre mode de pensée devient flexible. Chaque expérience augmente votre excitation et vous donne de l'énergie, de l'enthousiasme et des idées nouvelles. Pendant ce temps, vous prenez peu à peu conscience d'autres aptitudes innées et subtiles qui sont essentielles pour prévoir le changement, comme nous le verrons au prochain chapitre.

Étape 7: Prenez la résolution de passer quelques minutes chaque jour à prendre conscience de ce que vous sentez, voyez et entendez autour de vous et à jouer avec les mots et le dessin.

Troisième partie

Techniques pour affronter le changement

Chapitre 8

Prévoyance: l'avalanche et autres techniques

La Convergence harmonique du 16 août 1987 célébrait un phénomène astronomique qui se produit tous les 23 000 ans alors que certaines planètes et étoiles forment une configuration particulière. Les mystiques, les adeptes des calendriers mayas et aztèques et les membres de mouvements pour la paix anticipaient cette date avec impatience. En effet, cet événement marquait pour eux le début d'un nouvel âge: l'univers serait alors prêt à changer, rendant ainsi possibles la paix et l'harmonie mondiales.

Les participants à la Convergence harmonique se sont fiés à deux anciens calendriers et à l'astronomie moderne pour prédire le moment propice à un changement positif. Voilà quelques-unes des nombreuses façons que nous employons pour prévoir les changements qui transforment notre vie.

Il existe beaucoup d'autres méthodes. Les chroniques les plus populaires des journaux sont celles qui peuvent aider à prévoir le changement. Les pages consacrées aux affaires nous aident à anticiper l'évolution de la Bourse; le cahier des sports nous permet de deviner le sort de notre joueur favori; la section consacrée aux biorythmes et à l'astrologie nous révèle la sorte de journée qui nous attend. Même les pages éditoriales nous aident à voir venir les changements sociaux et politiques. C'est dans le but de nous renseigner que nous lisons toutes ces sections mais, consciemment ou non, nous voulons surtout améliorer notre capacité de prévoir le changement et peut-être d'en tirer parti.

Nous avons souvent l'impression que, si nous sommes suffisamment renseignés, nous pourrons prévenir les effets négatifs d'un changement ou peut-être même l'éviter carrément. C'est pourquoi nous scrutons les médias et sondons l'opinion de nos amis et collègues pour recueillir toute l'information disponible.

Certains d'entre nous s'y prennent d'une manière moins délibérée puisqu'ils rassemblent inconsciemment des bribes de données en observant le langage corporel des personnes de leur entourage, le ton de leur voix et les «vibrations» mystérieuses qui flottent dans l'air. Ils convertissent ensuite en pressentiments, suppositions et intuitions profondes les données ainsi compilées de manière intuitive.

Ces deux façons de recueillir de l'information sont utiles lorsqu'il s'agit de prévoir un changement et de s'y préparer. Même si nous ignorons au juste ce qui va arriver, le fait d'avoir une petite idée de ce qui se trame nous permet souvent de tirer notre épingle du jeu ou de minimiser les pertes entraînées par un changement défavorable.

Préparation et douleur

Le fait de savoir ce qui nous attend a même des répercussions physiques sur nous. Ainsi, des recherches menées par Irving Janis, de l'université de la Californie à Berkeley, démontrent que les opérés qui se rétablissent le plus rapidement sont ceux qu'on a avertis du type et du degré de douleur qui les attendaient[28].

Les énormes changements apportés aux méthodes d'accouchement démontrent la valeur de la préparation face aux traitements médicaux. Il fut un temps où personne ne connaissait le mécanisme de la naissance, exception faite des médecins et des infirmières. La mère était soit terrifiée par toute l'affaire, soit anesthésiée. Avec l'avènement de l'accouchement naturel proposé par Bradley dans les années cinquante et les améliorations apportées entre autres par La Maze dans la décennie subséquente, la mère, le père et toute personne intéressée finirent par connaître en détail les différentes étapes de l'accouchement. Aujourd'hui, la mère sait exactement à quoi s'attendre et n'est plus à l'agonie; tout au plus endure-t-elle un léger malaise ou une souffrance bénigne.

Avez-vous déjà subi une opération à laquelle vous étiez tout à fait préparé? Avez-vous aussi été opéré d'urgence? Si c'est le cas, vous pouvez apprécier la valeur d'une préparation mentale. Lorsqu'on est bien préparé, on éprouve quand même de la douleur et de l'inconfort, mais d'une façon plus endurable et moins effrayante.

Nous avons découvert que les mêmes principes s'appliquaient aux organisations: celles qui se relèvent le plus rapidement d'une «chirurgie» aussi radicale que la fusion ou la mise à pied massive de ses effectifs sont celles qui informent leur personnel des changements à venir. Plus le personnel est informé, moins il est stressé et plus ses attentes sont réalistes. En conséquence, la compagnie jouit d'une «meilleure santé», c'est-à-dire qu'elle traverse avec plus de succès toutes les étapes du changement.

La plupart des changements semblent être imprévisibles. Ils arrivent en trombe tel un invité inattendu et mal élevé ou encore se glissent par la fenêtre comme un voleur. Mais en réalité, on peut les voir venir. Votre invité vous a peut-être annoncé sa visite la dernière fois que vous l'avez croisé dans la rue. Vous avez peut-être entendu parler des méfaits du voleur dans votre quartier la semaine précédente. Les indices étaient là mais vous ne les avez pas remarqués.

Le changement graduel est encore plus difficile à prévoir. Larry Wilson, conseiller en gestion, explique ce qui suit: Si vous avez deux grenouilles et que vous en mettez une dans un seau d'eau chaude, elle bondira à gauche et à droite et s'agitera beaucoup. Si vous mettez l'autre grenouille dans un seau d'eau froide que vous placez sur le feu, elle restera immobile et finira par cuire. Comme le changement se produit graduellement, la seconde grenouille ne comprend pas ce qui se passe et en meurt.

Larry Wilson affirme que trop de gestionnaires sont comme la seconde grenouille. Ils ne voient pas le changement venir avant qu'il ne soit trop tard.

Veiller au grain

Pour vous éviter un sort semblable, nous vous offrons, dans le présent chapitre, certains moyens de voir venir les changements graduels ou même imprévus. Nous terminons en vous expliquant la technique de l'avalanche, qui sert à mitiger les effets d'un changement que l'on sent imminent. Mais vous devez d'abord apprendre à reconnaître les caractéristiques du changement.

La Convergence harmonique, les horoscopes et les chroniques du journal dont nous avons déjà parlé possèdent tous un trait commun: ils démontrent un désir, un besoin de maîtriser le changement, de le définir d'une manière concrète. Ce besoin est très fort en nous parce qu'en cernant de plus près le changement, nous espérons inconsciemment le rendre plus prévisible et donc plus facile à maîtriser. Peut-être aussi que le scientiste en chacun de nous exige une explication rationnelle de ce qui nous arrive et essaie de trouver une réponse à cette question vieille comme le monde: «Que se passe-t-il au juste?»

En fait, la science a déjà fait sa part pour expliquer la nature du changement: mathématiciens et physiciens l'ont étudié et ont élaboré toute une gamme de lois et de théories mathématiques, comme les lois de la conservation, qui expliquent comment se produit le changement. Voici les neuf lois du changement et leur signification.

Les lois du changement

Pour chaque loi, nous avons tiré une conclusion qui peut s'appliquer aux changements que vous affrontez quotidiennement:

LOI	CONCLUSION
Le changement est un mécanisme naturel qui permet de maintenir l'équilibre entre deux extrêmes.	Le changement est normal et sain.
L'inertie est une réaction initiale naturelle face au changement.	La résistance au changement est aussi normale et saine.
Sans perturbation, le statu quo se détériore.	Le changement est une occasion d'éviter la décrépitude.
Une fois cette détérioration amorcée, les changements négatifs se multiplient.	Mieux vaut agir que subir.
Une tension naît entre le désir de préserver ce qui est et celui de changer. Lorsque cette tension se relâche, il y a libération d'énergie.	Montrer de la détermination face au changement libère de l'énergie.

Modifier un modèle établi exige plus d'énergie qu'en lancer un nouveau.

Il est plus facile de recommencer à neuf que de modifier une vieille habitude.

Une fois l'obstacle aboli, l'énergie du changement s'intensifie.

Une fois le changement amorcé, il est de plus en plus facile de changer.

Chaque tentative pour réussir affaiblit la résistance et augmente les chances de réaliser le changement.

Chaque fois qu'on essaie de changer, on se rapproche du succès.

Dans toute série d'événements en apparence fortuits, on peut distinguer un modèle cohérent.

Le changement obéit à une certaine logique et on peut améliorer sa capacité de l'affronter.

En découvrant des modèles dans votre milieu, vous serez mieux à même de prévoir l'avenir. Le fait de savoir que vous possédez la capacité innée de détecter ces modèles vous aidera grandement à le faire.

Des vibrations dans l'air

Vous est-il déjà arrivé de dire, après avoir subi une calamité: «J'avais le sentiment que quelque chose clochait, mais je n'arrivais pas à mettre le doigt dessus» ou: «Si seulement j'avais prêté attention à mon pressentiment»? Que ce sentiment soit fondé sur des données concrètes ou sur les vibrations dans l'air, vous pouvez améliorer votre capacité de prévoir le changement et donc de vous y préparer. La clé réside dans la vigilance. Souvent, nous recevons des signaux indiquant la venue d'un changement, mais nous ne les voyons pas ou n'en tenons pas compte.

C'est ce qui arriva à Mélissa, directrice des ressources humaines dans une importante compagnie de télécommunications. Voici son histoire.

«Plusieurs mois avant mon licenciement, j'avais une impression étrange... quelque chose ne tournait pas rond. La camaraderie qui existait entre les autres directeurs et moi avait disparu. Personne ne me parlait de ma performance, ni en bien ni en mal.

«Je savais que certains cours de formation que j'avais élaborés n'avaient pas la cote d'amour et que certains employés que j'avais affectés à des postes clés ne faisaient pas le poids. Mais je me disais qu'un grand nombre des employés que j'avais engagés *avaient réussi*. En outre, l'un de mes programmes de cheminement de carrière avait le plus haut taux d'embauche et la plus haute notation de toute la compagnie.

«Je me suis réitéré à plusieurs reprises mon intention de convoquer tous les vice-présidents de division à une séance de brainstorming afin de prendre note de leurs suggestions. J'avais l'intention de régler plusieurs plaintes concernant l'organisation médiocre de mon matériel de cours, mais je ne faisais rien.

«Les mois ont passé, les cours que j'avais conçus se remplissaient régulièrement et je me suis dit que j'étais folle de m'inquiéter. Puis, en juillet, la direction générale du personnel et du marketing m'a convoquée à une réunion. J'ai préparé une liste des ressources dont j'avais besoin et de quelques cours tout à fait nouveaux que je comptais mettre au programme.

«À la réunion, j'ai abordé mon sujet d'entrée de jeu, mais la directrice du personnel m'a interrompue. Sans mâcher ses mots, elle m'a annoncé: «Nous avons décidé de vous congédier. Vous avez six semaines.»

«J'avais l'impression d'avoir reçu un coup à l'estomac, mais en même temps je me sentais étrangement détachée et je pensais: «Ainsi, voilà donc l'explication du malaise que je ressentais tout ce temps.» Je me suis remémoré les sentiments obscurs que j'avais éprouvés au cours des six derniers mois et j'ai regretté de ne pas m'y être arrêtée davantage. Au cours des quelques semaines qui ont suivi, j'ai oscillé entre la colère et le désespoir. Puis, vers la cinquième semaine, comme je commençais à chercher un autre travail, j'ai été contente de partir... de repartir à neuf. J'étais effrayée et emballée à la fois.

«Maintenant que j'ai eu le temps de prendre une certaine distance face à tout cela, je vois l'excellente leçon que j'ai tirée de cette expérience: je suis plus à l'écoute de mes intuitions et j'apprends à m'en servir pour parer aux problèmes.»

À l'instar de Mélissa, la plupart d'entre nous ne voient pas les signes avant-coureurs du changement. Réfléchissez aux changements soudains que vous avez connus au cours des six derniers mois. N'avez-vous pas senti venir la plupart d'entre eux? Il est rare qu'un changement nous tombe dessus sans crier gare. En passant en revue vos pressentiments et intuitions antérieurs aux changements, vous renforcerez votre capacité de prévoir ceux-ci. Et cette capacité est précieuse.

L'une des différences les plus manifestes entre les personnes capables d'affronter le changement et les autres réside dans cette capacité de voir venir. Les documents sur la gestion d'entreprise regorgent d'anecdotes mettant en relief les dons intuitifs d'entrepreneurs et de chefs ayant réussi.

C'est peut-être en raison de leur fameuse «intuition féminine» que bien des chefs d'entreprise de sexe féminin se sont rapidement taillé une place sur le marché. En effet, des femmes dirigent à l'heure actuelle 3,7 millions des 13 millions d'entreprises individuelles que comptent les États-Unis.

Cette situation se répète à travers l'histoire dans tous les domaines, depuis le domaine militaire jusqu'au domaine médical. Il n'y a rien d'étonnant à cela. Voir les obstacles et les opportunités avant d'y être confronté nous confère un avantage certain.

Dix conseils utiles

Afin de vous aider à développer encore davantage votre aptitude à prévoir le changement, nous avons compilé les conseils ci-dessous en nous fondant sur nos propres expériences et sur des entretiens avec nos clients.

1. *Écoutez.* Comme un pro. Reconnaissez qu'écouter, c'est employer son temps efficacement. Écoutez dans les soirées, au téléphone, aux toilettes, dans les réunions, dans le train. Écoutez votre patron, le facteur, les enfants, les commis et la radio. (Pour profiter encore plus de ce conseil, voir l'encadré ci-dessous.)

Écouter comme un pro

Les «écoutants professionnels» comme les juges, les conseillers, les thérapeutes et les psychiatres développent des aptitudes spéciales qui leur permettent de recueillir des informations. Même si vous vous considérez comme un bon «écoutant», essayez les techniques suivantes. Elles aiguiseront votre capacité de recueillir des données et éventuellement votre intuition:

- Dites aux gens *ce* que vous cherchez et *dans quel but.* S'ils savent que leurs propos comptent pour vous, ils seront plus communicatifs et plus aptes à vous aider et à vous indiquer d'autres sources de renseignements.
- Lisez entre les lignes. Pourquoi tel client ne vous a-t-il pas retourné votre appel? Pourquoi votre concurrent a-t-il omis, dans son discours, de mentionner les dernières découvertes réalisées dans votre domaine?
- Remarquez le ton sur lequel on répond à vos questions: fâché, hésitant, enthousiaste, stupide. Les indices non verbaux et le timbre de voix en disent souvent plus long que les mots.
- Écoutez sincèrement. Manifestez de l'intérêt envers votre interlocuteur ou à tout le moins envers son sujet. Vos encouragements et votre langage corporel le mettront à l'aise et lui donneront confiance en lui.
- Écoutez activement. Lorsque vous reformulez ses propos, vous aidez votre interlocuteur à clarifier sa pensée. En outre, vous reconnaissez avoir entendu et compris son message.
- Utilisez les renseignements reçus le plus tôt possible. Passez-les à un tiers, écrivez-les, glissez-les dans une conversation. Vous vous les rappellerez mieux et plus longtemps, et les comprendrez mieux.

2. *Surveillez vos concurrents.* Par le truchement des journaux et des magazines, de conférences, de cours et de réunions, renseignez-vous le plus possible sur vos concurrents afin de pouvoir détecter des tendances. Les administrateurs d'hôpitaux ont remarqué la réussite d'un ensemble de détaillants regroupés sous un même toit et leur ont emboîté le pas en offrant une gamme de services connexes. C'est ainsi qu'on peut désormais faire vérifier son taux de cholestérol et se renseigner sur la liposuccion et les transplantations capillaires pendant qu'on attend à l'hôpital.

3. *Examinez le passé pour prévoir le futur.* Afin de prévoir ce qui pourrait arriver en 2001, revenez en 1981. Quelles

inventions de cette époque nous influencent aujourd'hui et quel effet auront ces mêmes inventions dans 10 ans? Ainsi, le baladeur a modifié nos habitudes d'écoute et ouvert la voix aux cours sur cassettes. Cette façon confortable d'écouter a permis de transformer la voiture en bureau de vente, doté d'un équipement complet et d'un téléphone.

4. *Observez ce qui est en vogue.* Dessinateur, musicien, candidat, mets à la mode. Pouvez-vous déceler dans les thèmes cinématographiques, les séries télévisées, les sujets de livres et les cours des tendances susceptibles de vous éclairer sur l'avenir? Analysez les valeurs et les intérêts, les désirs et les besoins exprimés dans la culture populaire. Ainsi, la popularité des magnétoscopes pourrait faire vendre moins d'espadrilles mais plus de maïs soufflé.

5. *Adoptez les méthodes des observateurs professionnels comme les enquêteurs et les agents secrets.* Pendant la Deuxième Guerre mondiale, une équipe d'agents secrets suisses a pu prédire l'endroit où les troupes allemandes se rassembleraient en lisant les pages sociales des petits journaux allemands et en remarquant quels généraux se trouvaient dans quelles villes. Vous aussi pouvez détecter des tendances en passant les journaux, les magazines, les livres et les émissions d'information au peigne fin, et en lisant les dépliants, les panneaux et les annonces publicitaires.

6. *Surveillez les activités des gens d'affaires et des institutions associés à votre profession.* Surveillez les syndicats, les fournisseurs. Ce qui leur arrive ne peut manquer de se répercuter sur vous.

Ainsi, lorsque le gouvernement a rendu moins sévères les règlements touchant les importations, l'afflux de biens étrangers a indiqué aux manufacturiers qu'ils devaient réduire leurs coûts pour demeurer concurrentiels. Les chefs de syndicat auraient pu comprendre que cette mesure finirait par influer sur la politique en matière de travail.

7. *Cherchez des solutions de rechange aux habitudes négatives.* Pensez à ce qu'on pourrait faire à propos de la pollution, des déversements de pétrole, de la violence faite aux enfants. Vous pourriez découvrir des solutions utiles ou, à défaut de cela, au moins prendre conscience de ce qui préoccupe bien des gens.

Un exemple? Depuis de nombreuses années, on créosote le bois afin de le préserver. Ayant appris que la créosote lessivée par l'eau de pluie polluait le sol sous forme de BPC, les constructeurs ont entrepris de brûler la terre des sites de construction afin de les nettoyer. Récemment, des chercheurs ont découvert que cette pratique polluait l'air. La personne qui trouvera une solution à cette double contrainte deviendra sans doute millionnaire tout en s'attirant la gratitude des environnementalistes.

8. *Observez l'orientation de vos activités, de vos croyances et de vos intérêts.* En quoi vos attitudes et comportements ont-ils changé depuis cinq ans? Certains changements dans votre vie reflètent-ils des tendances plus générales? Si vous êtes atypique (par exemple, vous continueriez de porter des vêtements foncés au bord de la mer), contentez-vous de remarquer les modes que vous ne suivez pas.

9. *Fiez-vous à vos soupçons.* Rappelez-vous les fois où vos prédictions se sont avérées justes et réjouissez-vous. Si vous sentez que vous allez trouver un stationnement au prochain coin de rue, prenez-en note. Si c'est le cas, criez victoire.

10. *Analysez la nature des modes que vous percevez et des facteurs qui les régissent.* Quels événements lancent de nouvelles modes ou mettent fin à d'anciennes? Les modes sont-elles cycliques ou structurelles, évoluent-elles rapidement ou lentement?

La guerre du Viêt-nam illustre bien ces deux sortes de tendance. Au cours de l'histoire, l'humanité a connu des guerres de plus en plus importantes qui ont culminé avec la Deuxième Guerre mondiale. La bombe atomique a renversé cette tendance, et les guerres mondiales et héroïques d'autrefois se sont changées en escarmouches, en «actions policières» relevant de la guerre froide.

Pour contrer les effets déprimants de cette nouvelle forme de guerre, les soldats ont été choisis au hasard et envoyés au Viêt-nam pour une période d'un an seulement. Malheureusement, ce changement a été plus nocif qu'autre chose. En effet, la plupart des soldats ont combattu et sont revenus rapidement et seuls, de sorte que le cycle normal a été interrompu et qu'ils n'ont pas pu se réintégrer graduellement à la société.

Le sentiment pacifiste qui régnait alors aux États-Unis est venu encore compliquer ce problème de réinsertion. Bien que les autres guerres aient toujours suscité des vagues de mécontentement, la possibilité d'assister de près à la guerre du Viêtnam par le truchement de la télévision a intensifié cette vague d'antipathie, qui s'inscrivait dans un changement cyclique.

À l'heure actuelle, l'opinion publique connaît un revirement et les anciens combattants suscitent une grande sympathie. Il est intéressant de noter que, structurellement, les guerres ont encore diminué d'envergure depuis le Viêt-nam. D'aucuns croient que le terrorisme, bien qu'atroce, constitue une version réduite de la guerre. Cette nouvelle façon de voir présage peut-être une tendance qui aboutira à l'abolition pure et simple de la guerre.

Trois questions reliées au changement

Les 10 conseils précédents vous aideront à demeurer informé et à détecter des tendances. Mais comment appliquer ces connaissances à sa vie professionnelle? Comment les utiliser pour prendre une décision relative à sa carrière ou à un autre domaine? Posez-vous les questions ci-dessous:

1. *Qu'est-ce que j'aime vraiment faire?* Comment gagner sa vie en faisant un travail amusant, stimulant et jamais ennuyeux?

Pour répondre à cette question, passez en revue les tendances que vous avez remarquées. Concordent-elles avec votre réponse? Si vous aimez confectionner des pâtisseries françaises et avez remarqué la popularité grandissante des restaurants français, ouvrez votre propre pâtisserie ou cherchez un emploi dans un restaurant français.

2. Dans un an, que souhaiterai-je avoir fait aujourd'hui? Vous vous voyez souffrant d'un ulcère relié au stress et regrettez de ne pas avoir suivi les conseils de votre médecin. Vous avez prix 10 kilos et vous en voulez de ne pas avoir modéré votre appétit. Votre compte de carte de crédit est aussi élevé que la dette nationale et vous vous blâmez de ne pas avoir su réprimer votre envie de dépenser. Vous vous désolez de ne pas avoir fait dresser votre chien lorsque vous voyez les taches qui maculent votre tapis oriental.

3. *Quel service ou produit essentiel n'est pas encore offert dans le domaine qui vous intéresse?* L'emploi pertinent n'existe peut-être pas encore. En cherchant les vides à combler, vous employez à bon escient votre prescience. Vous accomplissez plus que les médiums, les météorologues et les prophètes les plus exacts, qui se contentent de prédire l'avenir. Vous réagissez de la même façon que les experts qui travaillent à prévenir les avalanches.

La technique de l'avalanche

De bien des façons, on peut comparer les changements qui surviennent dans notre vie quotidienne à des avalanches. Comme elles peuvent ensevelir des pistes de ski, des autoroutes et des villages entiers en quelques minutes, les avalanches constituent une grave menace dans les villages de montagne. De même, les changements qui surviennent dans votre vie peuvent atteindre des proportions dangereuses, vous emporter et vous étouffer. Deviner le moment et l'endroit où une avalanche risque de se produire peut sauver une vie. Les spécialistes de la prédiction et de la protection contre les avalanches emploient des techniques que l'on peut mettre à profit pour prévoir les changements:

- Ces experts connaissent le terrain. Ils savent que certains secteurs constituent des «trajectoires» susceptibles de donner lieu à des avalanches. Ils déterminent le degré d'inclinaison des pentes et comprennent que plus la pente est forte, moins le manteau neigeux est stable et plus il y a de chances qu'une avalanche se produise.
- Ils surveillent l'affaiblissement graduel de la cohésion entre les couches de neige. Pour ce faire, ils étudient constamment les facteurs météorologiques puisque les avalanches suivent un cycle qui va de la chute de neige à la fonte pour revenir à la chute de neige. La fonte émousse les pointes acérées des flocons de neige, ce qui affaiblit la cohésion entre les strates de neige, de sorte qu'une chute de neige de cinq minutes peut provoquer une avalanche.
- Ils surveillent les conditions susceptibles de modifier brusquement la qualité de la neige. Pluie, chute de neige abondante et vents forts peuvent entraîner des

glissements, surtout dans les régions où il existe déjà des failles.

- Ils gardent constamment à l'œil les sites où des avalanches sont susceptibles de se produire. Ils recherchent les couches de neige de teinte bleutée, qui annoncent un affaiblissement de la cohésion entre les couches. Ils connaissent bien les signes de changement dans les régions sujettes aux avalanches.

- Ils insistent sur la nécessité de maintenir une vigilance constante et non de dernière minute ou épisodique. Cette surveillance constante à court et à long terme constitue le fondement de leur profession.

- Ils font circuler les renseignements sur les avalanches. Comme ils savent que les victimes déclenchent souvent les avalanches qui les trappent, les experts renseignent skieurs, voyageurs et résidents sur les conditions existantes au moyen de panneaux, par le truchement des médias et verbalement.

- Mais leur travail le plus fascinant consiste à déclencher de petites avalanches afin d'en prévenir de plus dévastatrices. En effet, dans certaines régions, ils font exploser de la dynamite ou lancent des roquettes afin de déplacer la neige dans des conditions précises.

Tout cela vous renseigne-t-il sur les changements que vous prévoyez? Songez à ce que Mélissa aurait pu faire pour ne pas perdre son emploi. Et si elle avait écouté son intuition lorsqu'elle pensait que tout ne tournait pas rond?

Elle aurait pu insister, malgré son malaise, pour obtenir des commentaires sur sa performance et s'en servir pour réviser sa façon de travailler. Elle aurait peut-être passé un mauvais moment si elle avait sollicité les suggestions de la haute direction, mais elle aurait du même coup libéré le ressentiment qu'on commençait d'éprouver à son égard. Elle aurait pu éviter l'avalanche ou du moins en atténuer les conséquences. Voici une technique qui aurait pu aider Mélissa.

Quand vous sentez venir un changement, essayez certaines des stratégies ci-dessous, qui s'inspirent des techniques employées par les experts en avalanches.

- *Effectuez des changements minimes* susceptibles de redresser la situation ou de provoquer une confrontation. Mieux vaut être dans le pétrin jusqu'aux genoux que par-dessus la tête. Il est préférable d'avoir de courtes confrontations productives avec votre supérieur qu'une féroce querelle qui provoque une explosion.

- *Étendez ces petites détonations* à tout votre milieu. Si vos collègues accumulent de petites irritations contre vous, celles-ci feront boule de neige pour se transformer en gigantesque problème. Donc réglez vos difficultés interpersonnelles une à la fois et le plus vite possible.
- *Apprenez à prendre conscience de votre degré de tension.* Il nous arrive de souffrir de petites pertes et blessures pendant quelques mois ou quelques années sans jamais les reconnaître ni faire nos deuils. Nous ne reconnaissons pas les dommages physiques et affectifs que nous cause la peur. Cette répression obscurcit notre intuition; quand la pression devient trop forte, nous subissons une avalanche d'émotions qui rejaillit sur notre entourage.
- *Si le pire arrive* et que vous êtes en train de perdre pied, *rappelez-vous les conseils de survie suivants:*

1. Appelez vos amis à l'aide.
2. Essayez de suivre le courant de manière à garder la tête hors de l'eau.
3. Jetez du lest afin de conserver une liberté et une flexibilité maximales.
4. Laissez une piste derrière vous afin d'aider les autres à vous aider.
5. Ne paniquez pas; gardez confiance.
6. Si la neige vous ensevelit peu à peu, placez votre corps en cercle afin de piéger suffisamment d'air pour pouvoir respirer jusqu'à l'arrivée des secours (autrement dit, gardez votre espace, votre intégrité jusqu'à ce que vous sortiez du pétrin).

Bien sûr, pour survivre à un désastre important, il faut *prévoir le changement et s'y préparer*. Dans le présent chapitre, vous avez appris à reconnaître votre capacité innée de *prévoir* le changement et à employer certains outils afin de la mettre à contribution.

Se préparer aux changements qu'on prévoit exige toutefois d'autres aptitudes. Dans le prochain chapitre, vous apprendrez et mettrez en pratique certaines techniques précises pour faire face aux changements soudains.

Chapitre 9

Réagir: quatre options

Ce dimanche historique où des chirurgiens réussirent à séparer des siamois de sept mois joints par la tête avait, en fait, commencé en Allemagne de l'Ouest cinq mois plus tôt. Le printemps précédent, une équipe de médecins avait examiné les bébés et conçu un plan spécial pour les diviser sans entraîner de dommages cérébraux permanents.

Les autorités ont confirmé que Daniel Lafontaine, le policier abattu dimanche dernier par un prisonnier hospitalisé qui tentait de s'évader, avait exprimé en juin ses inquiétudes concernant la sécurité des gardiens de l'Hôpital général. Dans une note de service, Daniel avait recommandé que les gardiens portent des vestes pare-balles ou qu'on augmente leur nombre afin de mieux assurer leur protection. Daniel est décédé après avoir reçu deux balles à la poitrine et au dos.

Ces deux articles, publiés à la une d'un grand quotidien, illustrent à l'aide d'un horrible contraste la valeur de la prévoyance et de la planification.

Les chirurgiens et le policier ont affronté des circonstances indépendantes de leur volonté. La réaction des médecins avait été planifiée à l'avance et répétée tandis que celle du policier était spontanée et désespérée. Il est vrai que les chirurgiens avaient eu cinq mois pour élaborer leur stratégie, mais Daniel avait perçu de manière intuitive les dangers qui le menaçaient.

Il avait proposé plusieurs solutions, qui, malheureusement, n'avaient pas été adoptées. Il est donc mort, subissant ainsi un terrible changement imposé...

Nous affrontons quotidiennement des changements imposés ayant un caractère urgent: crevaison, panne d'électricité, visite inattendue d'un client qui perturbe notre horaire. De même que des occasions uniques se présentent à nous tous les jours: rencontre avec une personne intéressante, découverte d'un livre stimulant, contact avec un nouveau client.

Ces urgences et occasions apparaissent parfois simultanément: vous avez une crevaison sur l'autoroute et une personne intéressante vous offre son aide; une panne d'électricité vous force à lire au lieu d'écouter la télévision; votre client importun est inquiet mais il est riche. À vous de décider s'il s'agit d'une expérience négative ou positive et si elle vous offre plus de choix que de restrictions ou l'inverse.

Un grand nombre des changements qui nous sont imposés ressemblent à des déveines sur lesquelles nous n'avons aucun pouvoir. Ce sentiment d'impuissance est sans doute à l'origine de notre aversion pour le changement: nous avons l'impression d'être le jouet de forces extérieures. Comme l'illustre l'opération chirurgicale des siamois, on a du pouvoir lorsqu'on acquiert une méthode et qu'on persévère dans son utilisation.

Le présent chapitre décrit quatre méthodes destinées à vous aider à affronter les changements imposés. Chacune d'elles s'accompagne d'un «accélérateur de changement», dont les versions longues et abrégées vous permettront de mieux maîtriser les transformations qui vous bouleversent. Nous les avons élaborées dans nos ateliers qui ont aidé des milliers de personnes à affronter diverses circonstances pénibles: rétrogradation, fusion, faillite, mutation, promotion, perte d'un client ou d'un collègue précieux.

En essayant toutes sortes de stratégies utiles pour affronter le changement, nous avons remarqué que certaines personnes étaient naturellement portées vers des techniques qui ne réussissaient pas du tout à d'autres. Lorsque nous avons étudié ce phénomène, nous avons compris que notre Questionnaire sur la faculté d'adaptation au changement pouvait nous renseigner sur la préférence d'une personne. Les raisonneurs, les canaliseurs, les communicateurs et les risqueurs étaient tous attirés par un mode particulier de réaction au changement.

En découvrant ces quatre techniques et leur accélérateur de changement, il se peut que vous soyez davantage attiré par celle qui se rapporte à votre propre style de réaction. Évitez toutefois d'écarter tout à trac les autres techniques, car leur apprentissage contribuera à augmenter votre flexibilité.

La technique de la perte

Qu'il s'agisse d'une rupture, d'un échec financier ou d'une serviette égarée, nous subissons tous de fréquentes pertes. Certes, une serviette se remplace facilement, mais voyez ce que vous pourriez tout de même ressentir:

«Ah non!...ce n'est pas possible! Elle renferme le rapport Guertin. Je parie que je l'ai laissée dans la voiture de Jérôme.» Sûr de la trouver, vous la cherchez partout. Voyant l'inutilité de vos efforts, vous ressentez de la colère et de la culpabilité: «Merde! Comment ai-je pu être aussi idiot? J'ai dû la laisser dans le train *avant* de monter dans la voiture de Jérôme. Ouais... je me rappelle maintenant... Anne m'avait demandé de faire quelques courses, j'ai déposé ma serviette... mais où? Elle me charge toujours d'un tas de courses qui «ne prennent qu'une minute» et sont «sur mon chemin». C'est sa faute... et je vais le lui dire.» Vous voilà bientôt dans tous vos états.

Peut-être allez-vous implorer le ciel et promettre de changer: *«Si je la trouve, je refuserai dorénavant de faire ses courses.* Cela aidera — je dois prendre garde de ne pas me surcharger l'esprit. Si je retrouve ma serviette, je veillerai à ce que cela ne se reproduise plus jamais.»

Puis, vous évaluez l'étendue de votre perte et ses conséquences. Et vous devenez déprimé: *«Quelle guigne! Je ne pourrai jamais retrouver mon agenda.* Je manquerai mes rendez-vous le reste de l'année. La semaine prochaine, je dois rencontrer Mélanie, mais à quelle heure et où? Il va falloir que j'appelle sa secrétaire qui me tape sur les nerfs. Ah! certains jours, il vaudrait mieux ne pas se lever.»

Enfin, vous passez en revue le contenu de la serviette et analysez l'importance de la perte: «Le rapport Guertin est déjà sur disquette et le stylo se remplace facilement. La chemise à suggestions renfermait des idées intéressantes, mais les idées vraiment utiles referont certainement surface. C'est la perte de mon agenda qui est la pire. Quant au stylo qui coulait toujours dans les moments cruciaux, bon débarras! La poignée et la fermeture éclair de la serviette étaient brisées. J'aurais dû la remplacer il y a des années. Philippe a peut-être inscrit quelques rendez-vous dans son agenda puisque nous avons travaillé assez étroitement ensemble; il se rappellera plusieurs d'entre eux. Il ne me manque après tout que quelques rendez-vous. *Ce n'est pas la fin du monde.*»

Vous venez de traverser une suite d'émotions en réaction à la perte de votre serviette: d'abord, *dénégation* ou incrédulité; puis, *colère* envers vous-même et votre conjoint; période de *négociation* pendant laquelle vous promettez de changer vos habitudes si vous retrouvez votre serviette; ensuite, *dépression* au moment où vous saisissez l'envergure de votre perte; et enfin, *acceptation.*

Ces cinq étapes ressemblent aux stades d'affliction que, selon la psychiatre Elisabeth Kübler-Ross, nous traversons après le décès d'un être cher. De nombreux psychothérapeutes ont élaboré des thérapies «de deuil» afin d'aider les gens à vivre pleinement ces stades de l'affliction et à reprendre leur vie en main. En outre, c'est seulement lorsqu'on a vécu pleinement ces étapes que l'on peut prendre les mesures nécessaires et progresser.

L'une des découvertes les plus intéressantes découlant des recherches et thérapies sur le deuil a trait au fait qu'il existe, pour chacun de nous, un moment optimal pour commencer à restructurer sa vie après une perte. Si vous attendez le moment «propice», vos gestes seront positifs et utiles, et vous connaîtrez un regain d'énergie qui vous permettra de reprendre votre vie normale.

Ce moment optimal survient rapidement dans le cas de la serviette perdue en raison du peu de valeur affective de cette perte; si vous aviez perdu votre bague de fiançailles, il serait venu un peu plus tard; et si votre fiancé avait rompu ses fiançailles, il aurait été repoussé encore davantage.

Cette tendance à en finir au plus vite avec la douleur transparaît dans l'attitude de la veuve qui vend la maison familiale quelques mois seulement après le décès de son mari pour sombrer peu après dans la dépression. Sa douleur est si forte au moment du décès qu'elle veut faire *quelque chose* pour la soulager. Elle se débarrasse donc des vêtements de son mari, nettoie la maison dans le but de la vendre, engage un courtier et trouve un autre logement. Dans sa hâte, elle vendra peut-être sa maison à un prix inférieur à sa valeur et jettera des articles irremplaçables.

Il fut un temps où les veuves ne prenaient pas de décisions hâtives puisqu'elles devaient se retirer de la société pendant des mois. Bien que le but de cette coutume soit de témoigner du respect au mort, cette période de deuil leur donnait le temps de vivre leur chagrin. Dans le même ordre d'idée, l'indemnité de départ versée à l'employé congédié constitue un pont financier qui lui permettra de subsister jusqu'à son prochain emploi, mais elle lui donne aussi la possibilité de prendre le temps de surmonter la confusion, la colère ou la peine que lui cause la perte de son emploi.

Traverser les cinq stades de l'affliction est un processus normal et nécessaire, mais la société nous empêche souvent de le faire, surtout dans le cas d'une perte d'emploi. On nous invite à «faire contre mauvaise fortune bon cœur» ou à «faire un petit effort» lorsque la chance cesse de nous sourire au travail. Les entreprises se privent aussi du processus de deuil. Lorsqu'une compagnie met à pied des employés pour la première fois en trente ans ou qu'elle réduit sa main-d'œuvre de 20 p. 100, lorsqu'un petit magasin est racheté par une chaîne nationale, tous les échelons de l'organisation vivent un deuil. Cela n'est pas étonnant lorsque l'on songe à quel point nous nous identifions à notre travail. Même un changement mineur ou positif peut provoquer un sentiment de perte. Maintenant qu'il est superviseur, André ne blague plus avec ses collègues pendant le déjeuner; devenue secrétaire de direction, Diane se refuse la moindre distraction.

Rosemarie, qui occupait un poste de cadre dans un cabinet de comptables, se rappelle la tristesse qui l'a envahie lors de la fusion de celui-ci avec un cabinet plus important. «Même si je souhaitais cette évolution, de soupirer Rosemarie, que j'y gagnais un personnel de soutien plus complet et la chance de travailler avec des clients prestigieux, cette fusion m'attristait énormément. Nous devions congédier des employés, mon nom n'apparaîtrait plus sur une plaque à la réception et peut-être que je ne connaîtrais plus jamais tous les employés par leur nom.»

Si les changements positifs provoquent un sentiment de perte, imaginez vos sentiments lors d'un congédiement indépendant de votre volonté. L'expérience peut être accablante surtout si vous essayez de supprimer les émotions que provoque cette perte et passez immédiatement aux actes.

En vous lançant dans l'action avant d'avoir vécu pleinement les cinq stades d'affliction qui accompagnent une perte, vous risquez de saper votre énergie. Prenons le cas de Bernard, un ingénieur récemment mis à pied. Deux semaines plus tard, il a déjà trouvé un emploi. Il s'est mis en quatre pendant ces deux semaines pour trouver du travail et a accepté la première offre raisonnable. Il ne s'est même pas arrêté pour voir ce qu'il ressentait. Il était trop occupé à chercher du travail pour exprimer sa colère, sa culpabilité ou son ressentiment.

Bernard a avoué par la suite: «Le premier matin, en me rendant à mon nouveau travail, je me félicitais d'avoir trouvé un emploi aussi rapidement lorsqu'une vague de désespoir m'a submergé.

«J'étais triste et épuisé. Il me fallait tout recommencer à neuf, me faire de nouveaux amis, apprendre le fonctionnement de l'entreprise, m'y tailler une place. J'ai failli faire demi-tour pour rentrer chez moi. Les premiers mois, c'était l'enfer: je m'efforçais de paraître positif, intéressé à mon travail et énergique. Je me traînais hors du lit chaque matin et buvais du café toute la journée pour rester éveillé. Je n'arrivais pas à me passionner pour mon travail. Je me montrais sarcastique chaque fois que mes collègues parlaient de notre brillant avenir et je me tenais à l'écart. Pourquoi engager mon enthousiasme et mon énergie? J'avais tout donné à l'autre société pour aboutir à quoi? On m'avait renvoyé à la première réduction de personnel. Je me sentais comme un plateau de nourriture qu'on jette sans une pensée.

«J'ai parlé à ma femme de mes sentiments de rejet, d'isolement et d'indifférence; je me suis confié à des amis.

«Puis, mes collègues de travail ont commencé à solliciter mon avis et à le prendre en considération. Petit à petit, j'ai appris à faire confiance à mon chef et aux autres, à avoir foi en l'avenir de ma nouvelle entreprise. C'est à ce moment-là que j'ai laissé l'autre emploi derrière moi et que j'ai commencé à apprécier mon nouveau poste.»

Si Bernard s'était permis de vivre la dénégation, la colère, la négociation, la dépression et l'acceptation qui accompagnent normalement la perte d'un emploi, il aurait pu s'atteler à sa nouvelle tâche avec enthousiasme.

Voici un exercice qui vous aidera à traverser un deuil. Pensez à une perte que vous avez subie récemment au travail et suivez les étapes qui suivent.

Étape 1 (surmonter la dénégation). Complétez la phrase:
J'ai perdu_____.

Vous pouvez avoir perdu la face, l'amour, du terrain, l'admiration de quelqu'un, une occasion unique ou quelque chose de tangible, mais soyez précis. Vous devez identifier avec exactitude la nature de votre perte. Si votre entreprise a déménagé, vous attribuez peut-être la tristesse que vous ressentez au fait que vous ne voyez plus d'arbres par la fenêtre. Il s'agit bien d'une perte, mais si la vue que vous avez de votre nouveau bureau est encore plus belle, votre sentiment de perte est relié à autre chose: déplorez-vous le fait que vous ne connaissez plus les restaurants, les ressources, les gens du quartier? Votre superviseur est-il plus éloigné de vous dans les nouveaux bureaux? Avez-vous perdu un accès facile au transport en commun ou à un stationnement? Vous faudra-t-il supporter les bouchons de circulation pendant vos trajets quotidiens entre la maison et le bureau?

Le fait d'analyser avec précision ce qu'on a perdu nous aide à accepter la réalité de la perte et à surmonter l'étape de la dénégation. En outre, on peut mieux cerner le problème et décider par où commencer. Donc, pour surmonter le stade de la dénégation, vous devez d'abord décrire ce que vous avez perdu.

Étape 2 (exprimer sa colère). Complétez la phrase ci-dessous:
Je suis fâché contre_____.
en ce qui touche cette perte parce que_____.

Vous ressentez peut-être de la colère à l'égard de plusieurs personnes, y compris vous-même. Le fait d'identifier ces personnes aidera à dissiper votre colère, mais en comprendre la raison est encore plus utile. Par exemple, on se croit parfois en colère contre une personne alors que la vraie coupable en est une autre; on concentre alors son énergie sur la mauvaise personne.

Étape 3 (négociation). Complétez la phrase ci-dessous:
Si je retrouve_____, je promets de_____.

Après avoir complété cette phrase, allez marcher d'un bon pas, lavez le plancher, lancez des balles de tennis contre le mur ou jetez-vous dans une activité énergique et solitaire... tout en continuant de penser à ce que vous pouvez négocier.

Cette étape permet de réfléchir à des façons de retrouver ce que l'on a perdu sans aggraver ses problèmes. L'anxiété que vous cause cette perte vous poussera à agir et à prendre des mesures irréfléchies. Les stratégies complexes et inutiles vous attirent parce que vous êtes pressé de négocier pour chasser votre souffrance.

La négociation vous procure trois avantages: vous pouvez transformer votre désir de négocier en recherche de solutions positives; dépenser votre fébrilité anxieuse d'une manière utile; et accomplir ces deux choses sans prendre des mesures que vous regretteriez plus tard.

Étape 4 (dépression). Complétez la phrase ci-dessous:
En ce qui touche la perte de_____, je me sens (inscrivez dans la colonne de gauche quatre adjectifs qui décrivent ce que vous ressentez):

_____	_____
_____	_____
_____	_____
_____	_____

Puis, cherchez ces quatre termes dans le dictionnaire et copiez-en la définition sur la ligne correspondante. Analysez et comparez les mots et leurs définitions. Expriment-ils vraiment ce que vous ressentez? Vous éclairent-ils sur la raison de votre chagrin?

Cette étape a un double but. En vous forçant à trouver quatre adjectifs différents, vous vous assurez de reconnaître pleinement la dépression qui accompagne votre souffrance. Lorsqu'on dépasse sa première réaction, on touche au désespoir profond que cachent les sentiments superficiels.

En outre, le fait d'agir pour surmonter sa dépression contribue à la dissiper. Les thérapeutes qui travaillent avec des patients déprimés les font bouger physiquement et mentalement. La troisième étape vous a entraîné dans l'action physique alors que celle-ci vous force à faire un effort mental. Vous êtes maintenant prêt pour la phase finale.

Étape 5 (accepter sa perte). Complétez la phrase ci-dessous:

J'ai vraiment et irrémédiablement perdu_____

_____mais j'ai gagné_____.

Cette dernière étape vous aide à reconnaître la réalité de votre perte tout en vous faisant prendre conscience des bénéfices que vous en retirez. Même les pertes affectives les plus lourdes comportent un avantage: la veuve a perdu son mari, mais elle est plus libre et doit relever le défi de sa survie; Bernard a perdu son emploi mais il a découvert l'importance de communiquer avec sa femme et ses amis.

Tout au long de cet exercice, nous vous avons demandé de vous concentrer sur vos sentiments et de les définir. Cet effort avait pour but de vous forcer à penser avec l'hémisphère gauche de votre cerveau. Comme vous l'avez appris dans le chapitre sur le cerveau, l'analyse et la définition sont des tâches réservées en majeure partie à l'hémisphère gauche. Lorsqu'on est envahi par les émotions, c'est notre hémisphère droit, impulsif et intuitif, qui prend les commandes. C'est pourquoi il faut utiliser l'hémisphère gauche afin de se prendre en main et de maîtriser la situation, et c'est justement le rôle que joue cet exercice.

Le processus d'affliction comporte une dernière étape, qui consiste à agir, à exécuter un geste qui résulte directement de l'expérience vécue par rapport à la perte. Pendant le deuil, vous avez dû maîtriser et détourner votre énergie afin de ne pas traverser trop rapidement cette période ni vous engager dans des projets insensés. Maintenant que vous avez affronté votre douleur, vous pouvez prendre de l'avance et apporter dans votre vie des changements positifs et susceptibles d'atténuer votre peine. Si vous avez perdu votre emploi, parcourez les journaux et les magazines afin d'évaluer la situation du marché du travail. Puis dressez une liste de tous les endroits où vous aimeriez travailler et mettez votre curriculum vitæ à jour. Regardez-vous bien dans la glace. Votre apparence vous plaît-elle? Mettez-vous en forme physiquement; allez chez le coiffeur ou modernisez votre garde-robe. Puis, votre liste d'employeurs en main, prenez un rendez-vous par jour ou deux rendez-vous par semaine. Planifiez vos objectifs et vos méthodes avec soin et écrivez-les (en 25 mots seulement), puis lancez-vous!

Vous pouvez refaire cet exercice pour chaque perte subie en vous servant du formulaire que nous avons conçu pour vous aider. Chaque fois que vous l'emploierez, relisez les pages précédentes pour vous assurer de vivre votre chagrin à fond. Après un certain temps, vous progresserez beaucoup plus rapidement sans avoir besoin de vous rapporter au texte. Cette technique deviendra un élément automatique et facile à utiliser de votre répertoire du changement.

La technique de la perte

Complétez les phrases ci-dessous.

Étape 1 (surmonter la dénégation):
J'ai perdu_____.

Étape 2 (exprimer sa colère):
Je suis fâché contre_____
parce que_____.

Étape 3 (négociation):
Quand je parlerai de cela à_____, je dirai:

_____

_____

Étape 4 (dépression):
Adjectifs   Définitions

_____   _____
_____   _____
_____   _____
_____   _____

Étape 5 (accepter la perte):
J'ai vraiment et irrémédiablement perdu_____
mais j'ai gagné_____.

Maintenant, définissez en 25 mots ou moins les mesures que vous comptez prendre pour surmonter votre chagrin.
Je compte_____

_____

_____

Le raisonneur sera rapidement réconforté en raison de la nature rationnelle et analytique de cette technique. Il en sera de même pour le communicateur qui est naturellement porté à exprimer ses émotions et à solliciter l'avis des autres. Le canaliseur et le risqueur devront peut-être se familiariser davantage avec la technique, mais ils finiront par en reconnaître la valeur. Comme les pertes sont très courantes, les quatre types de personnes emploieront fréquemment cette technique dont nous reparlerons souvent dans ce livre.

Lorsque vous l'aurez maîtrisée, essayez la version abrégée ci-dessous qui s'applique aux pertes moins significatives.

L'accélérateur de changement en cas de perte en 25 mots ou moins

Afin de clarifier la perte véritable que vous avez subie et d'expérimenter rapidement tous les aspects de votre chagrin, remplissez les 25 espaces vierges de la page suivante. Vous pouvez écrire plus d'un mot à un endroit et laisser des espaces libres, mais pour obtenir les meilleurs résultats, essayez de vous limiter à 25 mots au total.

Voici comment procéder. Si vous avez déjà perdu un bijou auquel vous attachiez une valeur sentimentale, vous comprendrez la peine de Céline qui a égaré sa broche en argent en forme de papillon:

J'ai perdu ma broche en argent en forme de papillon et je suis fâchée contre moi-même parce que je suis négligente avec mes bijoux. Si je la retrouve, je serai plus soigneuse. Je me sens triste, coupable et je me sentirai sans doute ainsi pendant plusieurs mois. Mais je peux vivre sans elle et je tire une leçon de cette perte: rien ne sert de courir.

Après avoir traversé ce stade rapide d'affliction, vous êtes prêt à agir. Réfléchissez à ce que vous ferez et répondez aux questions suivantes en vous limitant à 25 mots: Qui? Quoi? Quand? Où? Pourquoi? (Et parfois comment?) Ces questions sont bien connues des étudiants en journalisme qui doivent parfois écrire le premier paragraphe d'un article en 25 mots ou moins.

En effet, ils doivent se discipliner à économiser l'espace et à s'assurer que même le lecteur qui s'arrête après le premier paragraphe connaîtra le fin mot de l'histoire. Cette consolidation est utile à l'innovateur parce qu'elle l'aide à identifier la première mesure à prendre en réaction à sa perte. Voici comment Céline a exprimé son plan d'action en moins de 25 mots:

Pour m'assurer de ne pas perdre mes bijoux, je les mettrai et les
   (pourquoi)   **(quoi) (qui)**

retirerai devant le même miroir chaque jour.
               (où)   **(quand)**

Céline a dû réécrire plusieurs fois son énoncé afin de le réduire à 21 mots. Cet exercice l'a forcée à revoir mentalement la façon dont elle portait ses bijoux. Elle a découvert qu'elle avait l'habitude de les mettre en sortant de sa chambre ou en conduisant jusqu'à son travail. Elle s'est dit que si elle plaçait son coffret à bijoux devant le miroir, elle pourrait s'assurer que chaque bijou est bien attaché. Elle s'est engagée à passer au moins trente secondes devant son miroir chaque fois qu'elle mettait ou ôtait un bijou. Elle augmentait ainsi ses chances de se rappeler ce qu'elle avait porté ce jour-là et de ranger chaque bijou à sa place. Elle s'est promis de ne pas porter de bijou les jours où elle pensait ne pas pouvoir effectuer cette double vérification.

Ici encore, le raisonneur sera le plus familier avec cet accélérateur de changement, mais celui-ci peut être très efficace pour les autres types de personne. N'importe qui peut le maîtriser avec un peu de pratique. Vous devez avoir pour objectif de terminer l'analyse de votre perte en une minute, puis d'écrire et de réécrire votre énoncé d'action en une minute. Éventuellement, vous finirez pas faire les deux en une minute. Servez-vous du formulaire ci-dessous la prochaine fois que vous subirez une perte mineure et voudrez vous en remettre rapidement.

EN 25 MOTS OU MOINS

Remplissez les blancs en vous limitant à 25 mots:

J'ai perdu _____ _____ _____ et je suis fâché contre _____ (surmonter la dénégation)_____ _____ parce que _____ _____ _____ _____. Si je le (exprimer sa colère) retrouve, je _____ _____ _____. Je me sens _____ _____ et me (négocier) sentirai probablement ainsi pendant _____ _____. Mais je peux vivre sans cela et voici la leçon que je tire de cette perte: _____ _____ _____ _____ _____ _____ _____ _____ (accepter).

Puis, en 25 mots ou moins, énoncez les mesures que vous prendrez pour mitiger votre perte. Vous devez répondre aux questions qui, quoi, quand, où et pourquoi.

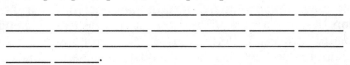

Lorsque vous utilisez cet accélérateur de changement pour la première fois, appliquez-le à la perte d'un dossier ou d'un message téléphonique. Plus tard, vous l'emploierez dans des situations plus graves, comme la perte d'un client ou d'une promotion. Toutefois, il est impossible de surmonter les pertes vraiment significatives, comme celle d'un emploi ou d'un être cher, dans un délai aussi court. Vous ne feriez que réprimer votre peine, ce qui pourrait avoir des conséquences graves plus tard.

Vous découvrirez d'autres applications de la technique de la perte au chapitre 13, qui porte sur le changement au sein des organisations. Passons maintenant à la deuxième technique, celle de l'immersion.

La technique de l'immersion

Cette technique s'applique aux cas où vous avez essayé d'autres solutions sans succès ou lorsque vous affrontez un changement brusque et majeur. Elle peut vous aider à progresser sur le chemin de la réussite.

Il ne s'agit pas d'un exercice sur papier. Vous devez le pratiquer concrètement. Pour commencer, vous devez vous immerger totalement dans le changement que vous tentez d'apporter, mais cela ne va pas toujours tout seul. L'explication suivante vous éclairera peut-être.

Lorsque vous vous entourez de l'objet du changement que vous désirez apporter, vous élevez votre niveau de conscience et devenez plus ouvert à ce changement. Bientôt, vous vous rendez compte que votre comportement change, non sans effort, mais certainement plus facilement qu'autrement.

La technique de l'immersion convient particulièrement bien au canaliseur parce qu'elle exige un engagement total. Comme vous le savez, le canaliseur est capable d'écarter toute pensée de son esprit pour se concentrer intensément sur sa tâche. Cette caractéristique le défavorise lorsqu'elle l'empêche de découvrir de nouvelles options et occasions, mais elle lui est très utile lorsqu'il affronte un changement radical.

Roger, un jeune architecte, n'arrivait pas à organiser sa vie. Il était diplômé, mais, n'étant pas accrédité par l'Association des architectes, il ne trouvait pas de travail. Pendant plusieurs années, il flotta d'un emploi temporaire à l'autre, jouissant de tous les plaisirs du célibat, mais sans jamais avoir assez d'argent pour régler ses factures ou acheter une bonne voiture. Un jour, il fit la connaissance d'Émilie dans une soirée et dix mois plus tard, il avait une femme, une fillette et une hypothèque sur les bras.

Leurs familles s'inquiétaient: «Que leur arrivera-t-il? Ils ne sont pas assurés. Roger n'a pas d'emploi stable. Comment pourront-ils survivre?»

Roger ne se contenta pas de survivre. Il gagna beaucoup d'argent et triompha des craintes familiales. Il dut réagir à ses nouvelles responsabilités en devenant plus productif et plus discipliné. Il accepta tous les emplois qu'on lui offrait en construction: peinture, pose de toitures, de tuiles, de moquette, construction de cadres de fenêtre. Ses nombreuses activités lui valurent une réputation d'homme à tout faire. En moins d'un an, il avait un flot régulier de contrats, qu'il donnait en sous-traitance moyennant un pourcentage. Le couple épargna l'argent que tirait Émilie d'un emploi à temps partiel et l'ajouta à un petit prêt. Ces trois tactiques lui permirent de faire ses versements hypothécaires mensuels et de meubler confortablement sa maison.

Leurs familles étaient stupéfaites. Toutefois, leur admiration se changea en horreur devant la nouvelle grossesse d'Émilie, quatre mois après la naissance du premier enfant. «Roger va craquer sous la pression; il n'a jamais eu de responsabilités», s'inquiétait-on.

Roger se tira d'affaire grâce à la technique de l'immersion. Il s'employa totalement à subvenir aux besoins de sa famille, changeant, nourrissant et baignant les deux bébés les soirs où Émilie travaillait. Le jour et le week-end, il poursuivait le moindre filon susceptible d'aider sa nouvelle entreprise à démarrer et lisait des magazines spécialisés en architecture. Enfin, il suivit un cours du soir de quatre semaines afin de préparer son examen d'architecture.

Il obtint l'un des plus hauts pointages jamais obtenus pour cet examen. Grâce à ce succès et à la clientèle de son entreprise de travaux divers, il put s'associer avec un cabinet d'architectes modeste mais réputé. En trois ans, Roger avait changé son fusil d'épaule: autrefois éparpillé et irresponsable, il avait concentré son énergie et était devenu responsable en s'immergeant totalement dans le mode de vie qu'il souhaitait.

Certes, le moment était bien choisi. Il possédait la jeunesse et l'énergie nécessaires pour transporter des montagnes. Il avait le talent brut et l'intensité naturelle d'un canaliseur, et était bien soutenu.

Mais il possédait tout cela avant. En s'immergeant dans ses obligations, il put canaliser son esprit et son énergie de manière à atteindre un but qui, auparavant, lui avait paru inaccessible.

Dans la plupart des cas, la technique de l'immersion n'exige pas un tel esprit de sacrifice. Les réalisations de Roger démontrent simplement que l'on peut accomplir beaucoup en canalisant son attention et ses ressources dans une direction.

Les gains plus petits exigent des efforts moindres. Prenons le cas de Rénald, qui travaillait depuis six ans dans une petite division d'une prestigieuse agence de publicité. Son bureau était gai et confortable, le café était toujours prêt, beignets et plans de marketing jonchaient les bureaux et les horaires variaient selon les projets et les circonstances. Bien que les employés arrivassent souvent en retard à leurs rendez-vous et que le respect des échéances ne tint qu'à un cheveu, les employés, heureux et créateurs, mettaient ensemble la main à la pâte et le travail se faisait.

Puis advint l'inimaginable. La haute direction nomma un nouveau directeur de division, prénommé Paul, un homme tatillon, à cheval sur les détails, les horaires et les échéances. En le voyant arriver avec un agenda à la main, Rénald soupçonna que la fin des vacances était proche. Lorsque Paul établit un organigramme pour les projets des six mois suivants en assignant des échéances hebdomadaires à chacun d'eux, Rénald en fut *certain*. Cet organigramme couvrait deux murs de la salle de conférence et faisait l'objet d'une réunion tous les matins à huit heures.

Pendant des années, Rénald n'avait pas beaucoup réfléchi à la question du temps et en était même venu à mépriser la ponctualité. Mais Paul donna l'ordre suivant: «À partir d'aujourd'hui, la journée de travail commencera à 8 h et se terminera à 17 h, les heures du déjeuner s'échelonneront selon un horaire affiché chaque semaine, et tous les employés devront être ponctuels à leurs rendez-vous et réunions; les échéances devront être respectées.»

Quel changement! Comment Rénald pouvait-il surmonter son manque de ponctualité chronique? Il y réussit — grâce à la technique de l'immersion:

Pour perdre votre habitude d'être en retard en employant la technique de l'immersion, entourez-vous d'objets susceptibles de vous faire penser au temps: calendriers, horloges, minuteurs et métronomes. Mettez des marqueurs de couleur sur vos horloges et réveils pour attirer votre attention sur eux, sans oublier l'horloge de votre voiture et celle de la cafetière.

En vous rendant au travail, observez toutes les horloges qui se trouvent sur les banques, les églises et les édifices publics. Vérifiez leur synchronisation.

Suivez un cours sur la gestion du temps. Lisez des livres et des articles sur le sujet, puis laissez-les traîner ou affichez-les à votre babillard. Achetez un grand agenda de la taille d'un livre que vous transporterez avec vous.

Visitez un horloger et écoutez le tic-tac de centaines d'horloges. Respirez l'odeur de bois huilé des horloges grand-père. Remarquez les détails du coucou. Touchez le plastique dur et froid des horloges modernes au quartz.

Songez à l'importance du temps pour l'humanité. Stonehenge et bien d'autres sites archéologiques avaient pour principale fonction de tenir le temps afin de permettre aux gens de prévoir les changements de saison. Songez à quel point on a dû prendre conscience du temps pour concevoir la technologie avancée dont nous jouissons aujourd'hui. Songez aux prisonniers qui ne peuvent plus disposer de leur temps à leur guise.

En prenant conscience de l'importance du temps et des outils qui servent à le marquer, vous apprendrez à respecter davantage votre temps et celui des autres. En suivant ces quelques étapes (voir l'encadré), vous prendrez conscience du temps à l'aide de plusieurs de vos sens, de votre esprit et même de vos émotions. Plus votre immersion sera totale, plus vite vous surmonterez votre habitude d'être en retard et de ne pas respecter vos échéances.

Technique de l'immersion

1. Entourez-vous d'objets reflétant le changement que vous voulez apporter:
   a) Vous augmenterez votre niveau de cons-
      cience.
   b) Votre attitude face à ce changement
      s'assouplira.
2. Votre comportement s'ajustera automatiquement au changement imposé.

Sachez que vous pouvez employer cette technique dans de
nombreuses situations où vous êtes tenu de «réagir». Grâce à
elle, Rénald s'est habitué plus rapidement à son nouveau
patron pointilleux au sujet de la ponctualité. Elle peut vous
aider à apprendre l'anglais en six semaines en vue d'un voyage
d'affaires à l'étranger ou à vous exprimer clairement si votre
P.d.g. tombe malade et que vous devez le remplacer au conseil
d'administration.

Lorsque le temps n'a pas d'importance, il est difficile d'être
ponctuel à ses rendez-vous et de respecter ses échéances. Si
vous n'avez jamais besoin de parler anglais, vous ne ferez
aucun effort pour apprendre cette langue. Si votre patron
prononce tous les discours, vous n'aurez jamais à réfléchir sur
la position de l'entreprise. Mais si les circonstances changent et
que vous êtes forcé d'être ponctuel, d'apprendre l'anglais ou de
préparer un discours, vous avez des chances de bien vous en
tirer si vous vous immergez dans le comportement souhaité.

En général, les canaliseurs n'éprouvent aucune difficulté à
appliquer cette technique étant donné qu'ils portent une attention intense à n'importe quelle situation. En outre, ils prennent
régulièrement de la distance face à leurs tâches pour se
concentrer sur de nouveaux sujets même en l'absence d'un
changement imposé; il est donc assez facile pour eux de modifier leur comportement en cas de changement.

Les raisonneurs n'ont pas l'habitude de ces changements
périodiques. Cela prend habituellement un grand choc pour les
détourner de leur projet du moment ou de leur façon de faire et
pour les inciter à se concentrer ailleurs. Mais une fois le changement vraiment imposé, ils se reconcentrent aussi aisément
que les canaliseurs parce qu'ils sont conscients de la nécessité
d'en apprendre le plus possible sur la nouvelle situation.

Les communicateurs adoptent facilement la technique de l'immersion parce qu'ils disposent d'un réseau de personnes prêtes à les aider. Ils connaissent sans doute déjà trois personnes qui parlent l'anglais et seraient heureuses de pratiquer avec eux. Cette technique convient très bien aux risqueurs en raison de leur spontanéité. Ils s'immergent totalement et efficacement dans le changement souhaité mais pour une courte période seulement.

Comme vous pouvez le constater, la technique de l'immersion est utile aux quatre types d'innovateurs dans bien des situations, mais particulièrement celles où le changement imposé exige la modification d'une habitude bien ancrée. La version abrégée de cette technique, appelé «ingénieuse stratégie», s'applique aux situations moins complexes.

L'accélérateur de changement par immersion: l'ingénieuse stratégie

L'«ingénieuse stratégie» est une façon étonnamment simple d'effectuer un changement, mais son application exige une certaine astuce. Il s'agit de modifier un élément de son environnement afin d'entraîner un changement de comportement ou d'attitude, ou les deux.

Cette technique repose sur l'hypothèse qu'un changement externe suscite une modification des comportements qui transforme à son tour les attitudes. Les graphologues emploient depuis longtemps des méthodes similaires. Par exemple, si vous assistez à une réunion où vous devez garder l'esprit ouvert aux idées nouvelles puis vous concentrer sur un plan d'action, au début, vous tracerez de grands cercles liés, comme l'illustre le dessin ci-dessous.

Lorsque le moment sera venu de concevoir un plan d'action, vous vous mettrez à tracer de grands «t» avec une barre bien nette.

Essayez cette méthode quelques fois et vous verrez que la modification de vos actions entraîne un changement dans votre attitude.

Pour commencer, observez le problème dans son ensemble puis essayez de régler un détail à la fois. Lorsque vous commencerez à envisager le changement désiré sous cet angle, vous prendrez plaisir à modifier une partie du problème grâce à une simple manipulation de l'environnement.

Par exemple: Si votre P.d.g. exige une ambiance plus formelle et professionnelle, concentrez-vous sur un changement susceptible d'exaucer son désir. Vous remarquerez peut-être que la plupart des employés ne portent pas de veston. Une simple modification de l'environnement et le tour est joué: baissez le chauffage en hiver et augmentez la climatisation en été et les employés porteront leur veston toute la journée. Le tableau ci-dessous illustre ce processus:

Situation indésirable	Facteur connexe	Stratégie	Comportement ou attitude souhaité
(tenue négligée)	(température de la pièce)	(baisser la température)	(tenue plus soignée)

Cherchez maintenant un autre facteur simple qu'une stratégie adroite peut modifier. Dans une profession où la dignité et les coutumes sont importantes, les membres du personnel affichent-ils une attitude professionnelle? Si ce n'est pas le cas, fixez sur les portes ou les bureaux des plaques de cuivre portant le nom de l'employé précédé de M. ou Mme et suivi d'un titre prestigieux. Le simple fait de voir quotidiennement leur nom ainsi inscrit incitera les employés à se prendre au sérieux et à modifier leur comportement. Voici un tableau illustrant cette seconde phase du changement:

Situation indésirable	Facteur connexe	Stratégie	Comportement ou attitude souhaité
(manque de professionnalisme)	(atmosphère de travail)	(fixer des plaques de cuivre)	(attitude plus professionnelle)

Vous pouvez recourir à cet accélérateur de changement aussi souvent que vous le désirez. Le secret consiste à se concentrer sur un seul élément à la fois. Utilisez la formule ci-dessous pour appliquer cette «ingénieuse stratégie» la prochaine fois que vous devrez réagir rapidement face à un changement.

L'ingénieuse stratégie

En considérant le changement à apporter, identifiez la situation indésirable et trouvez un facteur susceptible d'influer sur cette situation. Élaborez ensuite une stratégie visant à modifier ce facteur de manière à engendrer la situation souhaitée.

Situation indésirable	Facteur connexe	Stratégie	Comportement souhaité

La technique du sondage

La troisième technique convient parfaitement au communicateur, cet innovateur qui consulte diverses personnes lorsqu'il veut effectuer un changement, puis synthétise toutes les données recueillies en un plan global. C'est exactement ce qu'exige la technique dont il est question ici: obtenir quatre points de vue sur le changement imposé.

Supposez que vous êtes agent immobilier dans un petit village où les affaires déclinent régulièrement depuis cinq ans. En fait, le marché est si bas que rien ne se vend. L'immobilier est votre domaine de compétence mais la récession a fixé un écriteau «rien à vendre» sur la ville. Tout en vous demandant comment vous allez survivre, vous tombez sur une vieille maison très jolie de l'extérieur mais dont l'intérieur est dans un état lamentable. Le prix n'en est pas très élevé — environ la somme que vous avez placée dans votre propre maison (qui n'est pas encore payée). Devriez-vous l'acheter ou non? Sollicitez l'avis de personnes appartenant à quatre secteurs de votre vie:

1. **Familial — votre fils aîné, qui a seize ans**
   «Ouais, c'est un endroit chouette. J'ai un tas de camarades qui louent des appartements dans ce quartier.

Ils donnent tout le temps de super soirées rock avec orchestre.»

2. **Social — la présidente du club social**

   «Quelle jolie maison! Elle pourrait sûrement être classée monument historique. Vous pourriez obtenir un prêt à faible taux d'intérêt si vous vouliez prendre le temps de la rénover. J'ai toujours rêvé de marier ma fille dans cette maison — avec son élégant escalier en colimaçon et ses fenêtres à petits carreaux! Quel endroit de rêve!»

3. **Professionnel — un autre courtier**

   «Cette maison est pourrie. Je ne m'y aventurerais pas. La toiture coule et la véranda a l'air rongée par les termites.»

4. **Célébrité — Barbara (dialogue imaginaire)**

   «N'hésitez pas. Quelques petits travaux et ce sera un vrai succès. Vous pourriez donner des concerts sur la pelouse en été et vous remplir les poches. Tenir un salon de musique le reste de l'année. Vous pourriez attirer des artistes de partout que vous logeriez sous les combles.»

Il s'agit maintenant de *synthétiser* ces points de vue selon la vraie manière du communicateur. Répartissez les commentaires en deux groupes: d'un côté, ceux qui sonnent agréablement à vos oreilles et de l'autre, ceux qui vous déplaisent carrément ou comportent une mise en garde.

Positifs	**Mises en garde**
magnifique extérieur	soirées d'étudiants dans le voisinage
prix raisonnable	récession immobilière
escalier en colimaçon	termites?
cadre enchanteur	mensualités
salon et musique	toiture endommagée?
prêt à faible taux d'intérêt	

Les quatre points de vue mettent en relief plus d'éléments que ceux auxquels le courtier aurait songé. C'est pour cette raison que les étudiants en médecine qui doivent poser un diagnostic sont tenus de nommer au moins quatre causes possibles du symptôme noté. L'effort qu'ils doivent faire pour trouver quatre possibilités les empêche de poser un diagnostic mécanique et les aide à dépasser l'évidence.

La technique du sondage exige que vous recherchiez les avis et commentaires de quatre personnes, mais pas n'importe lesquelles. Pour être sûr d'obtenir le plus grand nombre d'éléments possibles, vous devez les choisir parmi quatre catégories différentes: travail, vie sociale, famille et célébrité.

Voici comment fonctionne cette technique. Comme pour les autres techniques de changement, la première étape consiste à définir ou à clarifier le changement imposé. Réfléchissez-y soigneusement et soyez aussi précis que possible. Puis décrivez ce changement à une personne appartenant à chacune des catégories ci-dessus et écoutez sa réaction.

Première catégorie. Un membre de votre famille. Votre famille n'est peut-être pas au courant de tous vos problèmes professionnels, mais elle vous connaît quand même un peu. Même si cette intimité peut colorer son opinion, un membre de votre famille peut vous donner une perception différente de celle des autres.

Si vous avez déjà discuté de ce changement avec un membre de votre famille, vous pouvez solliciter un point de vue moins traditionnel en imaginant les pensées d'un enfant, d'un grand-parent décédé ou du mouton noir de la famille. Vous êtes certain d'obtenir une réaction unique.

Deuxième catégorie. Un partenaire de votre vie sociale. Même si vous n'êtes pas du type communicateur, vous avez sans doute un ami proche vers qui vous tourner lorsque vous subissez un changement imposé. Votre compagnon de marche ou votre amie ornithologue peut vous éclairer sur les changements professionnels ou familiaux qui se produisent dans votre vie. Vous pouvez l'interroger directement ou vous demander ce qu'il ou elle vous suggérerait. En vous adressant à un ami extérieur au problème, vous obtenez un point de vue neuf.

Troisième catégorie. Un collègue de travail. De nouveau, soyez flexible dans votre choix. Plutôt que de toujours interroger la personne la plus haut placée au travail, consultez (mentalement ou directement) la réceptionniste, le programmeur ou le directeur du secrétariat. Si vous travaillez seul, adressez-vous au facteur, à votre fournisseur ou à votre conseiller bancaire.

Quatrième catégorie. Une célébrité que vous admirez. Dans ce cas-ci, choisissez le ou la meilleure: la personne la plus riche, la plus intelligente ou la plus populaire. Celle dont vous admirez le plus la philosophie ou la façon de penser.

Quelle personne, morte ou vive, trouvez-vous la plus sage et la plus en accord avec vos attitudes et sentiments? Posez-vous la question: Que dirait de Gaulle, Marguerite Yourcenar, Gérard Depardieu ou Catherine Deneuve de ce changement? Comme vous le voyez, ce n'est pas plus difficile d'interroger la personne la plus célèbre, alors ne vous gênez pas.

La technique du sondage

Décrivez le changement qui vous est imposé. Puis sollicitez l'avis et les commentaires de quatre personnes appartenant à quatre secteurs distincts de votre vie:

Catégorie 1: Famille: _____

_____.

Catégorie 2: Vie sociale: _____

_____.

Catégorie 3: Travail: _____

_____.

Catégorie 4: Une célébrité que vous admirez:_____

_____.

Éléments positifs: **Mises en garde:**

Synthèse et action:

La technique du sondage vous aide à clarifier ce qui vous inquiète ou vous effraie dans le changement à venir. Elle vous fait connaître des réactions différentes. La version abrégée, appelée «Introspection», contribue elle aussi à améliorer votre compréhension de la situation.

L'accélérateur de changement par sondage: l'introspection

L'introspection est aussi une forme de sondage, qui se pratique auprès de toutes les parties de soi-même. Au lieu de demander à quatre personnes différentes comment affronter un changement, sondez-vous vous-même: vos sentiments, votre perception visuelle et même l'odeur, la texture et le goût du changement. Posez-vous les questions ci-dessous afin de prendre contact avec vos sentiments profonds.

1. Cette situation a-t-elle une odeur? Cette odeur est-elle parfumée et exotique ou douce et abrutissante?
2. De quelle couleur est ce changement? Est-ce une couleur audacieuse et excitante ou terne et déprimante?
3. Quelle a été ma première réaction émotive face à ce changement? Colère, peur, joie, curiosité, confusion?
4. Si je pouvais toucher ce changement, comment m'apparaîtrait-il? Souple et invitant? Froid et inflexible? Chaud et flou? Solide et écrasant?

Introspection

Sondez vos sentiments en répondant aux questions ci-dessous:

1. Ce changement a-t-il une odeur?
2. De quelle couleur est-il?
3. Quelle a été ma première réaction en l'envisageant?
4. Comment m'apparaît-il au toucher?

Rassemblez tous ces éléments pour former une vision intérieure harmonieuse.

Ne vous limitez pas aux termes suggérés ici. Ils ne servent qu'à illustrer le type de descriptions qui pourraient vous venir à l'esprit. Lorsque vous aurez identifié vos sentiments profonds, essayez d'harmoniser tous les aspects de votre vision intérieure. Attention: comme vos données proviennent d'une seule source — vous-même —, elles sont limitées. C'est pourquoi vous devez réserver cette technique aux situations moins graves ou comme complément à d'autres techniques. Il reste que l'introspection est valable parce qu'elle vous permet de clarifier des sentiments et des pensées parfois réprimés. De plus, un changement risque moins de nous écraser ou de nous effrayer lorsque nous connaissons nos véritables sentiments à son égard.

Jusqu'ici, vous avez expérimenté trois techniques permettant de mieux faire face aux changements imposés. La quatrième et dernière technique s'appelle «technique de la substitution».

La technique de la substitution

La technique de la substitution est la préférée des risqueurs, ces personnes orientées vers l'action qui recherchent la nouveauté et l'excitation. Les risqueurs ont plus de facilité à apprendre une nouvelle technique et à mettre en pratique des instructions positives qu'à en corriger une ancienne.

Ainsi, le risqueur qui doit changer sa posture en ski apprécie que son entraîneur lui lance le défi suivant: «D'ici au bas de la côte, essaie d'exécuter 20 petits virages.» En fait, l'entraîneur tente d'ôter à son élève l'habitude de se pencher lourdement à chaque virage parce que cela le ralentit et déforme son slalom. Mais au lieu de lui dire quoi ne pas faire, il lui fournit un nouvel élément sur lequel se concentrer.

Bien que ce type de conseil soit particulièrement agréable pour le risqueur, il convient à tous les types d'innovateur. Les raisonneurs qui appliquent la technique de la substitution aiment bien connaître le pourquoi de toute chose et recevoir des explications de sorte qu'ils apprécient les commentaires aimables et instructifs comme: «As-tu remarqué que tu penchais beaucoup trop? C'est pour cela que tu fais moins de virages et que tu perds la maîtrise de tes skis.» Les communicateurs s'empresseront de décrire leur nouvelle méthode à leurs camarades de ski. Quant aux canaliseurs, ils ont de la facilité à se concentrer sur la nouvelle technique parce qu'elle diffère de l'ancienne.

Une partie de nous-même (l'hémisphère droit du cerveau chez la plupart d'entre nous) est très ouverte aux suggestions positives de sorte que les conseils axés sur ce que nous pouvons faire au lieu de ce que nous *ne pouvons pas* faire sont beaucoup plus efficaces que les critiques. Celles-ci proviennent parfois de nous-même, il est vrai, mais la technique de la substitution nous empêche de nous rabrouer comme nous le faisons tous lorsque nous voulons réagir avec grâce à un changement imposé.

Pour conserver une attitude positive en situation de changement, contournez vos habitudes:

1. Cessez de penser à votre façon habituelle de procéder.
2. Concentrez-vous sur la nouvelle façon et appréciez-la; ressentez l'excitation et l'enjeu de la nouveauté.
3. Imaginez que vous n'avez jamais connu une situation semblable auparavant. Pour cela, pensez à vous-même

comme à un enfant qui chante, saute et rit en exécutant pour la première fois une tâche qui l'emballe.

4. Lorsque vous vous sentirez libre et irresponsable, vous
effectuerez le changement voulu parce que vous aurez
développé une nouvelle attitude.

Au travail, voici comment on peut abandonner le vieux
pour embrasser le nouveau. Ayant pratiqué le droit pendant
26 ans, Raymond était désillusionné. Quand il fréquentait la
faculté de droit, il avait rêvé de devenir un avocat renommé
dans ce domaine prestigieux et rémunérateur. En outre, il
croyait passionnément au système judiciaire et voulait se faire
un ardent défenseur des droits de la personne.

Il travailla dans un petit cabinet d'avocats pendant
plusieurs années après la fin de ses études, puis fut tenté par le
droit des sociétés. Il entra donc dans un cabinet d'avocats bien
établi où il fut chargé de représenter quelques-unes des sociétés
clientes les plus importantes. Il se fabriqua une agréable
routine. Il déjeunait chaque jour au club universitaire avec ses
associés, n'essayait jamais rien de nouveau, ne jouait jamais la
comédie en cour, ne s'accordait aucun plaisir spontané.

Au début, Raymond avait été emballé par l'ampleur des
problèmes à régler: conflits de travail, plaintes de la part des
consommateurs et lois antitrust. Mais il avait fini par perdre
ses illusions. Il avait compris que les lignes de conduite qu'il
défendait étaient souvent erronées ou en contradiction avec ses
propres tendances altruistes. Mais il voyait aussi qu'un grand
nombre des plaintes déposées contre les clients de son cabinet
étaient injustes.

En même temps, il sentait que la profession juridique tout
entière allait à vau-l'eau. Un grand nombre de ses associés
engageaient des représentants en marketing. Raymond fut
particulièrement dégoûté de voir qu'un de ses collègues avait
enregistré un message publicitaire télévisé pour augmenter sa
clientèle... et que cela marchait. Le flash publicitaire, tout à fait
dénué de goût, portait sur les cas de blessures personnelles et
«donnait l'impression que les avocats couraient après les ambu-
lances pour trouver des clients», se plaignit Raymond. Même si
les avocats sont souvent en butte aux risées, Raymond sentait
que la moquerie avait pris une nouvelle tournure blessante et il
en comprenait la raison. Sa profession était devenue un
marché soumis à une concurrence féroce. Il était las et découragé de son travail.

D'aucuns diraient que Raymond souffrait simplement d'épuisement professionnel. Mais en fait, il ne manquait pas d'énergie et ses attentes demeuraient élevées. Il reconnaissait encore la valeur de ses connaissances, de la justice et du droit en général. Le changement d'attitude de la société envers sa profession nourrissait son désillusionnement croissant et il avait l'impression de devoir apporter des changements dans sa vie sous peine de tomber dans le cynisme.

Tout en continuant de faire de l'exercice dans ses moments de loisir, Raymond se tourna vers des activités altruistes et mentalement stimulantes. Il se joignit bénévolement au conseil de l'association locale pour la santé mentale et à celui d'un foyer pour orphelins; il s'associa à un groupe littéraire et aux Amis du musée de sa ville. Il s'était toujours intéressé à ces domaines mais n'avait jamais eu de temps à leur consacrer.

Non seulement il fit de stimulantes découvertes dans chacun de ces secteurs, mais il rencontra de nouveaux visages. L'une de ces personnes, directrice d'une œuvre de bienfaisance, démissionna de son poste et proposa Raymond pour lui succéder. Il accepta, et son nouveau travail le comble aujourd'hui. En effectuant des changements dans sa vie privée, Raymond a découvert une nouvelle carrière, plus satisfaisante.

Le cas de Raymond illustre comment un raisonneur se sert de la technique de la substitution, soit en analysant soigneusement la situation et en procédant à petits pas. À l'origine, Raymond ne cherchait pas à changer de travail, mais simplement à compenser, dans sa vie privée, l'insatisfaction qu'il ressentait au niveau professionnel.

Les risqueurs, qui adorent le changement, seront emballés par cette technique, mais les autres types d'innovateurs devront peut-être faire un petit effort pour la mettre en pratique. Le principe, cependant, reste le même: cessez de vous plaindre de ce que vous n'aimez pas à propos des changements qui vous sont imposés et concentrez-vous sur un nouveau projet, intéressant et stimulant. Le cas de Raymond illustre bien comment, en mettant l'accent sur le nouveau, on peut bénéficier d'avantages inattendus et extraordinaires. C'est presque comme si vous créiez votre propre moment favorable au changement plutôt que de subir celui-ci. Si vous effectuez vous-même la substitution, vous pouvez employer la formule ci-après.

Technique de la substitution — Marche à suivre

1. Cessez de réfléchir à votre façon habituelle de procéder. (Exemple: fermez les yeux en serrant les paupières et faites le vide dans votre esprit.)
2. Concentrez-vous sur la nouvelle méthode et appréciez-la; ressentez l'excitation et la stimulation de la nouveauté. (Exemple: voyez-la, souriez, songez au plaisir qu'elle vous apportera.)
3. Imaginez que vous n'avez jamais vécu cette situation.
4. Ayant atteint cette ouverture d'esprit, adoptez la nouvelle méthode afin de fortifier votre nouvelle attitude.

En guise de réchauffement, essayez à quelques reprises l'accélérateur de changement ci-dessous:

La boule de papier
(Accélérateur de changement)

1. Pliez une feuille de papier dans le sens de la longueur.
2. À gauche, écrivez le nouveau comportement que vous devez adopter en raison du changement qu'on vous impose.
3. Songez à l'aspect de ce changement qui vous irrite le plus. Prenez conscience de votre ressentiment.
4. Du côté droit, écrivez un des avantages du changement, même minime.
5. Déchirez la feuille le long de la pliure.
6. Chiffonnez la moitié contenant le vieux sentiment négatif et projetez-la aussi loin que possible.
7. Sentez la tension quitter votre corps lorsque vous libérez votre ressentiment.
8. Réfléchissez aux bienfaits que ce changement vous apportera.

L'accélérateur de changement par substitution: la boule de papier

Du côté gauche d'une feuille de papier, écrivez le nouveau comportement que vous devez adopter à la suite d'un changement qu'on vous impose. (Par exemple, par souci d'économie, votre entreprise renonce à utiliser le stationnement situé près de l'immeuble. Vous devez désormais stationner votre voiture six coins de rue plus loin, à vos frais.)

Quel aspect de ce changement vous irrite le plus? Sentez toute la force de votre ressentiment. («Je déteste les désagréments et les dépenses que me cause cette nouvelle mesure.»)

Du côté droit de la même feuille, écrivez un avantage de ce changement, même minime. («Le fait de stationner plus loin m'oblige à faire de l'exercice.»)

Pliez ensuite la feuille en deux sur la longueur et déchirez-la en deux. Puis chiffonnez la partie gauche (qui renferme votre sentiment négatif) et projetez-la aussi loin que possible. Voilà. Quel soulagement, n'est-ce pas? Le simple fait de lancer la boule de papier libère une partie de la tension physique que vous cause ce changement imposé et indésirable. En outre, il vous ouvre au nouveau. Maintenant que vous êtes libéré de votre ressentiment, pensez à d'autres avantages que vous procure le changement en question. («Je n'ai plus besoin de faire les démarches nécessaires pour renouveler ma vignette de stationnement à chaque trimestre. Je peux stationner où je veux. Je peux prendre l'autobus pour économiser et découvrir que cela me détend de me laisser conduire.»)

Le simple fait de projeter avec force le vieux au loin, même d'une manière purement symbolique, ouvre la voie au nouveau. Les as du poker emploient une stratégie similaire pour se rappeler quelles cartes ont été jouées: à chaque carte abattue, ils imaginent sa disparition du jeu. Donc, à mesure que progresse la partie, ils visualisent un nombre de plus en plus restreint de cartes et peuvent se les rappeler plus facilement.

Même si vous êtes du type raisonneur, canaliseur ou communicateur, vous pouvez découvrir le risqueur qui se cache en vous et qui est attiré par cette technique. Employez la formule décrite dans l'encadré de la page 182 pour vous familiariser avec la méthode. Plus vous la pratiquerez, plus vous serez ouvert au nouveau.

Les quatre techniques

Nous vous avons présenté quatre techniques permettant de faire face au changement imposé, accompagnées de leur accélérateur de changement:

LA TECHNIQUE DE LA PERTE (mieux adaptée au raisonneur) et son accélérateur, *En 25 mots ou moins.*

LA TECHNIQUE DE L'IMMERSION (mieux adaptée au canaliseur) et son accélérateur de changement, *L'ingénieuse stratégie.*

LA TECHNIQUE DU SONDAGE (mieux adaptée au communicateur) et son accélérateur de changement, *L'introspection.*

LA TECHNIQUE DE LA SUBSTITUTION (mieux adaptée au risqueur) et son accélérateur de changement, *La boule de papier.*

Bien que votre mode de réaction au changement puisse influer sur votre sentiment initial envers ces techniques, soyez certain que vous les trouverez toutes utiles. Avec la pratique, vous pourrez les appliquer efficacement et accroîtrez grandement votre flexibilité.

Techniques de la perte et de la substitution

Un promoteur nous a posé le problème suivant:

«Jusqu'à tout récemment, j'étais un promoteur prospère dans le domaine des édifices à bureaux, puis il y a eu la crise du pétrole. Je travaillais comme un fou depuis des années, entouré d'une équipe grandissante de jeunes gens brillants. Lorsqu'on a cessé de construire des immeubles et que nous sommes devenus inutiles, j'ai fermé boutique. J'ai détesté laisser partir tous mes employés, mais nous n'avions plus rien à faire. Ce n'est pas ma situation financière qui m'inquiète, mais ce que je ressens: de la fébrilité et de l'impatience.»

En répondant à notre questionnaire, Gérald est apparu comme un véritable risqueur. Nous savions donc qu'il avait besoin d'action et de stimulation intellectuelle! Comme il possédait d'importantes économies et bien des investissements rentables, nous lui avons demandé de songer à un projet cher qu'il n'avait jamais réalisé faute de temps. Ses yeux brillèrent puis il devint rêveur et répondit:

«J'ai toujours voulu naviguer dans les mers du Sud, explorer les cultures primitives et être le maître à bord de mon propre bateau.»

Nombreux sont ceux qui caressent ce rêve romantique, mais nous savions que Gérald possédait les ressources nécessaires pour le réaliser et qu'il lui suffisait de surmonter sa forte résistance à un changement aussi radical. Nous avons donc commencé par l'initier à la technique de la perte. Il protesta en disant qu'il n'avait rien perdu. Nous répondîmes qu'il avait perdu la camaraderie de son personnel et la responsabilité d'une entreprise exigeante. Il acquiesça à contrecœur et suivit nos directives. Il fut vraiment surpris de découvrir qu'une grande partie de son malaise était dû à la peine qu'il ressentait face à la fermeture de son entreprise.

Puis, quand nous lui suggérâmes de remplacer son chagrin par son rêve et de se permettre d'acheter un bateau à voiles, il était prêt à faire le saut. Même s'il ne possédait aucune expérience ni connaissance de la navigation à voile, il fit l'acquisition d'un sloop de 12 mètres de marque LaFitte.

«Pendant les premiers mois, j'ai beaucoup appris sur la mécanique et l'électronique, la navigation aux étoiles et la météorologie, nous avoua-t-il par la suite. Je n'ai jamais été aussi heureux de ma vie.»

Vous l'avez deviné: Gérald surmonta son irritabilité pendant l'année où il navigua en compagnie de sa femme. Aujourd'hui, il a repris son travail de promoteur, grâce en partie à une personne rencontrée alors qu'il était à quai dans les îles Vierges. Il a remplacé le vieux par de nouveaux enjeux intellectuels et physiques et a trouvé l'occasion d'apporter un changement dans sa vie.

La technique de l'immersion

Pendant que nous animions un atelier sur le changement dans une ferme, la propriétaire, Solange, nous entendit décrire la technique de l'immersion et nous fit remarquer: «Cela ressemble à ce que j'ai fait il y a quatre ans lors du décès de mon mari.» Voici son histoire.

«La compétence d'Éric en ce qui touche les questions environnementales et sa connaissance des oiseaux attiraient les touristes depuis longtemps dans notre ferme, mais après sa mort, j'ai affronté l'obligation de vendre la propriété. Les prestations d'assurance n'étaient pas assez substantielles pour me permettre de vivre sans recettes touristiques.

«Un jour que je me sentais particulièrement écrasée et impuissante, je suis entrée dans la grange, je me suis assise sur un vieux fauteuil poussiéreux et j'ai réfléchi à ma situation. Comme je regardais tous les souvenirs qui m'entouraient — photographies, trophées, récompenses et têtes d'animaux empaillés —, la solution a surgi dans mon esprit! Je mettrais l'accent sur la chasse aux oiseaux plutôt que sur l'écologie et l'ornithologie.

«Cette ferme était un ancien refuge de chasseurs, comme le démontraient clairement les photos et les trophées... et si mon mari détestait toute forme de chasse, il en allait autrement pour moi. En outre, c'était une question de survie.»

Peu après, elle achetait des oiseaux, installait des affûts et donnait à sa ferme une vocation tout à fait différente. Le succès fut immédiat. Elle avait appliqué la technique de l'immersion tout naturellement et avec succès.

La technique du sondage

Michel appartient à la quatrième génération d'une famille qui possède une importante fabrique de pompes et de moteurs spécialisés. Voici sa question.

«Je dirige une entreprise petite mais unique qui, depuis longtemps, possède la réputation d'être le chef de file de son domaine. Nous nous sommes taillé une importante part du marché en fabriquant des pompes et des moteurs de mine adaptés aux besoins de notre clientèle. Comme le gouvernement impose des normes de fabrication de plus en plus sévères et que les grosses compagnies comme General Motors sont entrées dans le jeu, ma part du marché diminue de plus en plus. Que puis-je faire pour affronter ce changement sinon me transformer en société publique?»

La stratégie: comme Michel avait participé à nos séminaires sur la créativité et la communication, nous savions qu'il était particulièrement à l'aise pendant les séances de brainstorming et qu'il aimait connaître les idées des autres. Nous lui avons donc proposé d'essayer la technique du sondage, ce qu'il fit. Voici les avis qu'il reçut:

- **Membre de la famille.** Il pensa à son défunt grand-père et se souvint de la fascination qu'exerçait la Chine sur celui-ci.
- **Collègue de travail.** À peu près au même moment, des représentants de l'industrie minière chinoise sollicitèrent une réunion avec lui. Un collègue lui dit: «Si tu

pouvais conclure une entente pour vendre ta technologie à la Chine, je pourrais t'aider à élaborer ton produit pour d'autres pays en voie de développement.»

- **Social.** Il discuta de la situation avec une amie artiste qui se rappela combien elle s'était sentie rafraîchie et pleine de nouvelles idées après ses deux récents voyages à l'étranger.
- **Président des États-Unis.** «Si tu pouvais vendre ton expertise à la Chine, cela réglerait en partie notre problème concernant la balance des paiements.»

Résultat: La compagnie de Michel est en expansion puisqu'elle vend dorénavant ses produits à des compagnies minières chinoises.

Maintenant que vous connaissez des techniques qui vous permettent d'affronter les changements imposés d'une manière créative, mettez-les en pratique afin de goûter au plaisir de vous préparer aux changements au lieu de les subir passivement. Vous êtes maintenant prêt à apprendre des méthodes servant à faire face aux transformations plus subtiles. Dans le prochain chapitre, vous découvrirez deux techniques particulièrement utiles à cet égard.

Chapitre 10

S'adapter: rôle des deux hémisphères cérébraux

Scène: Lisette et Robert sont associés dans une compagnie d'assurances. Un vieux climatiseur bruyant, caché derrière les portes à claire-voie d'un placard, à la droite d'une fenêtre en saillie, s'acharne sans grand succès contre la chaleur de cette fin d'août. Soudain, un nouveau bruit émerge du placard. Levant la tête, Lisette et Robert disent à l'unisson: «Il faut faire quelque chose à propos de ce climatiseur.»

Voici le dialogue qui s'engage:

LISETTE: Je vais appeler le réparateur.

ROBERT: Ce vieux truc est tellement laid et bruyant, je souhaiterais qu'il brise complètement pour que nous puissions en acheter un neuf.

LISETTE: As-tu une idée de ce que cela signifie? Ces appareils sont coûteux.

ROBERT: Ce n'est pas uniquement une question d'argent. Je déteste l'odeur de ce morceau de ferraille. Et le bruit qu'il fait me rend fou.

LISETTE: Je devrais demander trois estimations. Je me demande si cela coûterait moins cher de le remplacer.

ROBERT: Tu sais, nous avons également besoin d'un réfrigérateur... pour conserver nos boissons gazeuses. Et que dirais-tu d'un micro-ondes?

LISETTE: S'il en coûte plus du tiers du prix d'un neuf pour le réparer, je devrais sans doute le remplacer. Mais il est trop tôt pour investir dans quelque chose d'aussi coûteux qu'un système de climatisation. Tous nos locaux sont loués parce que nos loyers sont peu élevés, je crois. Mais mieux vaut ne pas augmenter nos frais généraux à ce moment-ci.

ROBERT: Je me demande pourquoi quelqu'un n'invente pas un climatiseur doublé d'un réfrigérateur pour les petits bureaux. Ces deux appareils doivent employer un mécanisme similiaire. Un peu comme ces distributrices qui...mm.... Une distributrice doublée d'un four micro-ondes... qui sert aussi de climatiseur... quelle idée géniale!

LISETTE: Je vais noter les numéros de trois services de réparation.

Lisette et Robert ont des façons tout à fait différentes d'affronter un problème et d'apporter des changements. Il est particulièrement difficile pour eux de remarquer un changement graduel en raison de leurs modes d'approche si extrêmes. Il est évident que le climatiseur a commencé à se détériorer depuis un certain temps, mais ni l'un ni l'autre n'a pris les mesures nécessaires pour le faire réparer. Lisette n'a sans doute pas remarqué ses ratés tandis que ces détails ne préoccupent Robert que lorsqu'ils deviennent vraiment urgents. C'est maintenant le cas et les associés continuent de réfléchir selon leur mode habituel de réaction: Lisette procède d'une manière logique et ordonnée tandis que Robert évalue toutes sortes de possibilités quelque peu farfelues.

Vous vous demandez peut-être pourquoi deux personnes aussi différentes se sont associées. Mais si vous réfléchissez bien, vous verrez que ces «couples bizarres» abondent dans les relations amoureuses, les associations et les fusions. Peut-être qu'une dynamique sous-jacente favorise ces associations.

Nous sommes attirés par nos contraires parce qu'ils exécutent avec une grande facilité les tâches qui nous semblent ardues. Leurs aptitudes différentes des nôtres comblent nos lacunes. Leur point de vue divergent nous irrite parfois, mais des caractères opposés qui s'affrontent ont plus de chances d'évoluer. Leurs constants tiraillements les empêchent de s'encroûter.

Il existe une dichotomie semblable au-dedans de nous. Les hémisphères gauche et droit de notre cerveau fonctionnent selon des approches différentes, toutes deux valables. Le cerveau gauche est précis et rationnel tandis que le cerveau droit synthétise, cherche des modèles et fonctionne de façon intuitive.

Ces différences entre nos deux modes de pensée créent la même tension dynamique qui existe dans l'association productive de deux personnes. Imaginons que vous hésitez entre terminer votre budget et faire vos exercices quotidiens pour ensuite déjeuner avec un ami. L'hémisphère gauche de votre cerveau vous pousse à terminer votre budget tandis que le droit ressent le besoin de faire de l'exercice et de voir des amis. La «bonne» décision dépend de vous, mais en reconnaissant que les deux activités sont valables et importantes, vous vous ouvrez à d'autres options. Si votre associé est différent de vous, il vous présentera l'envers de la médaille, augmentant ainsi le nombre de choix qui s'offrent à vous. Vous avez ainsi de meilleures chances de trouver la meilleure solution, qui doit en quelque sorte répondre à vos deux besoins.

A et B, gauche et droit

Les contraires s'attirent vraiment, et ce pour de bonnes raisons. C'est certainement le cas des personnes de types A et B. Il s'agit là des types comportementaux définis dans les années soixante par le cardiologue Meyer Friedman en fonction de la capacité d'une personne à affronter le stress. Friedman a remarqué que les A sont toujours pressés, font plusieurs choses en même temps et sont centrés sur leurs buts tandis que les B sont plus détendus et souffrent moins du stress. Plus tard, Friedman a associé le comportement du type A aux caractéristiques du cerveau gauche et ceux du type B au mode de fonctionnement du cerveau droit[29].

Les récents travaux de Michael Strube et de ses élèves à l'université Washington à St. Louis décrivent comment les comportements des personnes de type A et B influencent leurs relations. Deux personnes de type différent éprouvent une attirance immédiate, mais entrent très vite en conflit, surtout si celle du type A est une femme non traditionnelle. Toutefois, ces «mariages mixtes» finissent par dépasser leurs différences et par trouver un équilibre qu'ils apprécient.

On aurait pu croire que deux personnes de type B, très calmes, jouiraient de la relation la plus paisible. Au contraire, ce sont celles qui connaissent le plus de conflits, suivies immédiatement par les couples de type A. Le conflit entre les personnes de type B démontre leur nature émotive et un mode de pensée caractéristique du cerveau droit. Les personnes de type A sont parfois aussi irritées par leurs homologues, mais elles trouvent une façon logique d'affronter leurs différends[30].

De même que chaque associé apporte une contribution spéciale à une entreprise, chaque hémisphère de votre cerveau fournit une aptitude essentielle à l'accomplissement d'une tâche donnée. Ainsi, lorsque vous parlez, c'est votre cerveau *gauche* qui vous aide à trouver le mot juste au bon moment et ordonne vos pensées d'une manière logique. Et c'est votre cerveau *droit* qui donne le ton, la passion et la couleur à la façon dont vous vous exprimez. Les deux sont nécessaires à l'élocution de même que les aptitudes particulières des associés sont essentielles au succès d'une entreprise.

Si vous deviez parler sans votre cerveau gauche, vous prononceriez avec enthousiasme une profusion de mots décousus. Sans cerveau droit, vous seriez logique, précis et monotone.

Dans la scène précédente, Lisette, grâce à son esprit fin et à sa concentration, démontre qu'elle est dominée par son cerveau gauche. Elle est préoccupée par l'argent et s'arrête à des détails concrets, pratiques. Robert, pour sa part, est sous l'emprise de son cerveau droit, car il est sensible à l'aspect émotif d'une situation et porté aux fantasmes. Si vous avez déjà participé à un échange entre deux personnes dont l'une est une «droitière» extrême et l'autre, une «gauchère» extrême, vous savez combien il est difficile pour elles de s'écouter mutuellement. La «gauchère» trouve la «droitière» décousue et désorganisée tandis que celle-ci la juge ennuyeuse et lente.

Nous tombons souvent amoureux des personnes qui pensent comme nous, négligeant ainsi de reconnaître l'existence d'autres options. Ou nous faisons taire les intuitions profondes qui pourraient nous guider vers des solutions nouvelles mais dérangeantes. En fin de compte, nous pouvons trouver toutes sortes de raisons pour *ne pas* modifier notre façon de penser ou nos actions. Pour voir comment Lisette et Robert se sont «sortis» de cette situation, retournons à leur bureau.

Quand nous les avons quittés, Lisette s'apprêtait à appeler trois réparateurs afin d'obtenir une estimation tandis que Robert rêvait d'un climatiseur capable de régler tous les problèmes du monde. C'est à ce moment précis que Rachel, une représentante commerciale qui est aussi leur locataire, entre en scène. Elle pénètre dans leur bureau en s'éventant au moyen d'une brochure publicitaire.

RACHEL: Ouf! Mon bureau est une vraie fournaise. Même mes cactus s'étiolent. Tout le monde étouffe dans cette partie de l'édifice.

LISETTE: Oui, nous aussi. J'appelle le réparateur à l'instant. Je vais faire réparer le climatiseur ou le remplacer.

ROBERT: Remplace-le. C'est la seule solution.

LISETTE   (d'un ton irrité): Pas si vite. Nous devons réfléchir à la question... calculer le coût d'un nouveau climatiseur pour les sept prochaines années et le comparer à celui des réparations éventuelles avant de prendre une décision.

ROBERT   (l'interrompant): Mais la réparation ne peut être que temporaire. Il faut penser à long terme. Isoler les murs! Planter des arbres en avant pour faire de l'ombre! Installer des auvents! Et peut-être des stores verticaux...

LISETTE   (l'interrompt et le regarde fixement): Une minute... nous n'avions pas prévu de dépenses d'investissement avant deux ans.

RACHEL: Eh bien, il me semble que vous avez bien réfléchi à la question et que vous possédez des solutions intéressantes. Je suis heureuse d'avoir mes propriétaires sur place. C'est vraiment très utile en cas d'urgence.

Lisette et Robert se regardent avec surprise, se rendant compte qu'ils ne se sont pas écoutés. Chacun dit à l'autre en même temps:

«Que disais-tu à propos de la climatisation?»

L'arrivée de Laurent, un lapidaire indépendant dont le bureau se trouve à l'autre extrémité de l'édifice par rapport à celui de Rachel, interrompt la conversation.

LAURENT: Aucun air frais n'arrive à mon bureau. Je sais que le climatiseur se trouve ici dans le placard. Cela vous ennuierait que j'y jette un coup d'œil?

LISETTE: Je t'en prie.

LAURENT   (*inspecte l'appareil, tripote quelques pièces*): Je vois que la courroie du ventilateur a glissé. Donnez-moi un coup de main, je crois que je peux la replacer.

Lisette lui passe des gants et une clé à écrous. Robert tient la roue.

LAURENT: Voilà, c'est réparé pour l'instant, mais impossible de savoir pour combien de temps. Vous voyez ces petites pièces de métal? On voit que les engrenages sont usés. J'ai bien peur que cet appareil ne fasse encore défaut avant longtemps.

RACHEL: Avant ton arrivée, Lisette et Robert songeaient à des moyens de rendre cet édifice plus confortable à longueur d'année. En avez-vous parlé à d'autres locataires? Peut-être qu'ils auraient des idées...

Lorsque la scène s'estompe, les quatre personnes sont engagées dans une séance de brainstorming: Laurent trace des diagrammes pendant que Lisette pianote sur la calculatrice; Robert regarde par la fenêtre et Rachel dirige la conversation.

Vous venez d'observer la naissance d'un plan d'adaptation à l'affaiblissement graduel d'un climatiseur. La première scène met en jeu un dialogue entre les associés qui possèdent l'édifice.

La prédominance cérébrale d'une personne est reliée aux quatre styles de réaction au changement, comme l'illustre le dialogue présenté en début de chapitre. Lisette, une personne dominée par son cerveau gauche, est du type raisonneur, tandis que Robert est un risqueur.

La deuxième scène montre comment deux personnes possédant des styles différents se comporteraient dans cette situation et comment leurs points de vue uniques ont contribué à combler l'écart entre les positions extrêmes de Lisette et de Robert.

Rachel est une «droitière» typique dans sa façon intuitive de saisir le conflit entre Lisette et Robert, et dans son ouverture face à la variété, deux attitudes propres au communicateur.

Remarquez qu'elle a sollicité plusieurs opinions à propos du climatiseur et aidé les deux personnalités opposées que sont Lisette et Robert à s'entendre. Les communicateurs sont habituellement dominés par leur cerveau droit, mais à un degré moindre que les risqueurs. En général, ils sont les intermédiaires idéaux entre les personnes de tous les types en raison de leur attitude centrée sur les buts, propre au cerveau gauche, et de leur empathie, issue du cerveau droit.

Laurent est un canaliseur. Les canaliseurs sont dominés par leur cerveau gauche, mais à un degré moindre que les raisonneurs. Laurent recueille soigneusement les données du problème comme le ferait un raisonneur; mais, au contraire de ce dernier, il réévalue régulièrement la situation et modifie son opinion ou son approche. Il a d'abord cherché à régler le problème immédiat avant de proposer des changements à plus long terme.

Voici un dessin illustrant la place des différents protagonistes sur un continuum:

Prédominance du cerveau gauche		**Prédominance du cerveau droit**	
Raisonneur (Lisette)	Canaliseur (Laurent)	Communicateur (Rachel)	Risqueur (Robert)

Bon nombre d'entre nous ne possèdent pas un style aussi défini, pas plus que nous ne nous comportons d'une manière qui relève uniquement du cerveau droit ou du cerveau gauche comme les protagonistes de cette histoire. De même, les personnes de notre entourage ne sont pas aussi manifestement régies par leur cerveau gauche ou droit, pas plus qu'elles ne se classent aussi clairement parmi les raisonneurs, les canaliseurs, les communicateurs ou les risqueurs. Nous avons employé ces exemples extrêmes afin d'éclaircir les différences entre les types. Pour apprendre à employer *tous* les styles de réaction et à mettre à contribution nos *deux* hémisphères cérébraux, il nous faut d'abord distinguer les caractéristiques propres à chaque hémisphère et les relier aux quatre types de réaction face au changement. Nous pourrons ainsi mieux nous adapter au changement parce que nous serons plus flexibles.

La tension dynamique qui se crée entre le cerveau gauche et le cerveau droit chez une personne ou dans une relation constitue un facteur d'adaptation. De même que le tiraillement qu'elle ressent à devoir choisir entre les quatre styles de réaction augmente l'aptitude d'une personne à effectuer des changements.

Ainsi, Rachel a servi d'intermédiaire dans le différend qui opposait Lisette et Robert en validant leurs deux approches. Les sondeurs d'opinion savent solliciter des conseils et former un consensus. Mais il est également plus facile pour une «gauchère» extrême comme Lisette d'écouter une «droitière» modérée (Rachel) qu'un «droitier» extrême (Robert). De même, celui-ci est plus ouvert aux idées d'un «gaucher» plus modéré (Laurent) qu'à celles d'une «gauchère» extrême (Lisette).

Dans le même ordre d'idées, lorsqu'on veut assouplir son attitude face au changement, *il est moins stressant de s'adapter graduellement à un mode de réaction différent que de sauter d'un extrême à l'autre.*

Le présent chapitre est destiné à vous aider à accroître votre faculté d'adaptation en vous montrant comment passer d'un mode à l'autre. Comme les techniques présentées ici mettent à contribution tour à tour vos cerveaux droit et gauche, elles vous aideront à mieux vous adapter au changement. Parce que les activités régies par les hémisphères gauche et droit sont étroitement reliées et que votre prédominance cérébrale est à la fois innée et produite par votre milieu, vous ne changerez pas en criant lapin. Il ne faut pas non plus renoncer aux aptitudes spécialisées de vos hémisphères cérébraux. Mais vous devez expérimenter les styles propres aux deux hémisphères. Deux techniques de changement, celle du «brainstorming interne» et celle de l'«inversion», vous aideront à y parvenir.

Passer d'un hémisphère à l'autre au travail

Voici des cas où vous passez d'un hémisphère à l'autre pendant votre journée de travail. Bien que ces passages soient automatiques, vous pouvez exercer une influence sur eux et sur ceux des autres en exécutant les activités énumérées ci-après d'une manière consciente.

Passages de gauche à droite	Situation	Passages de droite à gauche
Visualiser, rêvasser.	Vous êtes assis à votre bureau.	Organiser, dresser une liste de tâches.
Découvrir la vue d'ensemble, le modèle.	Vous lisez des rapports.	Tracer les grandes lignes, prendre des notes, souligner les mots clés.
Remarquer les sujets hors de propos, réagir au langage corporel et au timbre de voix, se pencher en avant, sourire, acquiescer, dire «Mmm».	Vous écoutez.	Évaluer, éliminer, conclure, analyser le langage corporel, la logique, la syntaxe.
Soliloquer d'une manière utile et libre.	Vous vous préparez à parler.	Trouver les mots justes et les commentaires appropriés avant une conférence ou une réunion.
Porter le combiné à votre oreille gauche (régie par le cerveau droit) pour témoigner de l'empathie à votre interlocuteur.	Vous téléphonez.	Porter le combiné à votre oreille droite (régie par le cerveau gauche) pour recueillir des faits.
Griffonner, dessiner, fredonner, raconter des souvenirs, blaguer, taquiner, chahuter.	Vous vous détendez.	Faire des mots croisés, des calembours, citer des sages, parler affaires, parier.

Transporter une planchette à pince, un bloc-notes ou tout autre symbole de confort.	Vous voulez acquérir de l'assurance.	Employer une baguette, citer des statistiques pour asseoir son autorité.
Prendre de mini-vacances à son bureau; s'adosser, se détendre, fermer les yeux, se laisser aller.	Vous voulez réduire votre stress.	Partir seul, écrire une note décrivant sa colère ou son problème, clarifier sa position.
Regarder un adversaire dans les yeux, sentir son problème, marcher jusqu'à la fontaine.	Vous voulez résoudre des problèmes «humains».	Signaler des détails à son patron ou à son conjoint, vérifier les faits, poser des questions sur les faits à son adversaire.
Être conscient des couleurs, de l'espace, des odeurs, des sons; voir la situation dans son ensemble, l'inter-relation entre les personnes et les éléments.	Vous voulez résoudre de «gros» problèmes.	Estimer la valeur monétaire de sa précision, de ses économies, de sa prévoyance; diviser le problème en parties et le réviser jusqu'à ce qu'il soit cohérent.
Bouger, faire de l'exercice, aller chercher une bois-son, apprécier les plantes et les tableaux dans son bureau.	Vous faites une pause physique.	Faire du condition-nement physique dans un gymnase local, organiser des compétitions spor-tives entre les employés du bureau.

Quand vous mettrez en pratique ces deux techniques de changement, surveillez les modifications qu'elles entraînent, en vous rapportant au tableau. Il se peut que vous connaissiez les sentiments, réactions et approches typiques des hémisphères droit ou gauche. Chaque fois que vous passez de l'analyse à la création, vous passez aussi d'un style de réaction à un autre: de raisonneur à canaliseur, à communicateur, à risqueur et ainsi de suite.

Ces techniques de changement visent à élargir votre gamme de réactions face au changement en faisant appel à vos deux hémisphères. Elles peuvent vous aider à tirer le meilleur parti possible de vos deux cerveaux et des quatre modes de réaction qui s'offrent à vous.

Nous avons décrit les deux techniques qui suivent dans notre ouvrage intitulé *Utilisez les pouvoirs de votre cerveau.* Elles ont aidé nos clients et les participants à nos ateliers tant à résoudre leurs problèmes à court terme qu'à développer leur créativité à long terme. En analysant cette réussite, nous avons compris que ces deux techniques provoquent, non pas un seul, mais de multiples passages entre les hémisphères cérébraux. Il en résulte donc un recours à plus d'un style de réaction et de pensée. Préparez donc votre cerveau à effectuer une petite gymnastique.

Brainstorming interne

La technique du brainstorming interne repose sur les principes mêmes qui rendent cette méthode si efficace pour résoudre des problèmes. C'est un outil créatif privilégié dans les domaines de la publicité, de la rédaction de scénarios, de la recherche et du développement, et dans tous les groupes de réflexion. Lors d'une séance collective de brainstorming, la première étape consiste à *cerner clairement le problème* sur lequel devra se pencher le groupe. Puis, on désigne un secrétaire qui notera toutes les solutions proposées. Et que la fête commence! À l'étape de la *collecte d'idées*, chacun propose spontanément des solutions au problème, en respectant les lignes de conduite ci-dessous:

1. **Ne jugez pas.** On accepte chaque proposition sans commentaire positif ou négatif. Même l'éloge et le rire sont interdits parce qu'ils portent un jugement de valeur sur l'idée (ce qui vous place sous l'emprise du cerveau gauche, loin du cerveau droit plus créatif).

2. **Exagérez.** Dites tout ce qui vous passe par la tête;
   · plus vous êtes extravagant, mieux c'est. Il semble que
   les idées excentriques nous permettent de dépasser
   nos blocages mentaux, ce qui provoque un afflux de
   solutions géniales.
3. **Présentez une profusion d'idées.** Plus il y en a,
   mieux c'est. Écoutez toutes vos voix intérieures. Nous
   avons remarqué que la plupart des idées productives
   viennent après la quatrième. Alors continuez de chercher.
4. **Plagiez et améliorez!** Empruntez les idées des autres
   et exprimez-les différemment. Le fait d'élaborer l'idée
   d'un tiers permet souvent de l'améliorer ou d'en trouver une nouvelle.

Le brainstorming interne suit le même processus que son
homologue collectif, sauf que *vous* formez le groupe à vous
seul. Le tableau de la page 200 illustre les différentes étapes de
cette technique. Il vous guidera tout au long de ce processus
qui non seulement vous aidera, mais facilitera votre participa-
tion aux séances de groupe.

Un groupe de conseillers en gestion, spécialisés dans la
formation d'équipes de travail au sein des sociétés, a découvert que les personnes qui pratiquaient le brainstorming
interne se montraient beaucoup plus inventives lors des
brainstormings de *groupe*. Voici comment nous expliquons ce
phénomène:

Lorsque nous nous habituons à passer d'un hémisphère à
l'autre grâce au brainstorming interne, nous acceptons mieux
notre créativité. Ce changement augmente notre confiance en
nous et nous permet d'exprimer nos idées plus spontanément
devant un groupe. En outre, comme nos points de vue sont
plus diversifiés, nous trouvons plus facile de comprendre et
d'emprunter les idées des autres. C'est ce qu'on appelle la flexibilité.

Analyse du brainstorming interne

Étapes	Processus	Sentiments
I. Écrire le problème ou le besoin (CERVEAU GAUCHE).	Dresser une liste, définir, verbaliser, cerner.	Efficace, maître de soi, concentré.
II. Exprimer librement ses idées (CERVEAU DROIT).	Idées, bruits, images, concepts, idées hors de propos et digressions, idées floues et flottantes.	Dominé par les «autres», détente, laisser-aller; le temps fuit ou s'arrête; expectative, émerveillement, curiosité et réflexion aisée.
III. Évaluation (CERVEAU GAUCHE);	Éliminer, juger, rabrouer, calculer, poser les questions qui, quoi, quand, où, pourquoi, trouver les réponses aux problèmes tangibles et pratiques.	Surprise face au nombre et à la valeur des idées proposées, ainsi qu'à la ligne de pensée; perte de temps initiale en stupidités.
(CERVEAU DROIT).	Écarter les idées incompatibles, se concentrer sur les idées attrayantes.	«Je ne pourrais pas»; «Ça a l'air amusant, excitant, etc.»; «J'ai l'impression que ça va marcher».
IV. Intégration (GAUCHE ET DROIT).	Vous voyez le concept ou la solution globale et réglez les détails, ou ceux-ci se règlent tout seuls.	Stimulé, emballé, enthousiasmé, puissance, confiance en soi, «ce qu'on va s'amuser!».

| V. Mise en pratique (CERVEAU GAUCHE); | Élaborer un plan étape par étape, l'amorcer et le suivre à la lettre. | Concentré, déterminé. |
| (CERVEAU DROIT). | Améliorer le plan, improviser. | Énergique, heureux de progresser. |

Vous pouvez voir en quoi le brainstorming interne peut vous aider personnellement et améliorer votre contribution au sein d'une équipe.

Cette technique a certainement aidé Gilles, un informaticien qui a participé à l'un de nos ateliers sur la créativité. La société de crédit qui l'emploie se heurte constamment au problème des cartes volées.

«J'ai décidé d'essayer le brainstorming interne pour voir si je pouvais trouver une façon d'identifier une carte volée avant même que sa perte soit signalée.

«Pendant l'étape de la recherche mentale, il m'est venu quelques idées extravagantes; je songeais combien je serais riche et célèbre si je pouvais régler ce problème.

«Puis je me suis vu à la télévision... qui se changea aussitôt en écran d'ordinateur sur lequel j'ai vu défiler des débits. Au bout d'un moment, j'ai observé un modèle dans ces débits. La plupart des débits légitimes ne suivaient aucun modèle tandis que les débits provenant de cartes volées formaient des groupes. J'ai eu soudain l'idée de concevoir un logiciel qui m'aiderait à déchiffrer cette étrange configuration. Lorsque je l'aurai terminé, je vous apparaîtrai sans doute comme une personne riche et célèbre sur cet écran de télévision.» Une semaine plus tard, Gilles présentait son projet à une réunion du personnel.

Pendant le brainstorming interne, on passe de l'extrême gauche logique de son cerveau (Gilles a défini le problème) au siège de la concentration, situé, lui aussi, dans l'hémisphère gauche (il s'est concentré sur un aspect du problème); puis on fait appel à l'hémisphère droit, siège de la vision (Gilles s'est vu à la télévision) avant de solliciter l'hémisphère droit des autres (il a présenté son idée au personnel).

Inversion

La seconde technique susceptible de vous aider à vous adapter au changement, la «technique de l'inversion», met à contribution les deux hémisphères de votre cerveau.

La première étape consiste à cerner son problème ou la situation que l'on souhaite changer. Par exemple: «Je veux finir mon rapport avant 17 h aujourd'hui.»

Deuxièmement, inversez votre objectif et songez à tout ce que vous pourriez faire pour ne pas terminer votre rapport à l'heure dite. Certaines personnes comparent ce processus au fait de retourner une crêpe ou de voir l'envers de la médaille. Voyez ce qui peut vous empêcher d'atteindre votre objectif principal qui est de travailler à votre rapport. Votre liste d'obstacles peut englober des éléments comme «regarder par la fenêtre» et «prendre le café avec mes collègues». Faites un brainstorming interne pour trouver une liste d'au moins 10 ou 12 obstacles que vous mettrez par écrit.

Troisièmement, *inversez* chaque élément de votre liste; autrement dit, songez à ce que vous pourriez faire pour empêcher ces obstacles de vous nuire. Vous pourriez baisser la toile de votre fenêtre pour ne pas être tenté de regarder dehors ou débrancher la cafetière pour ne pas boire de café. Inscrivez ces éléments à droite de votre liste originale.

OBSTACLES	INVERSE
regarder par la fenêtre	baisser la toile
regarder la télévision	briser la télévision
appeler des amis	refuser de prendre des appels
sortir pour déjeuner	sauter le déjeuner
bavarder avec des collègues	fermer ma porte
lire le journal	annuler mon abonnement
boire du café	débrancher la cafetière
m'arrêter à chaque point	ne rien évaluer, me dépêcher
m'arrêter entre chaque mot	écrire vite et d'une manière automatique
faire des digressions	demeurer concentré sur mon plan

En relisant ces obstacles et leur inverse, pouvez-vous distinguer un modèle? Voilà en quoi consiste la quatrième étape. Est-ce qu'un problème plus fondamental pourrait vous empêcher de terminer votre rapport? Relisez les sept premiers éléments de votre liste. Deux d'entre eux seulement (déjeuner et bavarder avec des collègues) représentent des obstacles externes. Les autres ne dépendent que de vous. Que vous indique ce modèle? Un manque d'engagement envers votre tâche? Peut-être sentez-vous que ce rapport est inutile ou impossible à terminer. Cette technique pourrait mettre en relief un problème sous-jacent.

Par ailleurs, les trois derniers éléments de la liste des obstacles reflètent plutôt des lacunes personnelles ou du moins un sentiment d'incapacité. Vous êtes peut-être trop méticuleux dans le choix de vos mots ou trop critique face à votre style. On fait souvent des digressions lorsqu'on travaille sans plan global ou qu'on n'a pas clairement défini les grandes lignes de son travail.

Cet exemple démontre que vous pouvez employer la technique de l'inversion non seulement pour trouver de nouvelles solutions en cas de changement, mais aussi pour mettre à jour des problèmes plus globaux et leurs solutions.

L'un de nos clients employa cette technique avec une dextérité particulière afin de mettre un terme à la stagnation du Conseil économique suédois. À titre de directeur du développement, poste qu'il occupait depuis 1974, il se heurtait à des problèmes reliés aux politiques du Conseil et au personnel alors qu'il essayait de rendre cette organisation plus dynamique. «Nos membres sont déprimés et notre image de marque est plutôt terne», nous avouait-il en 1984 lorsqu'il entendit parler pour la première fois de la technique de l'inversion. Il avait pensé employer une approche similaire, et lorsque nous lui expliquâmes la technique au cours d'un atelier sur la créativité, il décida de l'appliquer. Il l'essaya d'abord lui-même, puis il l'intégra au programme de formation des nouveaux employés.

Aujourd'hui, le Conseil reflète un sentiment de détermination, d'enthousiasme et d'énergie qui en fait un élément vital de l'économie suédoise. Le directeur en impute généreusement le crédit à la technique de l'inversion.

Les problèmes auxquels il s'arrêta touchaient la difficile transition entre les employés retraités et les nouveaux employés, et l'intégration de ces derniers. Comment le Conseil pouvait-il s'adapter ou réagir à ces changements graduels constants? Le directeur découvrit que, en vertu de la politique gouvernementale, bien des employés étaient forcés de prendre leur retraite à l'âge précoce de cinquante-deux ans. La transmission des tâches ne s'effectuait pas sans heurts et était incomplète parce que ces employés partaient à reculons.

Le directeur décida donc d'inverser les cinq procédés reliés à ce problème:

1. Plutôt que d'honorer les employés au seuil de leur retraite, il remit un stylo en or aux nouveaux employés le jour de leur entrée en fonction.

«C'était amusant de voir leur surprise et leur plaisir, nous signala-t-il. Je sais que ce cadeau les aidait à se sentir intégrés dès le début.»

2. Plutôt que d'organiser une visite de l'usine à l'intention des nouveaux venus afin de leur présenter les dirigeants, le directeur fit en sorte que ce soit les cadres qui se déplacent. «Les nouveaux appréciaient d'être accueillis dans leurs propres bureaux et ils avaient l'impression que leur présence était désirée», affirma le directeur.

3. Plutôt que de lui enseigner les procédés du Conseil dès la première semaine, le superviseur, un cadre et le directeur se rendaient avec le nouvel employé à son ancien lieu de travail.

«Cela nous a aidés à mieux comprendre l'étendue des compétences et de l'expérience de l'employé. Souvent, nous découvrions chez celui-ci des talents qui ne figuraient pas dans son curriculum vitæ.»

4. Plutôt que de couper tout lien avec les employés à la retraite, le directeur les invita à jouer le rôle de conseillers.

«Ainsi, ils partaient le cœur plus gai parce qu'ils ne se sentaient pas complètement rejetés du monde du travail. Résultat: ils se faisaient moins prier pour transmettre leur savoir à leurs remplaçants. En outre, comme ils comprennent très bien le fonctionnement du Conseil, ce sont d'excellents conseillers.»

5. Au lieu d'amadouer les cadres pour les convaincre de suivre des cours de formation, le directeur les exclut dès le début des cours portant sur la technique de l'inversion.

«Ils étaient furieux, affirma-t-il en souriant. Comme ils faisaient des gorges chaudes du programme, je les en ai exclus dès le début. Puis, quand ils ont vu que tout le monde prenait son pied et que nous commencions à obtenir des résultats remarquables, ils ont exprimé le désir de se joindre à nous, mais j'ai répondu: «Non, les cadres ne peuvent pas assister à la formation.»

Comme le directeur est une personne très flexible, il a fini par céder et par inviter les cadres. Mais ce renversement final a vraiment fait merveille. Employer la technique de l'inversion, c'est un peu comme mettre sa voiture en marche arrière pour améliorer la traction lorsqu'on est embourbé. Une modification de stratégie a donné au directeur une meilleure traction et a aidé le Conseil économique suédois à s'adapter aux changements nécessaires.

Vous voudrez peut-être appliquer cette technique à certains problèmes personnels avant de l'employer au travail. Commencez par définir votre objectif, puis songez à tous les moyens possibles d'y faire obstacle. Inversez ensuite tous ces obstacles, examinez-les attentivement, puis attendez de voir émerger un schéma ou des indices. Ces inversions mentales mettent à contribution les deux hémisphères de votre cerveau tout en vous permettant d'essayer différents styles de réaction.

Bien que le brainstorming interne et l'inversion exigent un effort minime pour être efficaces, ils requièrent quand même un peu de pratique, contrairement aux techniques rapides ci-dessous, qui produisent des résultats immédiats. La technique des «bouts de papier» fait d'abord appel à votre cerveau gauche avant de solliciter le droit tandis que le «dépresseur» fait l'inverse.

Bouts de papier, un accélérateur de changement

Il est souvent difficile de s'adapter à une nouvelle façon de faire, surtout si notre méthode habituelle donne de bons résultats. Et vous ne voulez surtout pas changer pour le plaisir de changer et vous adonner ainsi au pseudo-changement. Mais à l'occasion, même la méthode la plus efficace a besoin d'une petite cure de rajeunissement. Essayez donc la technique des «bouts de papier» avec une méthode que vous connaissez bien mais qui laisse à désirer.

Une de nos clientes nommée récemment rédactrice en chef du bulletin de sa société trouvait stressant et frustrant d'avoir à respecter les échéances. «Personne ne se soucie des heures de tombée, de sorte que je panique à chaque parution», nous avoua-t-elle. Pour l'aider à s'adapter à son climat et à ses collègues de travail, nous lui proposâmes la technique des «bouts de papier». Dans le cadre d'un atelier, elle observa les lignes de conduite ci-dessous:

1. Pour commencer, notez sur papier toutes les étapes que comporte votre tâche. Énoncez-les le plus succinctement possible et dans l'ordre où vous les exécutez en laissant un espace entre chaque étape. Voici la liste qu'établit la rédactrice en chef:
   - compiler la liste des articles;
   - téléphoner aux personnes ressources;
   - faire des entrevues;
   - dactylographier les notes prises pendant les entrevues;
   - appeler l'imprimeur;
   - appeler le photographe;
   - écrire des articles;
   - préparer les articles;
   - lire les épreuves;
   - faire approuver la copie par le P.d.g.

La rédactrice en chef suivit les instructions ci-dessous:
2. Prenez votre feuille et découpez les différentes étapes. Mêlez les bouts de papier comme s'il s'agissait des pièces d'un casse-tête puis replacez-les selon différentes séquences. Demandez à une personne non qualifiée pour ces tâches de les placer dans l'ordre qu'elle juge le meilleur. Fermez les yeux et disposez-les au hasard. Une nouvelle organisation a-t-elle émergé de cette restructuration? Sinon, ne vous inquiétez pas. À tout le moins, il vous viendra de nouvelles idées et, bien sûr, vous aurez assoupli au maximum vos muscles mentaux. Vous êtes passée du mode de pensée bien ordonné, propre au cerveau gauche, au mode de pensée plus intuitif et spontané du cerveau droit.

En fait, la rédactrice en chef trouva une meilleure séquence en mêlant les pièces de son casse-tête. Ainsi, elle se rendit compte qu'elle consultait le P.d.g. au tout dernier moment parce qu'elle le croyait trop occupé ou important pour faire plus que donner un accord superficiel de dernière minute. Pendant l'atelier, elle résolut de le consulter *en premier lieu* pour voir ce qui arriverait. Six mois plus tard, nous apprîmes que le P.d.g. était enchanté d'être mis au courant au début du processus. Il cherchait des sujets d'articles avec elle, suggérait des personnes ressources et lui signalait un scoop à l'occasion. Bénéfice inattendu, voyant l'intérêt que manifestait le P.d.g. envers le bulletin, d'autres employés s'offrirent pour aider la rédactrice en chef à respecter ses échéances. C'est ainsi que de petits changements font boule de neige!

La prochaine technique rapide de changement fait d'abord appel à votre cerveau droit, indiscipliné et décousu, avant de stimuler votre cerveau gauche.

Le dépresseur/l'activateur

Lorsqu'on veut modifier un comportement facilement quantifiable, le «dépresseur» constitue une excellente méthode. Cette technique fut conçue à l'origine pour aider un client qui voulait limiter ses interventions pendant ses réunions de travail.

«Je sais que les autres m'en veulent de toujours placer mon mot, nous avoua Normand. Mais je m'emballe et je finis par prendre toute la place.» Nous dessinâmes donc un «dépresseur» que nous divisâmes en sections comme l'illustre le dessin ci-dessous.

Puis, nous demandâmes à Normand de l'apporter à sa prochaine réunion et de ne s'accorder que quatre interventions. Il devait cocher une section du «dépresseur» à chacune d'elles et garder un silence complet après quatre crochets sauf si on l'interrogeait.

Au début, Normand éprouva de la difficulté à respecter cette règle. «Vers la seconde moitié de la réunion, je ruminais une idée géniale qui jaillissait malgré moi.»

Mais au bout d'un moment, il découvrit qu'il pouvait se dominer et attendre la fin de la réunion pour faire la plupart de ses commentaires. Avec l'habitude, il n'eut plus besoin de cocher ses interventions sur papier, car il les comptait mentalement. Six mois plus tard, il déclara: «Voilà un des changements les plus intéressants que j'aie jamais fait. Je retire davantage d'une réunion lorsque j'écoute les autres. Je m'étais toujours senti responsable de meubler les silences et de répondre au conférencier. Maintenant, je n'éprouve plus de tension pendant les moments de silence. J'ai une meilleure vue d'ensemble et me rappelle la réunion dans sa totalité plutôt qu'en pièces détachées.»

Ce dernier point est sans doute attribuable au fait qu'en se détendant, Normand activa son cerveau droit, ce qui lui permit d'obtenir une vue d'ensemble.

«Et c'est peut-être le fruit de mon imagination, mais il me semble que les gens m'écoutent plus respectueusement maintenant», d'ajouter Normand.

On peut employer la même technique avec un problème inverse. Si vous êtes plutôt réservé, fixez-vous pour but d'intervenir à trois ou quatre reprises lors de votre prochaine réunion. Cochez chacune de vos interventions sur le «dépresseur» jusqu'à ce que vous puissiez vous exprimer confortablement trois fois à chaque réunion, puis augmentez jusqu'à quatre ou cinq interventions. Très tôt, vous vous exprimerez avec aisance.

Cette technique est efficace dans bien d'autres situations: moins fumer, manger moins ou plus, boire plus d'eau chaque jour, sauvegarder son texte sur ordinateur à intervalles réguliers, ou bien complimenter ou remercier les autres.

Il vous suffit de décider combien de fois vous désirez répéter un geste dans un temps donné, puis de cocher le «dépresseur» à quelques reprises jusqu'à ce que le changement devienne facile et automatique.

Cette technique fait d'abord appel à votre côté impulsif et émotif, et vous aide à modifier un comportement excessif au moyen d'un outil de contrôle. En gros, votre comportement, dominé à l'origine par le cerveau droit, passe sous l'emprise du cerveau gauche alors que la technique des «bouts de papier» entraînait le cheminement inverse. Lisez l'encadré suivant qui renferme d'autres façons de développer vos aptitudes reliées aux cerveaux gauche et droit.

Exercer les hémisphères droit et gauche

LES PERSONNES DOMINÉES PAR LEUR CERVEAU DROIT DEVRAIENT DÉVELOPPER LES APTITUDES LIÉES AU CERVEAU GAUCHE

Dressez une liste de tous vos biens, documents importants, etc.

Suivez un cours d'informatique ou de comptabilité.

Lisez un journal pour gens d'affaires ou au moins la page éditoriale et la page économique de votre quotidien.

Calculez le solde de vos comptes.

Consignez tout: kilomètres parcourus, activités de la journée, lettres postées.

Évaluez le coût de toutes vos activités: temps passé à conduire, à faire du jogging, à regarder la télévision.

Planifiez et prévoyez: portez une montre, transportez un calendrier.

Si vous écoutez habituellement de la musique country ou rock à la radio, syntonisez des postes où l'on parle ou bien où l'on fait jouer de la musique classique.

Écoutez des émissions éducatives ou d'information à la télévision; tracez les grandes lignes des scénarios des comédies si vous devez en écouter.

Lisez des biographies et d'autres ouvrages documentaires.

Joignez-vous à un groupe de discussion, devenez animateur de réceptions ou trésorier d'un club.

Écoutez des cassettes de perfectionnement dans votre voiture.

Analysez tous les textes que vous lisez en prêtant attention aux coquilles et aux incohérences.

Faites le ménage de votre maison et de votre bureau, organisez votre penderie.

Au travail:

Dégagez la surface de votre bureau chaque jour.

Offrez de préparer les rapports oraux et écrits.

Proposez de faire des démarches (trouver le meilleur endroit pour le pique-nique annuel de la société).

Suivez un cours sur la gestion du temps ou pratiquez-la.

Fixez des objectifs et des limites aux diverses parties de votre journée.

Préparez un ordre du jour et fixez un temps limite pour vos déjeuners et réunions.

LES PERSONNES DOMINÉES PAR LEUR CERVEAU GAUCHE DEVRAIENT DÉVELOPPER LES APTITUDES LIÉES AU CERVEAU DROIT

Laissez votre journée suivre son cours et changez de projet au dernier moment.

Portez des vêtements amples ou voyants.

Restez en robe de chambre, mangez du maïs soufflé et passez la journée à lire.

Étonnez quelqu'un en lui offrant un cadeau ou en proférant une extravagance.

Écoutez du jazz, du rock ou de la musique country.

Lisez un roman d'amour ou d'aventure.

Commencez par lire les bandes dessinées et les chroniques des sports et de l'astrologie du journal.

Visitez une galerie d'art ou un musée sans lire les légendes qui accompagnent les tableaux.

Déambulez, marchez, courez sans but; oubliez l'heure, votre vitesse ou la distance.

Mangez lorsque vous avez faim et non parce que l'heure du repas a sonné.

Faites des courses sans liste.

Suivez un cours de dessin.

Écrivez un poème, un roman ou un conte pour enfants.

Griffonnez pour décorer vos notes et vos ébauches de proposition.

Au travail:

Laissez les autres s'en occuper.

En ce qui a trait aux échéances, dites: «Et si ce n'était pas prêt à temps?»

Prenez vos décisions en jouant à pile ou face, suivez votre intuition, demandez l'avis d'un non-professionnel.

Décorez votre bureau, accrochez des tableaux aux murs, suspendez des plantes vertes, déplacez vos meubles.

Ornez votre bureau d'hologrammes, d'œuvres d'art ou de sculptures originales que vous pourrez contempler à loisir.

Cachez horloges et calendriers.

Allez nager à l'heure du déjeuner.

Maintenant que vous connaissez la dynamique de ces passages du cerveau droit au cerveau gauche et vice versa, vous comprenez peut-être mieux les modèles de pensée du raisonneur, du canaliseur, du communicateur et du risqueur. Peut-être même que vous vous comprenez déjà mieux. Mais, en fait, c'est avec la pratique que vous augmenterez votre flexibilité et en tirerez les plus grands bénéfices.

Prenez donc la résolution d'employer au moins l'une de ces techniques de changement: brainstorming interne, inversion, bouts de papier ou dépresseur. Elles vous aideront à vous adapter plus facilement et avec plus d'enthousiasme au changement et vous prépareront à amorcer d'heureuses transformations dans votre vie. Voilà ce dont nous parlerons dans le prochain chapitre.

Chapitre 11

Amorcer le changement:
sept principes

Prenez un crayon et écrivez votre nom comme vous le faites d'habitude. Puis, changez de main et recommencez. Comment était-ce la seconde fois? Un peu inconfortable? Très inconfortable?

Comment est votre seconde signature? Tremblée, étrangère? Votre écriture n'est sans doute pas très jolie et vous avez sûrement éprouvé une gêne. Mais si vous recommencez l'expérience, votre écriture s'améliorera à chaque nouvelle tentative et vous vous sentirez mieux.

La première fois que vous avez écrit avec l'autre main, vous avez établi de nouvelles connexions neuronales dans votre cerveau; à chaque nouvelle tentative, vos impulsions nerveuses ont emprunté la même voie, se sont renforcées et ont acquis de la vitesse. Que votre écriture se soit améliorée ou non, il reste que vous avez éprouvé de moins en moins de difficulté.

Ce malaise face au nouveau est évidemment une raison pour laquelle peu d'entre nous sont versés dans l'art d'apporter des changements. Il est tellement plus facile de suivre ses chemins habituels que la plupart d'entre nous ont besoin de raisons spéciales pour amorcer des changements. Dans la situation ci-dessus, vous avez temporairement modifié votre comportement pour accéder à notre demande et sans doute pour satisfaire votre curiosité.

Un jeune technicien en électronique du nom de Marc effectua un changement de son plein gré à l'âge de six ans, à l'époque où son frère aîné, Jean-Louis, s'étant fracturé la main droite, fut forcé de se servir de la gauche.

«Jean-Louis trouvait très difficile d'écrire de la main gauche. Sa fracture était douloureuse et il a dû porter un lourd plâtre pendant plusieurs mois tout en continuant d'aller à l'école. Je me rappelle avoir dit alors à mon meilleur ami: «Si jamais je me casse le bras, je serai prêt.»

Marc se mit donc à écrire et même à dessiner de la main gauche. En regardant les dessins qu'il avait réalisés depuis la maternelle jusqu'en troisième année, il observa: «Il n'y a pas beaucoup de différence entre les œuvres de la main droite et celles de la main gauche. Je n'ai jamais été un artiste. Mais je suis bien content de posséder ce cahier puisque c'est le seul souvenir qui me reste de ce changement. Je l'avais complètement oublié jusqu'à ce que Jean-Louis me rappelle, alors que je me trouvais dans la vingtaine, que j'étais droitier.»

Âgé de trente-cinq ans, Marc écrit de la main gauche et exécute la plupart des autres tâches, y compris manger, de la main droite.

Il ne fait aucun doute que ce changement coûta peu d'efforts à Marc parce que le cerveau humain est beaucoup plus malléable à l'âge de six ans que plus tard. L'initiative de Marc n'en est pas moins remarquable. Son frère fut forcé de changer à la suite de son accident et ce même accident incita Marc à l'imiter; mais en fait, c'est lui qui avait amorcé le changement.

Pourquoi fait-on des changements? Dans sa petite tête de garçonnet de six ans, Marc était convaincu que changer de main lui épargnerait des souffrances futures. Lorsque nous avons demandé à nos participants dans quel but ils avaient amorcé ou été poussés à amorcer un changement, ils ont répondu pour la plupart: pour mettre un terme à une situation pénible ou obtenir un bénéfice futur. D'autres effectuent des changements pour le plaisir ou par curiosité. Nous avons décelé dans les raisons mentionnées un modèle correspondant à leurs styles de réaction.

Les *raisonneurs* font des changements lorsqu'ils sont absolument sûrs qu'ils ont raison ou qu'ils en tireront un avantage direct. Ils passent des heures à étudier les statistiques afin de calculer leurs chances de gagner une somme précise à la Bourse. Ils en savent davantage sur l'état de l'économie ou les taux d'intérêt que leur directeur de banque. Les raisonneurs sont stimulés par la tâche qui consiste à recueillir toutes les données nécessaires pour effectuer un changement majeur. Et ils adorent mettre les points sur les i.

Les *canaliseurs* font souvent des changements à la suite d'une insatisfaction soudaine. Ainsi, ils peuvent travailler dans un bureau glacial pendant des mois tout en étant trop absorbés pour corriger la situation. Lorsqu'ils se décident enfin à agir, ils ne parlent de rien d'autre jusqu'à ce que le changement soit réalisé. Puis ils semblent oublier toute l'affaire pour se concentrer sur un autre projet. Si les raisonneurs décident rationnellement de remédier plus tard à la situation, les canaliseurs, eux, agissent dès qu'ils reconnaissent un besoin.

Les *communicateurs* sont plus portés vers le changement que les raisonneurs et les canaliseurs parce qu'ils sont très conscients des possibilités qui s'offrent à eux. Ils communiquent régulièrement avec une grande variété de gens de sorte qu'ils savent ce qui est à la mode, différent, amélioré, excitant et utile. Pas étonnant qu'ils veuillent demeurer à la fine pointe du changement et suivre leurs camarades de travail et de jeu.

Les *risqueurs* apprécient l'excitation du changement lui-même. Ils sont attirés par les nouvelles idées et techniques, et par les nouveaux produits. Ils exploitent au maximum leurs aptitudes et leurs ressources, et s'emballent face aux dangers et aux occasions que présente un territoire inexploré. L'entrain des risqueurs semble augmenter avec chaque changement amorcé.

Réfléchissez aux changements récents que vous avez faits. Vos motifs reflétaient-ils votre style de réaction? Ou avez-vous agi pour d'autres raisons que celles mentionnées ici? Il est important que vous compreniez les motifs qui vous poussent à effectuer des changements de manière à pouvoir en évaluer les conséquences et à éviter le pseudo-changement.

Quelle qu'en soit la raison, amorcer un changement heureux exige des aptitudes plus complexes que de simplement réagir face au changement. En fait, nous *devons* réagir aux changements imposés, mais quand nous avons le choix entre changer ou conserver le statu quo, la plupart d'entre nous choisissent d'abord le statu quo. Et c'est compréhensible puisqu'il n'est pas si simple que cela d'amorcer un changement. Il faut croire fermement à la nécessité de changer quelque chose, concevoir les modalités du changement et les appliquer. Tout changement exige détermination et engagement.

Comment les innovateurs avertis s'y prennent-ils? Quelles caractéristiques distinguent leur façon d'apporter des changements? Au cours des quatre dernières années, nous avons remarqué que les innovateurs prospères, qu'ils soient du type raisonneur, canaliseur, communicateur ou risqueur, franchissent sept étapes pour atteindre leurs objectifs. Même s'ils suivent un ordre varié et les décrivent différemment, la cohérence de leurs expériences est remarquable. Voici les étapes que nous avons dégagées de leurs récits:

1. Ils possédaient un style de changement bien défini et s'en servaient pour amorcer des changements.
2. Ils étaient enthousiasmés par le changement et engagés à changer.
3. Ils savaient qui gagnerait et qui perdrait au change.
4. Ils trouvaient le moment optimal pour amorcer le changement.
5. Ils s'assuraient de la collaboration de leur entourage.
6. Ils persévéraient en dépit des problèmes et des retards.
7. Ils demeuraient flexibles à travers tout le processus.

Dans le présent chapitre, vous apprendrez comment une demi-douzaine de nos clients appartenant au monde des affaires, du gouvernement et de l'éducation ont franchi ces étapes lorsqu'ils ont apporté des changements mineurs et majeurs dans leurs milieux de travail. Puis, vous verrez en détail comment fonctionne le processus lorsqu'un promoteur de quarante-cinq ans, un peu déprimé, prend en charge un centre de congrès légèrement décrépi et datant d'une vingtaine d'années.

Le processus

À mesure que s'éclaircissait pour nous le modèle de comportement qui préside à l'amorce d'un changement, nous avons expliqué les sept étapes de la façon suivante.

Étape 1. *Les innovateurs avertis possèdent, face au changement, un mode de réaction habituel auquel ils recourent avec facilité.* Leur confiance se nourrit de leur compréhension d'eux-mêmes et de leur expérience. Leur capacité de tirer des leçons de leurs efforts passés leur donne l'énergie nécessaire pour effectuer les changements voulus et surmonter la force d'inertie du statu quo. Ils reconnaissent leur style dès qu'ils répondent au Questionnaire sur la faculté d'adaptation au changement. Même les plus jeunes avaient connu beaucoup de changements dans le passé et les envisageaient avec plaisir.

Par exemple, lorsque les directeurs d'une banque se heurtèrent à une concurrence féroce, ils examinèrent leurs quotients d'adaptation au changement et s'identifièrent aux canaliseurs. Ils mirent donc leurs clients les plus importants ainsi que leurs entreprises en vedette dans le bulletin de la banque, et leur offrirent des bénéfices additionnels.

Privés de l'appui financier du gouvernement, 200 membres d'une association de bénévoles examinèrent leurs forces en tant que communicateurs. Ils établirent une chaîne téléphonique et animèrent un téléthon de vingt-quatre heures au cours duquel chaque membre sollicita l'aide d'anciens camarades d'école et d'ex-collègues dans tout le pays. Les membres dépassèrent leur objectif financier et furent heureux de renouer de vieux liens au cours du processus.

Cette conscience de son mode de réaction est peut-être à l'origine des deux caractéristiques suivantes décelées chez les innovateurs avertis: l'enthousiasme et l'engagement.

Enthousiasme
Engagement

Étape 2. *Ils éprouvent un sentiment d'enthousiasme et d'engagement face au changement précis qu'ils* *souhaitent apporter.* Les innovateurs chevronnés trouvent le changement normal; ils tirent une fierté presque parentale des transformations auxquelles ils participent et sortent plus forts de chaque réalisation, petite ou grande.

Un cadre de MCI, une entreprise de télécommunications, exultait lorsqu'il décrivait les sentiments qui l'avaient envahi en voyant le logo de sa société sur les téléphones publics des aéroports et de tout le pays. Le logo indiquait qu'on pouvait faire porter les appels interurbains à son compte. «Bien sûr, de nos jours, les logos de toutes les entreprises de télécommunications y figurent aussi, mais chaque fois que je les vois je me rappelle l'enthousiasme que nous avons éprouvé à l'idée de réaliser ce projet. Nous étions tous sous l'effet de l'adrénaline pendant deux semaines. Nous savions que notre idée était géniale et voulions être les premiers à l'appliquer.»

Bien réagir face au changement n'est pas un mince exploit, mais en amorcer un est une expérience plus noble, plus stimulante et plus gratifiante. C'est un acte émanant du créateur qui sommeille en chacun de nous. En outre, le bénéfice qu'on en retire au plan émotif est plus intense et plus durable.

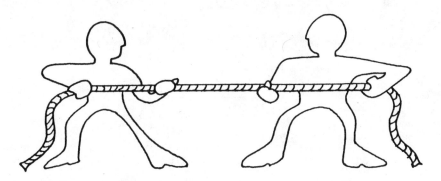

Résister au changement   **Soutenir le changement**

Étape 3. *Les innovateurs avertis identifient ceux à qui le changement profitera et ceux à qui il nuira.* Quels sont les problèmes et les attitudes des personnes concernées? Qui soutiendra le changement proposé, qui s'y opposera et avec quelle force?

Lorsqu'une de nos clientes voulut ouvrir un salon de beauté dans un édifice à bureaux de luxe, elle se heurta à certains obstacles: aux locataires qui trouvaient qu'un salon de beauté dégageait de mauvaises odeurs et n'était pas professionnel; à l'éventualité de perdre ses anciens clients; et à des restrictions possibles en matière de zonage. Savoir de quel bois chacun se chauffait aida grandement notre cliente à faire un pas de plus vers le changement. Elle rendit visite à plusieurs des locataires les plus réfractaires à son projet, leur montra un croquis de ses plans et les invita à se rendre à son nouveau salon pour une coupe de cheveux gratuite. En constatant le professionnalisme de son salon, leurs craintes s'apaisèrent. La question du zonage fut vite réglée et ses anciens clients se montrèrent enchantés de fréquenter son nouveau salon, qui offrait de meilleures possibilités de stationnement.

Point crucial

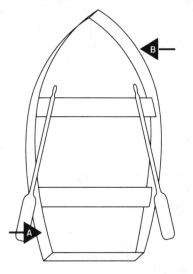

Étape 4. *Les innovateurs chevronnés connaissent les quelques points cruciaux où une pression minimale peut donner les meilleurs résultats.* Ils semblent trouver d'instinct le point crucial où un minimum d'effort apportera le changement le plus efficace.

Imaginez que vous voulez faire virer la chaloupe ci-dessus à gauche. Où exerceriez-vous une pression? Si vous possédez de l'expérience en navigation ou de l'intuition, vous direz peut-être au point A et vous aurez raison. La plupart des gens inexpérimentés croiront que le point B est le point crucial. Certes, une pression exercée à ce point modifierait la course de la chaloupe vers la gauche, mais l'effort requis serait beaucoup plus grand qu'en A.

Plus l'on comprend la structure de l'organisation et l'attitude des personnes qu'on essaie d'influencer, mieux on pourra déterminer le point crucial pour effectuer un changement au sein de l'organisation.

Une façon de chercher le point crucial consiste à appliquer la règle 80/20 ou le «principe de l'élite». Au tournant du siècle dernier, un économiste italien du nom de Pareto émigra en Amérique. Il remarqua qu'en gros 80 p. 100 de la terre appartenait à 20 p. 100 des gens et que 80 p. 100 des richesses étaient réparties entre 20 p. 100 des gens. En étudiant un nombre croissant de situations, il découvrit que ce principe de l'élite semblait s'appliquer à de nombreux secteurs. Ainsi, 80 p. 100 des ventes sont généralement faites auprès de 20 p. 100 de la clientèle d'une entreprise. La même proportion s'applique dans le cas des plaintes. En fait, la majorité des activités quotidiennes respectent ce rapport 80/20. Vous remarquerez peut-être que 80 p. 100 du temps, vous portez 20 p. 100 de vos vêtements ou ne mangez que 20 p. 100 des aliments dont vous disposez; que le jeu réel pendant une joute sportive occupe seulement 20 p. 100 du temps prévu.

En appliquant la règle 80/20 afin de découvrir le produit, la personne et même le moment crucial, vous saurez où concentrer votre énergie pour amorcer le changement voulu. Par exemple, si 20 p. 100 des clients de notre coiffeuse assurent 80 p. 100 de son revenu, les consulter sur l'emplacement de son nouveau salon peut être crucial pour le succès de son entreprise.

Harmonisation

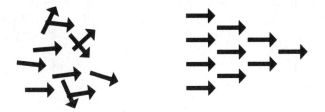

Étape 5. *Les innovateurs avisés harmonisent leurs forces (ressources, personnes, efforts) afin qu'elles tendent vers un même but précis.* Dès qu'ils découvrent les forces œuvrant pour et contre le changement (étape 3) et les secteurs où les progrès les plus rapides sont aussi les plus faciles (étape 4), ils s'efforcent d'harmoniser les efforts de toutes les parties.

En milieu de travail, il peut s'agir d'orienter le personnel, les clients, les fournisseurs, les ressources financières et juridiques, ainsi que les autres personnes et facteurs, dans la direction du changement proposé.

Vous y parvenez lorsque vous percevez votre objectif avec une telle clarté et une telle force que les autres le saisissent immédiatement et sont prêts à vous emboîter le pas. Voilà une des qualités d'un chef compétent. Peut-être ne vous voyez-vous pas comme un chef. En fait, cette idée vous intimide peut-être au point que vous n'aspirez même pas à jouer ce rôle. Mais songez aux moments de votre vie où un projet vous tenait vraiment à cœur, où vous vous êtes fixé un objectif précis et avez découvert que les autres partageaient votre enthousiasme.

Quand les gens concentrent leur énergie sur un projet, sur un but significatif, ils harmonisent naturellement leurs efforts. L'objectif visé doit être suffisamment important aux yeux de chacun pour que tous surmontent leurs différences, renoncent à leurs procédés habituels et travaillent en harmonie.

Cette harmonisation provoque une grande libération d'énergie, parce que la résistance fait place à la créativité. Chacun se lance dans la mêlée avec enthousiasme et optimisme parce que le but est clair et que l'engagement est puissamment ressenti.

En tant qu'innovateur, vous pouvez ressentir la même montée d'énergie si vous harmonisez vos forces *intérieurement*. Pour cela, vous devez réfléchir aux avantages et aux désavantages du changement envisagé, imaginer diverses conséquences possibles, voir le résultat final dans toute sa perfection, jauger et surmonter toutes les objections. Vous avez alors atteint le point de détermination. Cette détermination aide les innovateurs expérimentés à franchir l'étape suivante, qui est de ne pas perdre leur objectif de vue lorsqu'un obstacle les détourne de leur chemin.

Persévérer — ne pas perdre son objectif de vue

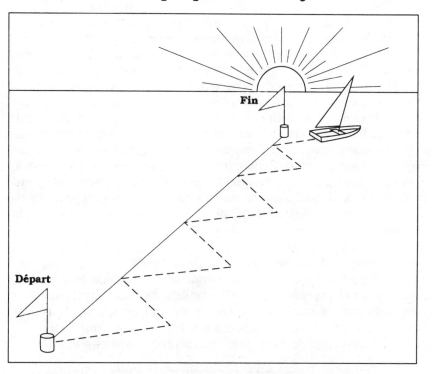

Étape 6. *S'il est détourné de son but ou se heurte à un obstacle, l'innovateur averti poursuit sa course depuis l'endroit où il se trouve au lieu de revenir en arrière et de se heurter de nouveau au même obstacle.*

Cela exige concentration, engagement et persévérance. Les innovateurs sont certains de rencontrer des obstacles sur leur chemin, mais au lieu de revenir à la case départ, ils se ressaisissent et poursuivent leur route depuis l'endroit où ils sont rendus.

Imaginez-vous sur un bateau à voiles. Vous voulez atteindre l'autre rive, mais les vents vous empêchent de naviguer en ligne droite. Vous pouvez quand même y parvenir en louvoyant, pourvu que vous avanciez. Vous ne voulez pas vous amarrer au premier quai ni tourner en rond.

Si vous repartez à zéro chaque fois que vous rencontrez une barrière, vous perdrez du temps et de l'énergie, et risquez de vous heurter sans arrêt au même obstacle.

Supposons que vous commettiez toujours une erreur en disant le nom d'une personne. Si vous recommencez à neuf et réapprenez son nom, vous commettrez sans doute toujours la même erreur. Pour briser ce modèle, essayez de découvrir une nouvelle facette de cette personne afin de la voir sous un autre angle. Votre but reste le même, apprendre son nom, mais vous l'atteindrez plus facilement en employant un chemin différent.

Au football, les joueurs déviés de leur route avant d'avoir reçu une passe reviennent rarement à leur emplacement initial. Ils gardent le quart et le ballon à l'œil, et rajustent leur course en fonction du jeu. Imaginez un joueur étoile courant, zigzaguant, sautant et se déplaçant en fonction des autres joueurs, demeurant libre, ouvert, prêt à bouger à la moindre occasion. C'est en modifiant sans cesse sa course qu'il atteint son objectif: être prêt à recevoir une passe. Remarquez que la clé réside dans la flexibilité — l'étape finale.

Étape 7. *Les initiateurs chevronnés demeurent flexibles pendant tout le temps où ils s'efforcent d'effectuer un changement.* Ils gardent l'esprit ouvert aux nouvelles méthodes et techniques, et prennent régulièrement de la distance afin d'avoir une vue d'ensemble de leurs progrès. Ils plient sans casser.

Être bien informé, voilà en grande partie ce qui fait votre force en situation de changement. Plus vous êtes informé à chaque étape du parcours, plus vos stratégies seront flexibles. Bien que nous ayons accès à une information abondante de nos jours, nous la comprenons souvent d'une manière fragmentée et étroite. Ainsi, regardez le dessin de la page 222, qui représente une fenêtre. Que voyez-vous? Quatre personnes percevront quatre éléments différents: la vue extérieure, la qualité du cadre, la saleté de la vitre ou l'araignée dans le coin. La capacité d'écouter ces quatre points de vue vous permet de tirer parti de différents types de renseignements, ce qui en retour fera de vous un innovateur expérimenté.

De nos jours, pour prendre une décision réfléchie, on a besoin d'un plus grand nombre de renseignements que jamais auparavant. Par exemple, pour concevoir une publicité télévisée, il faut connaître plus que les caractéristiques de son produit, les données démographiques concernant l'auditoire et les techniques de production télévisuelles. Il faut comprendre la concurrence, les modes et tendances nationales, et posséder toute une gamme d'autres données.

Il est tentant de limiter notre cueillette de renseignements à mesure que nous nous enracinons dans nos tâches. Les hommes politiques et les chefs d'entreprise semblent perdre le contact avec leurs électeurs et leurs clients lorsqu'ils rétrécissent le cercle de leurs conseillers. Tout en menant leur campagne et en se hissant au sommet, les hommes politiques et les chefs d'entreprise avertis continuent de consulter une grande variété de personnes. À l'instar des innovateurs, ils cherchent sans cesse des renseignements et des conseillers nouveaux et meilleurs, ce qui les aide à demeurer énergiques et flexibles.

Presque tous les participants à nos ateliers ont affirmé que demeurer flexible était l'étape la plus stimulante de toutes. Ils ont décrit combien il était difficile pour eux d'écouter des personnes possédant des styles très différents du leur et d'adopter de nouveaux procédés alors que «leur façon» était efficace. S'ils avaient réussi dans le passé, ils répugnaient à changer de crainte de gâcher leur succès. Si l'essai du nouveau les avait conduits à l'échec, ils craignaient de courir un nouveau risque.

Nous leur avons proposé de faire les exercices ci-après lorsqu'ils avaient l'impression de tourner en rond ou d'être embourbés.

Comment demeurer flexible

1. *Assouplissez vos côtés inflexibles.* Dressez la liste des idées et habitudes que vous ne changerez *jamais*. Soulignez-les, inscrivez-les en grosses lettres de couleur. Savourez votre entêtement. Rappelez-vous les fois où, enfant, vous refusiez de lâcher prise et vous agrippiez au rebord de la piscine. Aujourd'hui, lâchez prise un moment... jusqu'à ce que vous décidiez de vous agripper de nouveau. Pendant ce moment, peut-être serez-vous disposé à modifier un tout petit peu chacun de vos côtés inflexibles.

2. *Identifiez le montant le plus bas,* votre point de non-retour en ce qui touche une question d'ordre financier. Puis déterminez le changement le plus important que vous pourriez tolérer depuis cette position. Un dollar, vingt, cent? Laissez l'idée décanter un peu, puis recommencez l'exercice jusqu'à ce que vous disiez: «Voici ma limite.» Vous possédez maintenant des paramètres pour vos négociations.

3. *Soulignez votre inflexibilité d'une manière physique.* Pendant une discussion, ou lorsque vous en imaginez une, baissez le ton, arrondissez les yeux, levez les sourcils. Toutes ces modifications physiques atténuent l'intensité de vos émotions et vous rendent plus ouvert aux problèmes des autres.

4. *Courez un risque.* Sortez quelque peu de votre zone de confort. Si vous êtes de nature timide, présentez-vous à un ou une inconnue pendant une soirée. Si vos opinions sont bien arrêtées, concédez un point mineur à une personne qui vous déplaît. Dans ces deux cas, votre malaise peut se changer en bien-être quand vous aurez le plaisir de sentir que vous pouvez vous discipliner. Vous aurez peut-être modifié le cours d'une relation. Les petites concessions entraînent souvent de grands bénéfices.

5. *Lâchez prise.* Songez aux choses que vous n'avez pas besoin de dominer, qui sont indépendantes de votre volonté. Le temps, les étoiles, l'océan. Ils s'en tirent très bien sans vous, n'est-ce pas? Songez maintenant à certains secteurs de votre vie que vous essayez actuellement de maîtriser mais qui pourraient aisément se passer de vous: les devoirs de votre fils, le

carnet de chèques de votre conjoint, l'humeur de votre supérieur. Dégagez-vous de la responsabilité que vous ressentez à leur égard. N'éprouvez-vous pas un certain soulagement? En renonçant à votre besoin de dominer, vous augmentez votre flexibilité envers vous-même et envers les autres.

6. *Exercez-vous à demander l'avis des autres.* Considérez une variété de points de vue. Plutôt que de prendre des décisions instantanées, prenez le temps d'élargir votre perspective. Supposons que vous écoutez un talk-show à la radio. En persévérant au-delà de l'écoute des premières opinions, vous entendrez un étonnant assortiment de points de vue sur n'importe quel sujet. Certains sont utiles, d'autres non. Mais l'exercice auquel vous soumettez votre cerveau assouplit votre façon de penser.

7. *Imaginez le pire.* Voilà un excellent «assouplisseur» mental. Si vous imaginez que votre situation est désespérée, la moindre amélioration vous semblera merveilleuse. Vous détestez peut-être l'idée de travailler un samedi par mois. Mais imaginez que vous devez travailler tous les week-ends tout en ne bénéficiant que d'une journée de congé par semaine. Pire encore: le chômage. Un samedi par mois ne vous semble-t-il pas plus tolérable?

8. *Cessez de promettre.* Vous modifierez ainsi votre sentiment du devoir envers les autres. En essayant d'accommoder les autres, nous nous rendons souvent la vie plus difficile qu'il n'est nécessaire. Bien qu'il soit important de se montrer accommodant en affaires et avec ses amis, on se retrouve souvent avec un horaire chaotique et impossible qui nous confère un air désorganisé et irresponsable. Donc, lorsque vous discutez avec un client ou un ami et êtes sur le point d'accéder à une demande, arrêtez-vous un moment. Si vous avez déjà pris plusieurs engagements ce jour-là, ne promettez plus rien. Voici ce que vous pouvez dire: «Je serais heureux de vous faire plaisir, mais cela m'est impossible aujourd'hui.» Vos amis ou clients comprendront que vous *aimeriez* passer au bureau de poste ou à la bibliothèque pour eux, mais que cela vous est tout simplement impossible. Ne donnez pas de détails, mais soyez clair dans votre refus. Dans ce genre de situa-

tion, bon nombre de personnes commettent l'erreur d'invoquer leurs lourdes charges et finissent par dire oui. Cet exercice peut vous aider à modifier cette habitude.

Mais assez parlé de nous changer, de demeurer flexible. Au fond, ce sont *les autres* que nous souhaitons changer. La plupart d'entre nous croient que la vie serait plus belle si les autres acceptaient de changer un peu. Voici quelques techniques susceptibles de vous transformer en promoteur de changements rapides, mais attention, elles ne feront pas de miracle.

Comment rendre les autres flexibles

1. *Faites bonne figure.* Assurez-vous de prendre une mimique détendue et souriante lorsque vous expliquez ou demandez un changement. Froncer les sourcils pourrait indiquer que «ce changement est ardu», «je n'ai pas confiance en vous» ou «je ne suis pas sûr de la valeur de ce changement moi-même». Cette règle peut sembler élémentaire, mais nos mimiques exercent une forte influence sur les autres. Regardez-vous dans une glace lorsque vous vous exercez à présenter une demande.

2. *Faites un dessin* lorsque vous demandez un changement. Illustrez — avec des mots ou un dessin — les avantages liés au changement proposé. Ainsi, si vous essayez d'inciter une personne à venir à votre bureau plutôt que l'inverse, vantez son aspect chaud, douillet, ensoleillé ou tranquille. Parlez des quatre douzaines de tulipes rouges que vous venez de faire livrer, de l'absence de vos collègues et de l'arôme du bon café. Même la personne la plus rigide aime la lumière, la musique et l'action, donc plus votre description est vivante et colorée, plus vous avez de chances d'obtenir gain de cause.

3. *L'oreille indiscrète.* À portée de voix de la personne que vous voulez changer, décrivez en termes éclatants une action accomplie par cette personne dans le sens du changement désiré. Par exemple, si vous souhaitez que François, votre collègue de bureau, parle moins, entraînez un autre collègue dans une discussion sur les distractions au travail. Puis, d'une voix assez forte

pour que François vous entende, faites le commentaire suivant:

«François respecte très bien mon temps et mon espace. Il m'interrompt le moins possible et est très discret. Je suppose qu'il se demande si je suis occupé avant de me poser une question...»

Ainsi, non seulement vous aurez dit à François ce que vous aimez, mais vous lui aurez indiqué comment procéder.

4. *Empruntez le vocabulaire de votre interlocuteur.* S'il semble distrait, cherchez un sujet qui l'intéresse. Qu'il s'agisse d'argent, de plaisir ou du croisement des pékinois, peu importe si c'est un sujet très éloigné du changement que vous désirez apporter, insérez dans la conversation quelques mots clés de son vocabulaire et vous le captiverez. Vous pourrez ensuite passer au sujet qui vous intéresse.

5. *Transformation corporelle.* Si votre interlocuteur s'entête à ne pas comprendre votre point de vue, modifiez votre comportement du tout au tout. Si vous vous êtes montré rationnel jusque-là, devenez émotif. Tordez-vous les mains, prenez un air anxieux, faites trembler votre lèvre inférieure. Si vous étiez chaleureux et amical, redressez-vous, prenez un air sérieux et empruntez un ton monotone pour citer des statistiques et des études. Sous le choc, votre interlocuteur vous verra peut-être, vous et votre sujet, sous un nouveau jour.

6. *Le double miroir.* Refléter le comportement de son interlocuteur quand on essaie d'établir un contact est une technique bien connue et très utile. Imitez son expression, son intensité, ses gestes et sa posture. Lorsque vous êtes tous deux en harmonie, allez un peu plus loin. Guidez l'autre en modifiant vos mouvements petit à petit; en général, il reflétera inconsciemment votre comportement. Cette technique est efficace lorsqu'on essaie d'adoucir l'attitude d'une personne à son égard.

7. *La question clé.* Poser des questions est sans doute la technique la plus assouplissante qui soit. Tout d'abord, témoignez votre respect pour votre interlocuteur, car le respect mutuel est un excellent

«adoucisseur» en ce qui concerne la communication. Pour tirer le meilleur parti possible de vos questions, cherchez attentivement un petit terrain d'entente avec votre interlocuteur et lancez la conversation sur ce sujet. Ici encore, vous pouvez commencer par un sujet facile avant d'en aborder un plus difficile.

Après avoir pratiqué plusieurs de ces exercices d'assouplissement, vous vous surprendrez à les appliquer de diverses façons et à en inventer de nouveaux. Tant mieux, c'est là un signe de flexibilité.

Le changement que vous amorcez vous-même exige les aptitudes les plus complexes parce que c'est *vous* qui menez le jeu, qui choisissez le moment et la façon. Vous avez fait du chemin depuis la première fois où vous avez effectué un changement: vous avez peut-être poussé votre assiette en bas de votre chaise haute alors que vous étiez bébé. Songez aux progrès que vous avez accomplis, aux décisions compliquées que vous avez prises, aux changements importants que vous avez amorcés: mettre une entreprise sur pied, acheter une maison ou une voiture, déménager à l'étranger, ou commercialiser une invention.

Pouvez-vous identifier un de ces changements effectués récemment? Vous rappelez-vous avoir traversé l'une ou plusieurs des sept étapes que nous venons de décrire? Vous les avez sans doute toutes franchies, même dans un ordre différent. Il est important que vous conserviez ces étapes en mémoire de manière à atteindre des succès encore plus grands lorsque vous amorcerez des changements. Le fait de savoir ce qui est efficace dans votre cas et comment cela l'est rend le changement encore plus excitant et bénéfique. En sachant que le changement qu'on amorce soi-même possède des caractéristiques propres, vous serez plus conscient des occasions qui s'offrent à vous.

Dans le prochain chapitre, vous ferez connaissance avec des personnes qui sont conscientes de leur manière d'amorcer des changements. Ce sont des innovateurs chevronnés qui exercent leur compétence dans le monde des affaires.

Chapitre 12

Amorcer des changements dans le monde des affaires

L'histoire des démarches qui aboutirent à la construction d'un nouveau centre de congrès dans une grande ville illustre parfaitement les sept étapes qui président à l'amorce d'un changement. Le centre existant avait été construit au début des années soixante, à l'époque où personne ne prévoyait le formidable essor qu'allait connaître la ville pendant le boom de l'énergie des années quatre-vingt. À ce moment-là, le besoin d'un nouveau centre de congrès était devenu crucial pour renflouer l'économie de la ville en augmentant ses recettes touristiques. Mais comment amorcer ce changement?

Plusieurs promoteurs et un nouveau maire s'attelèrent à la tâche. De 1983 à 1987, le maire nouvellement élu et trois millionnaires unirent leurs efforts pour concrétiser leur rêve. Sans succès. Avec le soutien d'un des promoteurs, le maire essaya d'abord d'obtenir l'appui des citoyens pour construire un nouveau centre près de la vieille gare située dans la basse ville.

Mais en 1985, les citoyens rejetèrent cette proposition qu'ils jugeaient trop hâtive et la qualifièrent de manœuvre politique. Le promoteur se retira du jeu. Le gouvernement s'en mêla en accordant une subvention. Une lutte s'engagea entre un second promoteur et un magnat du chemin de fer; chacun possédait un terrain qu'il offrait à la ville moyennant une somme rondelette, bien sûr. Au printemps de 1987, les alliances politiques des deux promoteurs débouchèrent sur une impasse.

Pour sortir de cette impasse, le conseil municipal se tourna vers l'Institut de développement urbain, un organisme sans but lucratif, qui possédait une grande expérience dans le domaine de l'immobilier et de l'aménagement urbain. Comme le conseil lui avait laissé le champ libre, l'Institut dressa une liste de 96 critères touchant la construction d'un nouveau centre de congrès et demanda des soumissions, non seulement à nos deux promoteurs, mais à tout entrepreneur inventif.

C'est alors qu'entra en scène David, un entrepreneur de quarante-cinq ans, qui souhaitait modifier non seulement l'aspect de la ville, mais également celui de sa propre carrière.

Dans les années soixante-dix, David avait restauré et agrandi une tour qui constituait une relique vénitienne de la vieille ville. Cette tour côtoyait autrefois un grand magasin qui représentait le centre du commerce au détail de la ville. La tour surpassait en hauteur les édifices de cinq États.

Lorsque la ville connut un renouveau urbain en 1964, la Société de préservation des monuments historiques réussit à sauver la tour, bien que le magasin ait été démoli. Pendant huit ans, cette tour, qui occupait un carré de 15 mètres sur 15, s'était dressée dans le district nouvellement reconstruit de la ville, telle une sentinelle solitaire. Finalement, David l'avait rénovée plutôt ingénieusement, y construisant des condominiums commerciaux de qualité supérieure.

Mais la crise pétrolière entraîna dans son sillage l'industrie immobilière, et David passa quatre ans à diriger un restaurant, à lever des fonds dans les campagnes politiques et à s'ennuyer un peu. Il était prêt à effectuer des changements dans sa vie.

Lorsqu'il eut vent de l'offre de l'Institut de développement urbain, il contint à peine son enthousiasme. Dans le passé, il avait appuyé l'idée de construire un centre de congrès adjacent à l'ancien et plus près de la principale artère commerciale du centre-ville.

L'endroit était superbe, mais David ne possédait aucune emprise sur le terrain, ni d'ailleurs sur les hommes politiques. Maintenant que l'Institut s'en mêlait, il pouvait peut-être élaborer une proposition emballante, gagner des sommes substantielles et relancer sa carrière moribonde.

Il réfléchit à ce qui avait fait son succès dans le projet de la tour et décida que ses talents et son expérience valaient bien davantage que le statut de propriétaire terrien. «Je suis un promoteur, mon métier consiste à rassembler les morceaux du casse-tête: l'architecte, le constructeur, le terrain, le concept.»

En fait, David était un «créateur», soit une personne qui crée des relations, des modèles, des idées et des plans gagnants. Nous ne fûmes pas étonnées de voir qu'il se classait parmi les communicateurs. «Lorsque j'ai parcouru les 96 critères publiés dans le journal, j'ai su que c'était un projet de rêve pour un promoteur. J'ai senti un frisson d'excitation me parcourir et à partir de ce moment, je n'ai connu aucun répit tant que je n'ai pas réussi à concevoir une proposition en bonne et due forme», nous avoua-t-il.

«Lorsque j'ai cherché à connaître mes défenseurs et mes détracteurs, les gagnants et les perdants, advenant le cas où l'un ou l'autre des deux favoris remporterait le contrat, bien des choses se sont éclaircies à mes yeux.

«Les candidats en lice n'étaient pas très aimés du public qui les considérait comme des richards dont le seul souci était de s'enrichir grâce à la vente de leur terrain. Le fait que je ne possédais pas de terrain jouait en ma faveur et me distinguait dans l'opinion publique.

«Par chance, l'Institut était vraiment impartial, ce qui signifiait que les principaux décideurs seraient de mon côté — je savais que ma proposition était la meilleure. En outre, elle répondait à la majorité des 96 critères.

«Rien n'était plus clair. Le terrain que je proposais était l'endroit idéal et le centre pourrait éventuellement déborder sur le terrain vacant qui le jouxtait. Vu que le quartier était détérioré, le terrain était peu coûteux et se vendrait pour une bouchée de pain. Oui, les forces convergeaient pour faire de cet endroit le site crucial — et c'était le moment d'agir.»

C'est ce que fit David. Il réunit une équipe de professionnels, travailla nuit et jour pendant des semaines pour élaborer une proposition qui remporta les suffrages, à la grande surprise des citoyens et des deux promoteurs établis. «J'ai aligné tous mes canards et quand j'ai soumis ma proposition, ils ont tous fait coin-coin à l'unisson. J'exagère, dit David en riant, il est clair que mes adversaires étaient mécontents, mais mon plan a séduit le conseil municipal, l'Institut et le public.

«C'était tellement stimulant. Mon architecte et mon constructeur me plaisaient. Nous étions tous des professionnels. Nous savions ce que nous faisions et notre travail était harmonieux.

«Notre enthousiasme nous a aidés à nous discipliner. Nous nous sommes tous concentrés sur un concept, soit ériger le centre de congrès dans un quartier pratique et peu coûteux, qui en serait revalorisé.

«Voici une idée intéressante à propos du moment opportun. Nous n'aurions pas pu respecter l'échéance de trois semaines que l'Institut avait fixée de prime abord, du moins pas avec l'ingénieuse proposition que nous avons finalement présentée. Au dernier moment, l'Institut a repoussé l'échéance d'un mois parce que les membres du jury ne pouvaient se rencontrer en juillet. Ce délai a été suffisant pour nous permettre de peaufiner notre proposition et de nous adapter à quelques modifications de dernière minute apportées aux critères.

«Certes, nous avons pris des coups sur le nez. Il y avait les sceptiques qui ne jugeaient pas notre équipe ni nos plans assez élaborés pour réussir. Certains de nos détracteurs déclarèrent que le centre devait égaler les dimensions de celui d'une autre ville, qui contient un équipement haut de gamme, abrite des expositions techniques et commerciales, et ainsi de suite. C'était tentant de grossir la salle d'exposition, mais nous nous sommes rendu compte que la ville attirait un type de congrès très différent, composé surtout de professionnels: infirmières, dentistes, éducateurs, entrepreneurs, spécialistes en marketing. Notre plan prévoyait des salles de réunion couvrant une superficie de 6 000 mètres carrés, et c'est justement ces salles que ces gens utilisent le plus.

«Nous avons fait appel à une entreprise de relations publiques pour faire connaître notre projet. Ils nous ont fait bonne presse, ce qui nous a aidés à garder le moral quand les coups pleuvaient.

«Pendant tout ce temps, nous demeurions à l'affût pour savoir quelles modifications apporter à notre proposition. Les autres promoteurs n'avaient pas changé une virgule à leur plan depuis le premier jour; de notre côté, nous n'avons pas cessé de retoucher le nôtre jusqu'à la dernière minute.

«Même alors, nous avons continué d'adapter notre façon de penser et nos plans. Ainsi, le conseil municipal a proposé de fermer à la circulation plusieurs rues environnantes afin de faciliter l'accès du centre aux piétons. «Bien», avons-nous dit. Les ingénieurs routiers possèdent la compétence nécessaire pour concevoir un corridor vers lequel sera redirigée la circulation. Nous avons donc accueilli avec joie leur aide et lorsqu'ils ont pris part à la planification comme telle, ils sont devenus de vrais amis.

«Nous avons tenu le coup en écoutant toutes les critiques et en rajustant notre tir en conséquence. Nous avons modifié nos tactiques, sans jamais toucher à notre objectif global.»

En lisant l'histoire de David, vous êtes-vous parfois identifié à ce qu'il a vécu ou ressenti? Avez-vous déjà eu l'impression de vous battre contre des moulins à vent? Avez-vous déjà senti qu'une occasion unique se trouvait là, tout près, dans les événements qui survenaient autour de vous? Avez-vous déjà ressenti la joie d'amorcer un changement et de réussir? Si oui, vous reconnaissez sans doute certains des sentiments et des événements qu'a vécus David en effectuant son changement.

Vous distinguez peut-être clairement les sept étapes qu'il a franchies pour réussir.

En raison de son expérience passée, il *connaissait son style* de réaction, et le Questionnaire sur la faculté d'adaptation au changement a confirmé sa nature de communicateur.

Rappelez-vous comment il communiqua son *enthousiasme* à son équipe au point qu'elle travailla jour et nuit avec un *engagement* total et termina la proposition en un temps record.

Il était facile pour David de comprendre la *position des parties* et d'*harmoniser* ses forces puisqu'il comprenait la situation politique et économique de la ville et avait suivi l'histoire du centre de congrès dans les quotidiens.

Il découvrit plusieurs *points et personnes cruciaux* en chemin, mais il arriva à un point tournant lorsqu'il comprit qu'il n'avait pas besoin de posséder un terrain pour entrer en lice. En fait, cet élément lui conférait même un avantage politique.

Face aux critiques, David *persévéra* avec son plan, mais il engagea des experts en relations publiques pour informer le public. Et tout au long du projet, lui et son équipe demeurèrent *flexibles*: ils continuèrent d'améliorer leur plan, augmentant ainsi sa chance d'être accepté par la communauté.

Au cas où l'histoire de David vous semblerait un peu éloignée de vos préoccupations, voici des exemples plus simples illustrant comment des clients de nos ateliers sur le changement traversèrent les sept étapes d'un changement. En prenant connaissance de l'expérience d'autres personnes et en mettant en pratique ces étapes concrètes, vous renforcerez vos aptitudes et votre confiance.

Première et deuxième étapes
(Conscience de soi et engagement)

Le simple fait de connaître leur propre style de réaction face au changement a grandement aidé la plupart de nos clients. Ils ont compris dans quelles conditions ils travaillaient le mieux, quelles étaient leurs forces et quels types de changement ils pourraient amorcer avec succès. Ainsi, un groupe d'avocats appartenant tous à la catégorie des risqueurs étaient aux prises avec une attitude du public face à leur profession de plus en plus négative. Nous les avions d'abord pris pour des raisonneurs, puis avons appris qu'ils présidaient l'association du barreau et qu'à ce titre ils possédaient de grandes qualités de chef, ce qui est un élément clé de la personnalité du risqueur.

Au début, nombre d'entre eux abhorraient l'appellation de «risqueur» qu'ils associaient à l'insouciance. Grâce à nos explications, ils furent d'accord pour dire que prendre la responsabilité de la vie d'un client ou de son avenir financier exige le courage, l'assurance et l'audace du «risqueur» tel que nous le définissons. Même si leurs actions se fondent sur l'analyse réfléchie du raisonneur, les avocats efficaces doivent être capables de courir des risques.

Grâce à cette nouvelle perception d'eux-mêmes et de leur profession, nos clients conçurent un plan pour améliorer l'image de leur profession en offrant de nouveaux services «risqués» pour des avocats:

- offrir gratuitement des cours de «prévention juridique» (informer le public des mesures à prendre pour éviter de contrevenir à la loi ou de s'embourber dans des pièges juridiques);
- établir des contacts avec les médias afin que leurs articles expliquent clairement les lois (et englobent à l'occasion le portrait flatteur d'un avocat);
- former un groupe de discussion sur des questions touchant l'éthique juridique comme le sida, l'euthanasie, les banques d'organes, etc. (le public aurait accès à des rapports périodiques sur ces discussions);
- rendre visite à leurs clients chez eux (en agissant ainsi, les avocats pourraient établir des relations plus chaleureuses avec eux).

En reparlant à plusieurs de ces avocats par la suite, nous découvrîmes qu'ils éprouvaient un sentiment accru d'utilité et de fierté, et qu'ils étaient décidés à voir leur travail comme quelque chose de plus valable qu'un simple gagne-pain.

Ils comprirent que la nouveauté leur donnait à la fois confort et énergie, et ils en tirèrent parti. Songez à votre propre travail, à votre style de réaction et à vos objectifs. Possédez-vous la même compréhension de vous-même et de votre style de travail que ces avocats? Vous saurez que c'est le cas lorsque vous éprouverez de la confiance doublée d'un sentiment d'enthousiasme et d'engagement face à vos objectifs. Lorsque toutes *vos* énergies sont harmonisées, vous êtes libre de regarder autour de vous et d'harmoniser celles des autres.

Troisième étape
(La position de chacun)

Madeleine, qui occupait le poste de contremaîtresse dans une entreprise d'équipements sportifs, se heurtait à un problème beaucoup plus précis. Elle voulait organiser son horaire de manière à faire ses quarante heures en quatre jours au lieu de cinq comme c'était la norme. Nous l'encourageâmes à modifier son propre horaire au lieu d'essayer d'implanter un horaire flexible à l'échelle de l'entreprise. En rétrécissant son objectif, elle put plus facilement identifier les forces qui jouaient pour ou contre le changement qu'elle souhaitait apporter.

Il est déconseillé de se lancer tête baissée dans un projet dont nous profitons mais qui risque d'irriter une autre personne au début. Pour éviter cela, nous demandâmes à Madeleine de dresser une liste des personnes que son changement d'horaire toucherait directement. À droite, elle devait faire deux colonnes intitulées *Pour* et *Contre*. Elle traça ensuite un «+» dans la colonne *Pour* à côté du nom des personnes qui, à son avis, appuieraient son changement et un «–» dans la colonne *Contre* à côté du nom de ses détracteurs probables. Nous lui proposâmes ensuite de réfléchir à la *raison* pour laquelle chaque personne appuierait ou s'objecterait à ce changement et avec quelle force. Si elle croyait qu'une personne allait réagir fortement et possédait un certain pouvoir, elle devait inscrire un double + ou un double – à côté de son nom. Voici la liste qu'elle dressa:

Nom	Pour	Contre
Gilles, patron		— —
Julie, secrétaire		
Luc, agent de sécurité		— —
Jean, contremaître		—
Lise, infirmière	+ +	

Madeleine accorda un double moins à son patron; elle sentait qu'il s'opposerait à ce changement parce qu'il devrait obtenir l'accord de son supérieur pour lui donner son aval. Et, à titre de directeur de service, il avait le pouvoir de faire respecter sa position.

Madeleine craignait que Jean, son homologue, s'oppose à son idée parce qu'il se verrait forcé de modifier lui aussi son horaire. Elle lui accorda un seul moins.

Il en allait autrement de Luc, l'agent de sécurité. Madeleine était persuadée qu'il s'objecterait à un horaire plus long qui l'obligerait à modifier les règles de sécurité. «En outre, il est très méticuleux et pointilleux en ce qui touche le règlement», affirma-t-elle. Elle lui accorda un double moins.

Monique ajouta le nom de Lise à sa liste, non pas parce que celle-ci avait une influence sur son travail, mais bien parce qu'elle représentait la compagnie au sein d'une équipe de citoyens qui luttaient contre la pollution atmosphérique. Certaines entreprises dans le secteur avaient déjà implanté des horaires variables afin de réduire la pollution plus intensive aux heures de pointe. Comme Lise pouvait être une alliée puissante, elle obtint un double plus.

Madeleine obtint donc deux plus et cinq moins. Elle soumit quand même son idée à Gilles, son patron, qui s'avoua quelque peu intéressé à appliquer son projet dans tout le service et vit en Madeleine un excellent cobaye. Elle remplaça donc son double moins par un double plus puisqu'il était favorable à son projet et détenait le pouvoir de le concrétiser. Son pointage était donc de quatre plus et de trois moins.

Elle en parla ensuite à son collègue, Jean, qui lui donna le feu vert. Puis, elle déjeuna avec Lise qui lui transmit des statistiques sur l'efficacité de l'horaire flexible dans d'autres sociétés. Forte de ces renseignements, Madeleine en reparla à Gilles qu'elle trouva plutôt bien disposé. À partir de ce moment-là, elle n'eut plus d'inquiétudes. Soit dit en passant, un an plus tard, la société adoptait l'horaire flexible dans l'ensemble de ses services.

En faisant l'exercice «Qui pense quoi», Madeleine put évaluer l'opinion de différentes personnes sur son projet et la puissance relative de chacune d'elle. En outre, la question «avec quelle force?» nous aide souvent à identifier le point ou la personne cruciale, ce qui constitue l'étape suivante d'un changement réussi.

Quatrième étape
(Le point ou la personne cruciale)

Voici le problème que nous soumit un directeur de production prénommé Daniel. Des centaines de caisses étaient détruites au moment où elles atteignaient la fin de la chaîne. Daniel se plaignit à ses supérieurs de la qualité des employés qu'on lui avait confiés, qu'il jugeait paresseux et irresponsables. La direction se préparait à les semoncer lorsqu'un conseiller demanda: «Peut-on déceler un modèle dans ces bris?»

Daniel enregistra les bris sur un graphique pendant deux jours et découvrit que la majorité d'entre eux se produisaient pendant la demi-heure précédant immédiatement la pause du midi et avant les changements de quart. En y regardant de plus près, il comprit que pendant ces périodes critiques, la personne affectée à la surveillance du convoyeur quittait de temps en temps sa place parce qu'elle se préparait au changement de quart. Personne d'autre n'ayant accès au levier, il était impossible d'arrêter ou de ralentir le convoyeur.

Notez l'importance de cette observation et comment la recherche d'un modèle peut aider à trouver le point crucial pour amorcer un changement.

Cinquième étape
(Harmonisation des forces)

Justin connaissait le point crucial et le bouton à enfoncer, mais il n'arrivait pas à déterminer comment harmoniser les forces dans sa petite entreprise.

Le déclin de l'industrie de l'automobile avait durement frappé son entreprise et affaibli le moral du personnel. En outre, depuis de nombreuses années, la petite ville qu'il habitait était la proie de railleries en raison de son taux élevé de chômage qui faisait fuir les jeunes. Puis les rires s'étaient tus et un nuage de désespoir avait enveloppé la ville.

Les employés de Justin souffraient de cette situation. Ce dernier s'inscrivit à notre atelier sur le changement parce qu'il souhaitait trouver des moyens de stimuler la volonté de son personnel afin de pouvoir faire volte-face et repartir à zéro. Une magnifique occasion s'offrait à lui: une entreprise de chemin de fer demandait des soumissions pour la construction d'un train léger. Mais lorsque Justin en parla à ses employés, ils «restèrent de glace», nous raconta-t-il. Ils ne croyaient pas pouvoir terminer le prototype avant les six mois prescrits et doutaient de jamais obtenir le contrat.

Comment stimuler leur enthousiasme? Un objectif commun? Nous avons montré à Justin des vidéos mettant en vedette des dirigeants présentant à leurs effectifs un objectif clair de manière à susciter un changement chez eux. Il apprécia particulièrement le jeu de Jack Nicholson dans *Vol au-dessus d'un nid de coucou,* surtout la scène où il conduit ses camarades hors de l'asile pour les emmener faire une promenade en bateau. Sa confiance et son assurance agressive ont vite raison de leur crainte d'être attrapés alors qu'il les conduit à la queue leu leu hors de l'hôpital comme s'ils étaient des médecins et non des patients.

Leur nervosité et leur manque d'assurance les quittent lorsqu'il approche d'un air crâneur les gardiens qui les interrogent et présente les deux premiers patients comme deux *célèbres* médecins. Les patients imitent l'assurance de Nicholson, se redressent et regardent le gardien dans les yeux. Ils ont vraiment l'air de chirurgiens et de médecins célèbres, et les gardiens les laissent monter sur le bateau sans plus tarder.

Ces hommes à l'allure étrange commencent à se prendre pour des médecins. En adoptant des manières érudites, ils se changent en véritables intellectuels. Plus ils se sentent maîtres de leur vie, plus leur stature physique se modifie: ils se tiennent droits, marchent d'un pas presque nonchalant et sourient avec confiance.

Cet exemple et d'autres montrèrent à Justin que le fait d'adopter et d'imiter le comportement désiré peut entraîner des transformations physiques et mentales qui, en retour, rendront possible le changement voulu. Les initiateurs expérimentés offrent une vision nette, simple et cohérente. Ils semblent avoir le don de clarifier le changement qu'ils souhaitent, ce qui entraîne les autres à les suivre tout naturellement.

Justin revint à ses employés déprimés et organisa un dîner dans un des hôtels les plus chic de la ville. Les conjoints furent invités et on attribua des prix d'excellence. Après le dîner, un conférencier prononça un discours intitulé «La clé de votre succès, c'est vous», discours qui fut suivi d'un concert donné par une chorale. À la fin de la soirée, toute la compagnie fut invitée à chanter l'hymne national.

«C'était un moment mémorable, nous raconta Justin par la suite. Tous les employés, vêtus de leurs plus beaux atours, étaient debout et chantaient, les yeux brillants et l'air heureux. Puis, je leur ai demandé de s'asseoir quelques instants et je leur ai parlé du fond de mon cœur. Je leur ai dit que notre société se trouvait à un point tournant et qu'une occasion unique s'offrait à nous. Si nous décrochions le contrat, nous pourrions être fiers de notre entreprise. Je les ai remerciés pour leurs années de dévouement et les ai assurés que nous compterions parmi les finalistes. Je leur ai décrit les avantages financiers et personnels qu'ils pourraient retirer de ce contrat. Mais par-dessus tout, j'ai mis l'accent sur ma certitude de pouvoir construire le prototype en six mois vu leur compétence et leur niveau d'expérience élevés.»

Justin prit trois mesures qui lui permirent d'harmoniser ses forces. Il établit une vision claire, décrivit les étapes à franchir pour la réaliser, mais, ce qui compte le plus, il aida ses employés à croire au succès et à se voir comme des membres vitaux de l'équipe. Il créa la vision et la détermination nécessaires pour assurer la réalisation du prototype. Et il gagna!

Sixième étape
(Ne pas perdre son objectif de vue)

Il est inévitable qu'en chemin vous vous heurtiez à des obstacles, à des détours et à des impasses. Vous devez trouver des façons de demeurer en piste tout en corrigeant votre course afin d'éviter de rencontrer les mêmes obstacles à nouveau. Trois infirmières parvenues à un point tournant de leur carrière manifestèrent cette souplesse. Leur désir d'aider les gens les attirait toutes trois vers la médecine et, à mi-chemin de leur formation d'infirmières, au cours de leur stage pratique, elles prirent conscience du pouvoir limité souvent dévolu aux infirmières.

«Faire des lits et distribuer des pilules, voilà tout ce que j'ai fait pendant mon année de stage. Je n'avais jamais le temps de donner à mes patients la sorte d'attention qui aide à guérir», affirma Laurence.

Laurence s'inscrivit à notre atelier dans l'espoir de trouver des façons d'affronter l'ambivalence qu'elle éprouvait face à sa carrière. Elle avait été élevée dans l'idée qu'il fallait toujours terminer ce qu'on avait commencé, mais elle doutait d'être sur la bonne voie. Nous lui demandâmes tout d'abord de recréer la vision d'elle-même au travail qu'elle avait à l'origine. Elle répondit: «Je converse avec des patients et leur famille, j'écoute attentivement, j'évalue les symptômes qu'ils décrivent, je prends des décisions dans le but de soulager ou de guérir leurs maux.»

Comme son rôle d'infirmière ne répondait pas à cette image, nous l'invitâmes à chercher à qui incombait ce type de responsabilités. Sa réponse fut hésitante: «Les médecins... mais je n'ai jamais songé à devenir médecin.»

«Pourquoi pas?» Cette question modifia légèrement son orientation de sorte qu'elle finit par atteindre son objectif initial. Elle retourna à l'hôpital et discuta de l'idée de devenir médecin avec ses deux collègues frustrées. Plus elles parlaient de cette façon différente d'atteindre leur but, plus elles étaient résolues à entrer à la faculté de médecine. «Cela prendra un peu plus de temps, mais nous réaliserons notre rêve», conclurent-elles.

Aux dernières nouvelles, Laurence et ses amies avaient terminé trois années d'étude et s'orientaient l'une vers la pédiatrie, l'autre vers la médecine familiale et la troisième vers la psychiatrie. Leur parcours est semé de quelques embûches: elles n'obtiendront pas toutes leur diplôme cet hiver parce qu'elles feront leur internat à des moments différents. Mais de dire Laurence: «Même si c'est difficile par bouts, l'une de nous a généralement le moral assez haut pour dire aux autres: «Nous sommes extraordinaires, regardez jusqu'où nous nous sommes rendues; encore deux cours difficiles seulement à suivre.»

L'histoire de Laurence renferme plusieurs indices susceptibles de vous aider en cas de problème. Pour persévérer dans la poursuite de votre objectif, essayez de:

1. Recréer votre vision afin d'y voir plus clair et de vous en inspirer (ajoutez-y une odeur, une couleur, une impression et un son pour mieux percevoir votre but).
2. Vérifier régulièrement vos progrès afin d'obtenir les réactions nécessaires pour conserver le moral.

3. Vous accorder des récompenses en chemin (allez au cinéma pendant votre journée de congé ou rendez visite à un ou une amie proche pour lui exposer vos progrès).

Laurence et ses amies purent poursuivre leur objectif tout en demeurant flexibles, ce qui constitue l'ultime test auquel doit se soumettre l'initiateur chevronné.

Septième étape
(Demeurer flexible)

Presque tous les participants à nos ateliers se heurtent au problème de la flexibilité. Ils trouvent difficile d'écouter les personnes dont les styles de réaction sont très différents du leur et de modifier leur procédé quand leur propre façon de faire est efficace. De plus, certains sont plus craintifs parce qu'ils ont déjà connu un échec après avoir essayé de nouvelles idées.

Philippe aurait facilement pu céder à ces craintes puisqu'il travaillait dans le secteur complexe et concurrentiel de la publication de magazines. Pendant ses études de troisième cycle, il était décidé à devenir banquier mais, une fois lancé dans le monde, il changea d'idée et amorça un changement à la fois audacieux et brillant.

Philippe est le cofondateur et rédacteur en chef d'un magazine mensuel qui allie le style littéraire sophistiqué du *Nouvel Observateur* aux calembours et aux mises au pilori d'un magazine humoristique. Issu de la génération des baby-boomers, Philippe s'apprêtait à devenir un yuppie comme les autres lorsqu'il décida qu'il voulait créer du neuf et non pas seulement «réarranger le vieux». Deux journalistes de renom l'avaient invité à déjeuner dans l'espoir d'obtenir des capitaux de démarrage pour leur magazine. Mais leur projet de magazine séduisit Philippe au point qu'il quitta son emploi et y investit tout son avoir. «Quelque chose de magique s'est produit pendant ce déjeuner. Nous n'avons jamais douté de notre réussite; nous savions que notre idée était géniale et le moment, idéal.»

Les deux journalistes avaient remarqué qu'en avançant en âge, les baby-boomers, même s'ils avaient perdu leur style caractéristique des années soixante et étaient devenus matérialistes, méprisaient toujours les institutions établies. Ils comprenaient le malaise de cette génération qui faisait désormais partie de ces institutions et y voyaient une occasion unique. Ils conçurent un magazine qui tirait parti de ce changement en taquinant les figures d'autorité et en permettant aux lecteurs de s'amuser aux dépens du matérialisme même s'ils en bénéficiaient aussi.

Le magazine tourne en dérision les riches, les oisifs, le gratin de la société et les personnes influentes à l'aide d'un humour mordant et irrespectueux. Ses lecteurs ont l'impression de ne pas être tout à fait dépendants des forces contre lesquelles ils se révoltaient étant plus jeunes. Philippe et ses deux amis s'amusent comme des fous à démolir des personnages d'une manière humoristique tout en se remplissant les poches.

Cet exemple illustre qu'on n'a pas besoin d'avoir quarante ans et de faire partie du «monde de l'édition» pour lancer un magazine ou amorcer un changement. Ce qu'il faut, c'est la capacité de découvrir une occasion unique et de l'exploiter le plus rapidement possible. L'essentiel est d'être flexible.

Philippe est l'une des personnes les plus flexibles que nous avons connues, et sa flexibilité ne découle pas de la faiblesse, mais bien de la force que lui procurent sa confiance en lui et son ouverture aux autres. Ses succès précoces n'ont pas durci son attitude. Il est constamment ouvert aux occasions qu'il découvre dans les attitudes et activités de son entourage. Il réussit à être flexible tout en comprenant aussi la flexibilité des autres.

Comprendre la flexibilité des autres

Voici comment Bertrand apprit l'importance de comprendre la flexibilité des autres. Jeune étudiant zélé à l'emploi de McDonald, il adorait l'efficacité bourdonnante du restaurant et ne cessait de faire des suggestions visant à en améliorer le fonctionnement. Mais le directeur repoussait toutes ses propositions en disant: «Ce n'est pas ainsi que nous procédons ici.»

McDonald venait d'ajouter les sandwichs au poisson à son menu et il incombait à Bertrand de les confectionner. À sa grande consternation, ils n'étaient pas très populaires. Avec envie, il observait ses camarades préparer à toute allure des centaines de hambourgeois, de laits fouettés et de frites, alors qu'il n'avait qu'une commande occasionnelle à exécuter. Il proposa de préparer les sandwichs au poisson tout en s'occupant des frites. Le directeur piqua une violente colère et le congédia.

Bertrand trouva un emploi au laboratoire de chimie de l'université. De nouveau, il fut confronté à la flexibilité lorsqu'il élabora une méthode de lavage des tubes d'essai nettement supérieure à celle qu'on employait déjà. Le professeur refusa d'envisager un changement et insista pour que Bertrand lave les tubes «selon notre bonne vieille méthode». Celui-ci obéit sans mot dire.

Bertrand apprit que l'inflexibilité est parfois justifiée, mais pas toujours et que, quoi qu'il en soit, il faut être assez flexible pour saisir la différence. Se montrer flexible au travail exige souvent que l'on œuvre dans les limites de l'inflexibilité d'une autre personne.

La dynamique du changement

Jusqu'ici, nous nous sommes concentrés sur le changement au niveau individuel. Vous avez vu comment bon nombre de personnes ont réagi avec succès face à une transformation radicale ou graduelle, et comment des innovateurs avertis ont amorcé d'heureux changements. Revenons maintenant en arrière et examinons le modèle global qui sous-tend tous ces changements. En empruntant un outil utilisé en psychologie, nous pouvons illustrer graphiquement ces types de changement. Vous saisirez mieux la dynamique du changement, sa courbe de croissance et le moment propice pour le mettre en œuvre.

Des études ont démontré que pour apprendre, nous traversons d'abord une longue période d'orientation avant de réaliser de rapides progrès. À un certain point du processus, toutefois, notre rythme d'apprentissage ralentit. Les psychologues illustrent ce phénomène au moyen d'une «courbe d'apprentissage» en forme de cloche. La dynamique d'un changement, qu'il s'agisse d'une modification mineure de notre mode de pensée ou du cours de notre vie, peut s'exprimer par la même courbe. La courbe ascendante et son sommet représentent le cycle que traverse une personne ou une entreprise lorsque le changement s'amorce, prend de l'ampleur et atteint sa maturité. Mais, comme la courbe d'apprentissage, la courbe du changement redescend et il faut alors effectuer un nouveau changement pour la faire remonter. Pour effectuer un changement réussi, il faut savoir s'arrêter au bon moment, au point où l'on peut contempler à la fois le passé et envisager l'avenir, puis amorcer une nouvelle courbe avant le déclin.

Lorsqu'un changement aussi radical qu'un congédiement se produit au début du déclin, on peut faire remonter sa courbe en trouvant un meilleur emploi ou en se lançant dans une carrière plus prometteuse. Le changement imposé nous aide en fait à éviter le déclin qui débute normalement au sommet de la courbe. Le moment optimal pour changer apparaît sur la courbe ci-dessous.

Changement imposé

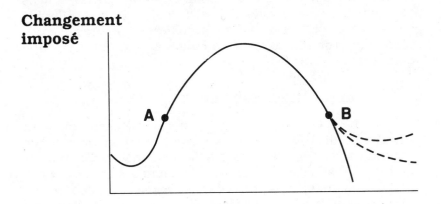

C'est en amorçant une série de petits changements qu'on s'adapte le mieux au changement graduel. Même s'ils semblent moins radicaux, ils sont parfois plus difficiles à réaliser parce qu'ils exigent une vigilance et une créativité constantes. En employant tour à tour des tactiques qui font appel au cerveau gauche et au cerveau droit, on empêche l'aplatissement de la courbe qui se produit pendant un changement graduel. Si vous vous sentez à l'aise avec des styles de réaction autres que celui que vous privilégiez et si vous possédez un répertoire de stratégies mettant à contribution les hémisphères droit et gauche du cerveau, vous pouvez provoquer un changement graduel réussi.

Changement graduel

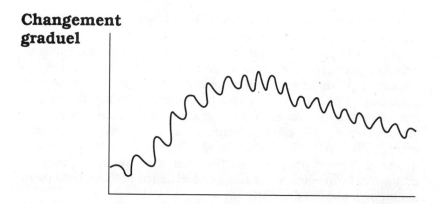

Remarquez qu'en alternant les stratégies employées pendant que la courbe s'élève petit à petit, on évite l'inertie qui s'installe habituellement une fois le sommet atteint. Résultat: une longue progression sans piqués ni redescentes.

Lorsque vous amorcez vous-même un changement, c'est vous qui décidez d'intervenir au moment du déclin. Une insatisfaction face à votre situation ou un besoin passionné de créer du nouveau peut vous conférer la vigilance nécessaire à ce moment-là. Vous pouvez même intervenir avant que la courbe n'atteigne le sommet.

Changement qu'on amorce soi-même

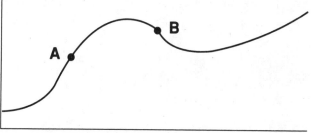

Le changement que vous amorcez vous-même peut ressembler aux deux autres sortes de changement, mais il est en fait beaucoup plus puissant parce que vous prenez les décisions, récoltez les bénéfices et éprouvez la joie de pouvoir agir comme bon vous semble.

Quel que soit le type de changement que vous amorcez, notez que vous ne pouvez pas vraiment empêcher votre emploi et vos relations de se détériorer, comme cela arrive souvent. Il faut être conscient de ses forces lorsqu'on affronte différents types de changement et être assez flexible pour s'en servir.

Dans la prochaine partie du présent ouvrage, vous découvrirez comment une entreprise peut mettre à profit ces mêmes aptitudes. Vous lirez l'histoire de sociétés, d'agences gouvernementales et d'institutions éducatives qui ont connu les mêmes changements que vous. Vous verrez que pour réussir et préserver leur intégrité, elles doivent, elles aussi, réagir face aux transformations radicales ou graduelles, et amorcer des changements. Leurs produits sont sujets aux mêmes cycles de changement que les êtres humains et leurs actions traversent les mêmes phases d'évolution.

En poursuivant votre lecture, surveillez les similarités entre votre expérience et celles des entreprises. Vous aurez peut-être l'impression que les groupes qui subissent des changements se comportent comme des êtres humains. Voyez si le macrocosme imite le microcosme.

Quatrième partie

Le changement au sein de l'organisation

Chapitre 13

Qu'est-ce qui rend
une entreprise flexible?

Le président d'une prestigieuse institution financière installe avec dégoût un élégant plateau d'argent contenant un amoncellement de petits sacs de maïs soufflé — que la banque offre à titre gracieux à ses nouveaux clients. «Du maïs soufflé», dit-il en grimaçant, puis il soupire avec résignation et en grignote une poignée en se rendant à son bureau.

Le chef syndical, un homme costaud, inscrit la dernière liste de requêtes dans le carnet des négociations. Le problème numéro un? Une garderie pour les enfants des employés.

Un cadre d'âge moyen se plaint: «Je me dévoue pour cette société depuis vingt ans et qui décroche la vice-présidence? Une animatrice de talk-show âgée de trente-deux ans!»

La voyageuse épuisée vient de comprendre comment faire fonctionner le système informatique qui commande l'ouverture de la porte de sa chambre d'hôtel, mais elle se heurte à un nouveau problème: un système automatique permettant d'obtenir le service aux chambres, le service de buanderie et ses messages téléphoniques. Elle appelle la réception et demande: «Veuillez me donner mes messages, je suis trop fatiguée pour essayer de comprendre le fonctionnement de votre bidule.»

La jeune aspirante directrice enfile le costume qu'on lui a assigné avant de se rendre à sa première journée de travail. Non pas le tailleur marine accompagné d'une chemise blanche d'hier, mais la casquette, les pantalons et la blouse orange d'un restaurant minute.

Le détaillant observe un employé qui ouvre avec précaution une caisse de pulls en coton ouaté. L'employé marmonne:

«Bientôt, les Japonais seront les premiers producteurs du drapeau national.» Ce à quoi le propriétaire rétorque: «Ces fringues ne viennent pas du Japon, mais de la Corée du Sud.»

Le doyen d'une institution du troisième cycle ajoute un dossier à la pile des candidats déjà acceptés. Son collègue est stupéfait: «Un comptable de soixante et un ans à sa retraite. N'est-il pas un peu âgé pour entreprendre des études de troisième cycle?» De répliquer le doyen: «Écoutez, autrefois nous devions refuser de jeunes étudiants tellement ils étaient nombreux, mais cette époque est bel et bien révolue.»

Des scènes semblables se produisent dans les entreprises et les institutions du monde entier. Elles reflètent quelques-uns des étonnants changements survenus ces dernières années: banques plus humaines, souci croissant du bien-être des enfants, efficacité technologique dans tous les secteurs de la vie, immenses possibilités de gestion dans les industries de service, femmes vice-présidentes, petits pays accédant à l'économie mondiale et études supérieures pour les personnes du troisième âge.

Ces changements sont à la fois dérangeants et emballants, et à peine y sommes-nous habitués qu'il nous faut en affronter d'encore plus radicaux. Le rythme des changements s'accélère, et ce davantage en milieu de travail que partout ailleurs.

Que vous travailliez pour une importante société, une agence gouvernementale, un grand fabricant, une commission scolaire, un magasin de détail, à votre propre compte ou en tant que bénévole pour un organisme sans but lucratif, vous affrontez sûrement ces sortes de changement. Leur force peut vous revitaliser, vous et vos collègues, ou marquer le début de votre déclin.

Comme c'est le cas pour les êtres humains, la flexibilité est un élément clé de la gestion des problèmes et des possibilités que crée le changement au sein des entreprises. Toutefois, celles-ci sont souvent, au même titre que les individus, embourbées dans la tradition. Même notre système politique et économique, pourtant très flexible, souffre de nervosité face aux changements. Paul Kennedy, professeur à l'université Yale, met ce danger en relief dans son ouvrage intitulé *Naissance et déclin des grandes puissances*: «Comme toutes les sociétés sont inexorablement sujettes aux changements, l'équilibre international ne peut *jamais* demeurer stable... seule l'incapacité de s'adapter peut mettre véritablement en danger les intérêts authentiques et diversifiés des États-Unis[31].» Nous devons nous rappeler que les États-Unis et leur économie ont bien fonctionné pendant deux cents ans précisément parce qu'ils ont pu s'adapter aux changements.

Dans les années quarante, l'économiste Joseph Schumpeter affirma: «Le capitalisme est par nature une forme ou une méthode de changement économique qui non seulement n'est jamais mais ne peut jamais demeurer stationnaire[32].» Selon Schumpeter, voici comment naît le progrès: les entreprises subissent de fréquentes pertes de profits attribuables à la concurrence de sorte qu'elles sont forcées de créer constamment de nouveaux produits afin de renflouer leurs coffres. Elles se dépassent donc continuellement les unes les autres afin d'améliorer leur position dans un marché où les changements pullulent. Dans l'économie, la lutte est acharnée et constante entre le vieux et le neuf. Les entreprises naissent, croissent et déclinent aussi rapidement que leurs produits et services tombent en désuétude. La destruction se transforme donc en force créatrice qui engendre un renouveau. Schumpeter soutient que cette condition est essentielle au maintien de la vitalité économique. Vus sous cet angle, les désinvestissements, les fusions, la déréglementation et les rachats — pour inquiétants qu'ils soient — ainsi que l'économie globale des années quatre-vingt sont les agents d'une destruction créatrice qui engendre la prospérité et une qualité de vie toujours meilleure.

Les organisations protégées du changement tendent à devenir suffisantes et incompétentes. À leur détriment, les géants de l'industrie et les institutions aussi nobles que les universités et les églises ont souvent été tenus à l'abri du changement. Leurs nombreuses couches de gras (argent, respect, pouvoir et structure) les ont gardés bien au chaud pendant que tout changeait autour d'eux. Aujourd'hui, toutes les organisations sont secouées et doivent changer pour survivre. Et il ne faut pas s'en plaindre. Le changement leur redonne vigueur et enthousiasme pour l'avenir.

Lester Thurow, fougueux doyen d'une école d'administration publique, donnait des conférences sur les dangers du conservatisme dans tout le pays pour les chefs de l'industrie. Comme il le soulignait lors de son passage à la télévision: «Ford et Mitsubishi peuvent s'unir pour surpasser General Motors, mais General Motors et Ford ne peuvent faire de même contre Mitsubishi en raison de nos lois antitrust qui datent des années trente, époque où nous nous inquiétions de la survie de la concurrence libre. Nous devons modifier ces lois si nous voulons demeurer flexibles.»

Bien qu'une démocratie capitaliste comme la nôtre puisse être temporairement assommée par le rythme des changements qui caractérise la dernière décennie de notre siècle, d'autres pays (Japon, Allemagne de l'Ouest et Singapour) en tirent parti. Le processus de destruction créative imaginé par Schumpeter il y a quarante ans s'est simplement étendu au monde entier et le capitalisme des années quatre-vingt demeure le système économique et politique le plus susceptible de réussir.

Que signifie cette vision globale pour vous et l'organisation qui vous emploie? Les composantes de la flexibilité individuelle identifiées dans la première moitié de ce livre ont-elles un effet sur le changement organisationnel? Pouvez-vous appliquer les techniques de changement apprises dans cet ouvrage à votre entreprise ou à votre institution? La réponse aux trois questions ci-dessus est «oui». Vous apprendrez comment le faire dans la dernière partie de ce livre, qui porte sur la flexibilité au sein de l'organisation et sur son importance pour le succès de celle-ci.

Le présent chapitre va vous permettre de déterminer la faculté d'adaptation au changement de votre milieu de travail. Vous y lirez l'histoire de sociétés, d'agences et d'organisations qui ont passé à travers des changements avec succès ou, au contraire, se sont embourbées dans le pseudo-changement. Puis vous verrez comment une organisation peut acquérir la capacité de changer tout comme une personne. Enfin, vous apprendrez comment assouplir votre milieu de travail.

Le climat de votre organisation

Une organisation flexible possède un climat particulier et revigorant. En pénétrant dans l'édifice, vous percevez une certaine ouverture face aux idées nouvelles, une structure rassurante, un sentiment d'utilité et l'existence d'une méthode d'action. Pourtant, les choix sont nombreux et les gens prennent le temps de vraiment écouter. L'endroit respire le respect mutuel et la compétence. Chaque personne veut vraiment offrir un produit et un service de qualité. Par-dessus tout, cette organisation flexible accueille le changement avec plaisir; non pas le pseudo-changement, mais le changement productif.

Réfléchissez au climat qui règne dans votre milieu de travail. Quelles sensations éprouvez-vous lorsque vous vous imaginez au travail? Imaginez que vous êtes un client ou un fournisseur pénétrant dans l'édifice pour la première fois. Quelles sont vos impressions? Encerclez parmi les termes ci-dessous ceux qui décrivent le mieux le climat de votre milieu de travail.

très chaud	chaud	froid
ensoleillé	couvert	flocons de neige
tempêtes de poussière	venteux	tempête de neige
incertain	partiellement ensoleillé	averses
ouragan	frais	neige fondue
clair	partiellement brumeux	fraîchissant
très clair	lourd	agité
humide	nuageux	venteux
variable	brumeux	tempéré
doux	généralement ensoleillé	calme
tropical	s'améliore rapidement	glacé
froid et pluvieux	nuageux avec éclaircies	sous zéro
début d'averse	tendance à se réchauffer	flou

Pouvez-vous distinguer un modèle dans le choix de vos termes? Ce «bulletin météorologique» de votre bureau ou de votre usine reflète son degré d'ouverture face au changement.

Si le «climat» est extrêmement chaud ou froid, des forces pourraient être en train de se construire en vue d'un changement brusque. Certains signes avant-coureurs peuvent vous préparer à affronter les turbulences à venir.

Un bureau ou une entreprise possédant un climat tempéré et calme est moins susceptible de connaître des changements et risque de s'encroûter petit à petit.

Le climat le plus propice aux changements constructifs est généralement ensoleillé avec des passages nuageux. Il peut ressembler au climat qui règne dans le service de formation d'une grande société multimédias. Émilie, une conceptrice de programmes, nous transmit le bulletin météorologique suivant.

«Notre milieu de travail est stimulant. Les employés des autres services demandent constamment à y être mutés parce

que nous avons l'air de nous amuser énormément. Le service
compte quatre concepteurs de programmes, cinq employés de
soutien et un directeur. Chacun de nous assume un grand
nombre de responsabilités personnelles et exerce une certaine
autorité. Nous faisons des séances de brainstorming et nous
épaulons les uns les autres au besoin. Le personnel de soutien
bénéficie d'un horaire flexible et plusieurs coordonnateurs
travaillent à temps partiel, de sorte qu'il y a beaucoup de va-et-
vient et de planification «créative». Nos bureaux ressemblent
parfois à un cirque, mais un cirque prospère où chacun dirige
son propre numéro.»

Par contraste, Valérie, conseillère dans un bureau d'emploi du gouvernement, décrit ainsi les conditions météorologiques qui sévissent à son travail.

«J'ai eu l'impression d'être enfoncée dans une congère
jusqu'à la taille; c'était froid et je progressais avec difficulté. On
nous disait où mettre ou ne pas mettre des plantes vertes, des
tableaux, des presse-papiers, comment disposer nos bureaux
et combien de temps accorder à chaque client.

«Cette rigidité était partiellement attribuable au système. Il
nous fallait suivre des lignes de conduite, des politiques et des
règlements fédéraux, provinciaux et régionaux. Nous avions
même des quotas à respecter. Nous devions interviewer un
certain nombre de personnes chaque jour et trouver un emploi
à un pourcentage de clients déterminé à l'avance chaque semaine.

«Mais il n'y avait pas que le système. Il y avait le directeur
du bureau aussi. Il clamait à la ronde qu'il adoptait une politique de porte ouverte, mais il était loin d'avoir l'esprit ouvert.
Si vous lui proposiez un nouveau procédé plus efficace, il
passait son temps à frapper son stylo sur le bureau en disant
«mmm» d'une façon qui démontrait qu'il n'écoutait pas vraiment et trouvait vos idées inintéressantes.

«Mais, vous savez, je n'avais jamais saisi pleinement la
nature de cet endroit jusqu'à ce qu'un jour, un voisin se présente au bureau. Il était en chômage depuis six semaines et
avait l'air vraiment déprimé. Lorsque j'ai constaté la rapidité
avec laquelle on expédiait son entrevue et lui confiait la pape-
rasse habituelle à remplir, et que je l'ai vu partir d'un pas traî-
nant, j'ai compris combien le bureau était froid et inamical.
C'est alors que j'ai décidé de chercher un climat plus chaud.»

Le genre de climat dans lequel Valérie travaillait avait fait
une forte impression sur elle. Elle avait également identifié

certains des problèmes qui le rendaient fermé face au changement.

En réfléchissant au climat de votre milieu de travail, vous établirez sans doute des liens entre l'impression que vous ressentez et les politiques qui y prévalent. Comme les lignes de conduite et les procédés tendent à s'enraciner avec le temps, il est difficile, mais non impossible, de maintenir un climat favorable au travail, comme le démontre la longue carrière d'Arthur C. Nielsen, junior.

Les temps changent

Parce qu'elle a découvert de nouvelles façons d'affronter le changement, la Compagnie A.C. Nielsen a connu plus d'un demi-siècle de prospérité. Bien qu'elle soit renommée pour déterminer les cotes d'écoute des émissions de télévision, ses activités sont très diversifiées. Dans les temps changeants que nous connaissons, la société a prospéré en *réagissant*, en *s'adaptant* et en *amorçant* des changements.

Changements imposés

Arthur Nielsen eut son premier contact avec le monde des affaires à l'âge de treize ans, grâce à un tour que lui joua son père. Ce dernier était un pionnier de la recherche en marketing. Durant la Dépression, il avait vu son personnel passer de 45 employés à 6 et il ne lui restait qu'un seul client éventuel qui résidait à l'autre bout du pays. Ayant sondé l'opinion de ses employés, il décida de se rendre là-bas dans un ultime effort pour obtenir les faveurs de ce client. Mais la petite caisse contenait seulement de quoi acheter un aller simple. C'est ici qu'entre en scène le jeune Arthur. Ce soir-là, son père lui expliqua les merveilles du capitalisme en soulignant qu'il pouvait devenir actionnaire de la Compagnie A.C. Nielsen. Arthur acheta donc 14 actions de la société avec le contenu de sa tirelire, soit 52 $, somme suffisante pour assurer le retour de son père en avion.

Le voyage de M. Nielsen fut un succès et la compagnie survécut et prospéra, offrant ainsi au jeune Arthur l'occasion de se familiariser avec ses diverses facettes. Son père insista pour qu'Arthur travaille dans chacun des services de la compagnie. En outre, il lui interdisait de quitter un service avant d'avoir rédigé un rapport détaillé et proposé au moins une amélioration. Arthur s'exécutait et sa confiance grandissait avec chaque devoir réussi et chaque proposition innovatrice.

Malgré sa difficulté, cette tâche n'était rien comparée à celle qui l'attendait pendant la Deuxième Guerre mondiale dans le corps des ingénieurs. Son commandant lui dit: «Lieutenant, il nous faut d'ici trois semaines un édifice pouvant abriter 350 architectes et ingénieurs.» «Mais, mon commandant, je n'ai jamais rien construit auparavant», répondit Arthur. «Ne me raconte pas tes problèmes, obéis à mes ordres, un point c'est tout», lui répondit son supérieur d'un ton sans réplique. Arthur s'immergea dans des manuels empruntés à la bibliothèque, se mit à discuter de méthodes de construction avec chaque personne qu'il croisait et travailla jour et nuit. Le projet fut tout juste terminé dans les trois semaines prescrites. Cette expérience, bien qu'éprouvante, n'en accrut pas moins sa confiance en lui. Il avait appris qu'il pouvait relever avec succès un défi, même imprévu.

S'adapter

Après ces débuts rigoureux, Arthur fit d'autres expériences en employant divers styles de réaction au changement, selon la situation. Lorsque la Compagnie A.C. Nielsen offrit 25 000 $ à un conseiller pour savoir si elle devait ou non déménager, Arthur ne fut pas satisfait de la réponse de celui-ci.

«Ce conseiller nous recommandait de demeurer au centre-ville. Il avait des tableaux et des études à l'appui, et savait faire du boniment. Je l'ai regardé: il était grand, beau, portait une masse de cheveux noirs bouclés, un large sourire éclairait son visage et un grosse chaîne en or ornait son veston. Je me suis demandé s'il connaissait vraiment les questions de circulation et le genre d'endroit où les gens voulaient travailler et vivre. Je suis donc sorti et j'ai sollicité l'opinion d'autres personnes.»

Il se rendit au Département du transport et parla aux répartiteurs de trains pour voir où la circulation était le plus dense et quelles tendances s'annonçaient. Il visita le siège social d'une prestigieuse société d'assurances pour savoir comment elle avait choisi les endroits pratiques où se trouvaient ses bureaux de réclamations, accessibles aux clients directement de leur voiture. Il chercha à savoir où les entreprises de télécommunication et de services publics installaient des câbles. Il s'enquit des préférences des clients et des fournisseurs.

Enfin, Arthur convainquit son père de déménager hors des limites de plus en plus congestionnées du centre-ville, à un endroit où les taxes étaient moins élevées et l'accès plus facile, et ce bien avant que les migrations vers la banlieue soient devenues courantes. Sa faculté d'adaptation au changement soutenait son style naturel de communicateur.

Amorcer un changement

Dans les années cinquante, l'un des services de marketing de la compagnie était chargé de distribuer des échantillons du produit d'un client de porte à porte. Comme cette méthode était coûteuse, Arthur se mit à distribuer des bons remboursables et attira une clientèle nombreuse grâce à cette méthode de marketing plus souple. Les bons pouvaient être distribués à un coût moindre par la poste, dans les magazines et à travers d'autres canaux de distribution. Mais cette réussite entraîna un autre défi et une autre occasion: découvrir comment *traiter* les bons d'une façon efficace et peu coûteuse pour le client.

Arthur étudia ce problème pendant des mois: il réfléchit, analysa, se concentra. Puis, en vacances à Hong-Kong, il trouva la solution au cours d'une croisière en bateau. Il rencontra le directeur d'une fabrique de boutons australienne qui était venu mettre sur pied une usine de production à Hong-Kong. L'Australien lui expliqua que Hong-Kong abritait un grand nombre de réfugiés en quête de travail.

Arthur comprit tout de suite qu'il pouvait employer la même stratégie pour le remboursement des bons. De retour chez lui, il entreprit sur-le-champ de déménager les opérations de tri des bons au Mexique. Cette mesure déboucha finalement sur le concept d'«usine jumelle» toujours en vigueur chez A.C. Nielsen aujourd'hui, en vertu duquel les usines de production nécessitant une main-d'œuvre importante se trouvent au Mexique tandis que les bureaux administratifs demeurent aux États-Unis. Bien que d'aucuns critiquent ce modèle, ce qui compte c'est qu'Arthur ait lancé un système qui profite aux gens des deux côtés de la frontière. De plus, il a résolu un grave problème à force de réflexion et de concentration.

En 1987, la compagnie modifia de façon innovatrice l'un de ses produits, à savoir les services d'évaluation auxquels ont recours les stations de télévision pour fixer les taux publicitaires (plus le nombre de téléspectateurs est élevé à une heure donnée, plus le taux est haut). La Compagnie Nielsen élabora l'audimètre interactif, un nouvel outil qui peut dire qui regarde la télévision, et pas seulement si le poste est ouvert.

Bien que ce raffinement ait inquiété les chaînes de télévision, les publicitaires adorent cet appareil et insistent pour que les évaluations soient fondées sur lui. Maintenant ils peuvent dire si le message publicitaire qu'ils paient au taux du créneau de pointe atteint vraiment un auditoire cible ou est simplement écouté de la salle de bain ou regardé par le chat. Ce moniteur haut de gamme constitue un gigantesque pas en avant dans la technologie du télémarketing et permet aux annonceurs d'atteindre des auditoires très précis. Les radiodiffuseurs ont donc été forcés d'emboîter le pas.

En 1985, Arthur remarqua une nouvelle sorte de changement. Il se rendit compte que la compagnie aurait besoin d'importantes nouvelles ressources pour demeurer chef de file dans le secteur des télécommunications. Sa mère était âgée de quatre-vingt-dix ans et il en avait soixante-quatre; comme il était l'un des deux actionnaires principaux, il reconnaissait que sa famille perdrait inévitablement le contrôle de l'entreprise.

Il était également conscient que la Compagnie A.C. Nielsen pouvait être acquise par une autre entreprise sans son accord. C'est pourquoi il amorça un nouveau changement et se mit à courtiser une autre entreprise. Son alliance subséquente avec Dun and Bradstreet est l'un des plus heureux de l'histoire des sociétés: heureuse alliance de produits et de services, cultures compatibles et objectifs commerciaux partagés. Cette synergie promet un avenir brillant aux deux organisations.

Questionnaire sur la faculté d'adaptation des sociétés

L'expérience d'Arthur Nielsen démontre comment le fait de prévoir les changements, de s'adapter constamment aux forces de l'entreprise et d'appliquer la bonne stratégie au bon moment contribue au succès d'une organisation.

Nous avons conçu le questionnaire qui suit pour vous aider à mieux observer les conditions existant dans votre milieu de travail. Semblable au Questionnaire sur la faculté d'adaptation au changement, il peut vous aider à mieux évaluer la flexibilité de votre organisation et à identifier les styles de réaction au changement que vous y trouvez.

Les énoncés ci-après sont destinés à provoquer des réactions spontanées en vous. Répondez rapidement aux questions sans réfléchir outre mesure à votre réponse. Cochez toutes les réponses qui, à votre avis, s'appliquent à l'image ou aux lignes de conduite de votre milieu de travail, en laissant de côté celles qui ne sont pas du tout pertinentes. Puis pour chaque énoncé, écrivez «1» à côté de la réponse *la plus pertinente* dans le cas de votre milieu de travail.

1. Voici le logo qui reflète le mieux les valeurs de ma société:

2. Les célébrités qui reflètent le mieux l'image de ma société sont:

   a.____Margaret Thatcher ou Pierre Elliott Trudeau, ou les deux.

   b.____Eddie Murphy ou Mikhaïl Baryshnikov, ou les deux.

   c.____Bill Cosby ou Simone de Beauvoir, ou les deux.

   d.____Cher ou Jean-Paul Belmondo, ou les deux.

3. Pour ce qui touche les négociations relatives à la main-d'œuvre ou aux contrats de travail, ma société se fie:

   a.____aux conseils de ses avocats.

   b.____à sa force.

   c.____à ses relations.

   d.____à diverses opinions.

4. Si le principal concurrent de ma société lançait un produit qui surclasse notre principal produit ou service, la direction:

   a.____scruterait le produit ou service de son concurrent pour y trouver des lacunes.

   b.____accélérerait la production d'un produit ou service secondaire.

   c.____ferait enquête sur les autres sociétés œuvrant dans le même secteur.

   d.____insisterait pour accélérer la recherche et le développement.

5. On peut décrire ainsi la ligne de conduite de ma société en ce qui touche la formation:

a.____obligatoire.

b.____spécialisée.

c.____centrée sur l'équipe.

d.____enthousiaste.

6. Pour affronter le changement dans une économie en plein bouleversement, ma société:

   a.____resserrerait les contrôles.

   b.____réajusterait ses objectifs.

   c.____solliciterait l'opinion de son personnel.

   d.____lancerait de nouveaux projets et de nouvelles méthodes.

7. L'attitude de ma société en ce qui concerne le congédiement, l'embauche et la retraite est plutôt:

   a.____traditionnelle.

   b.____pragmatique.

   c.____humaine.

   d.____progressiste.

8. Si nous venions de perdre notre principal client, la direction se tournerait immédiatement vers:

   a.____une calculatrice.

   b.____la liste des clients.

   c.____le téléphone.

   d.____la voiture ou l'avion de la société.

9. Si ma société présentait une soumission bien préparée et peu élevée et qu'elle perdait le contrat, la direction chercherait:

   a.____des indices de sabotage.

   b.____une seconde chance.

   c.____un sauveur.

   d.____un meilleur contrat.

10. Au chapitre de l'habillement, le style de ma société s'apparente à celui de:

   a.____Simon Chang.

   b.____Aquascutum.

   c.____Levi's.

   d.____Yves Saint-Laurent.

11. Si ma société n'obtenait pas à temps des documents essentiels au respect d'une échéance, la direction (en termes de football):

   a.____décréterait un arrêt du jeu.

   b.____botterait le ballon.

c.____tiendrait un caucus.

d.____ferait une passe vers la zone de but.

12. Voici le ou les termes qui décrivent bien la ligne de conduite de ma société en matière de télécommunications:

a.____ordonnée.

b.____réseau.

c.____circulaire.

d.____intuitive.

13. Voici un cliché qui décrit bien le style de commandement de ma société:

a.____Le monde appartient à ceux qui se lèvent tôt.

b.____Tomber de Charybde en Scylla.

c.____Remuer la queue comme un chien.

d.____Aujourd'hui est le premier jour du reste de votre vie.

14. Voici un magazine susceptible de publier des articles sur ma société

a.____*La Recherche* ou un magazine professionnel.

b.____*Le Journal des affaires* ou la *Revue Commerce*.

c.____*L'Express* ou *Paris-Match*.

d.____*Entrepreneur* ou *Forbes*.

15. Quelle que soit l'heure, travailler dans mon bureau c'est comme se trouver:

a.____au Parlement.

b.____dans une cocotte minute.

c.____dans un cirque.

d.____dans des montagnes russes.

Pour calculer votre pointage: additionnez le nombre d'énoncés cochés et inscrivez-le ici: ____. Puis, faites le total des réponses de premier choix dans chaque ligne (a, b, c ou d) et inscrivez-le ci-dessous:

a.____ b.____ c.____ d.____

Si la plupart de vos choix se trouvaient en *a*, cela signifie qu'à votre avis, le style de réaction de votre entreprise s'apparente à celui du raisonneur, rationnel et organisé. Le raisonneur recueille un grand nombre de données, les analyse soigneusement et prend des mesures précises pour atteindre son but. L'organisation qui adopte cette attitude aborde le changement d'une manière soigneuse et délibérée. Lavalin, une société d'ingénierie internationale qui planifie soigneusement ses projets d'ingénierie et de construction à long terme et les ordonne d'une manière traditionnelle, est un bon exemple d'entreprise de type raisonneur.

Si vos préférences se trouvaient surtout à la ligne *b*, le style de votre société s'apparente à celui du canaliseur, l'innovateur qui recueille beaucoup de données mais qui par la suite se concentre intensément sur une approche avant de passer à une autre avec la même concentration. La société Ford qui, en 1984, ayant analysé à fond sa part du marché décroissante, se concentra intensément sur le développement de voitures aux lignes aérodynamiques comme la Taurus/Sable, illustre bien ce type.

Les réponses *c* représentent le modèle de réaction du communicateur qui consulte de nombreuses sources et associe diverses personnes au changement envisagé. Ce type d'entreprise fait souvent appel à des conseillers, effectue des recherches en marketing et se fie à l'opinion de la collectivité pour prendre des décisions concernant un changement. Pour toute décision majeure, elle consulte son service de relations publiques puisqu'elle fonde son travail sur la communication avec sa clientèle. Par exemple, Sears est un détaillant géant à l'échelle nationale qui se fie à la bonne volonté et aux commentaires de sa clientèle pour offrir une gamme toujours croissante de services de détail.

Si la plupart de vos préférences allaient à la ligne *d*, vous associez le style de réaction de votre entreprise à celui du risqueur. Ce style est caractéristique des sociétés manifestant un talent d'entrepreneur et des organisations sans but lucratif avant-gardistes qui se tiennent à la fine pointe du changement. Ces entreprises sont prêtes à courir des risques et à se préparer au changement aussi complètement que le temps le leur permet. Ce mode de réaction est clairement personnifié par les transformations rapides et habiles de MCI, cette entreprise de télécommunications dont nous parlerons plus longuement dans le prochain chapitre. Les décisions audacieuses de MCI ont entraîné le démantèlement de AT&T et donné à nombre de nouvelles entreprises l'accès aux télécommunications.

Votre grand total, que vous avez inscrit sur la première ligne ci-dessus, indique la flexibilité globale de votre entreprise. Il y a 60 réponses en tout. Tout pointage supérieur à 35 indique que les lignes de conduite de votre société sont flexibles et qu'elle a recours à bien des styles de réaction face au changement. Un total entre 25 et 35 indique que votre société possède une flexibilité moyenne et qu'outre un modèle de réaction typique, elle emploie aussi d'autres styles. Un total de 15 reflète des choix limités et une certaine inflexibilité, surtout si la plupart de vos 15 réponses se trouvent dans une seule colonne.

Évidemment, le Questionnaire sur la faculté d'adaptation au changement des sociétés est subjectif. Mais cette réflexion sur votre milieu de travail peut vous donner une nouvelle perception de votre travail. En outre, il est amusant de penser à sa société comme à une personne. Votre nouvelle vision de votre organisation peut vous aider à identifier ses forces et ses faiblesses.

Passer d'un style à l'autre en milieu de travail

Le questionnaire précédent peut également vous aider à comprendre quels styles votre entreprise devrait peut-être ajouter à son répertoire. Les entreprises les plus flexibles ont recours aux quatre styles de réaction. Et de même que les personnes adoptent tour à tour le style du raisonneur, du canaliseur, du communicateur et du risqueur, les entreprises flexibles affrontent le changement de diverses manières selon le moment et les circonstances.

L'histoire du YMCA, qui fonctionna pendant des années sur le mode rationnel et traditionnel du raisonneur, illustre bien ce passage d'un style à un autre. Fondée dans un esprit quasi religieux, cette organisation possédait une image de marque nette et saine, un nombre de membres limité et une attitude conservatrice face au changement.

Puis, pendant les années soixante-dix, les *baby-boomers* remplirent ses piscines, le nombre de ses membres augmenta de façon prodigieuse et le YMCA adopta le style du risqueur. En embauchant du personnel et des directeurs plus jeunes et plus innovateurs, le Y émergea en tête du mouvement pour la santé holistique et offrit des cours sur la danse aérobique, les régimes faibles en cholestérol et les méthodes de réduction du stress.

Une fois ces innovations et d'autres mises en œuvre, le Y adopta graduellement le style du communicateur, en acceptant une clientèle de tous âges et en sollicitant l'aide et l'avis de bénévoles. Cette décision fut des plus bénéfiques puisque le soutien financier dont bénéficiait l'organisation déclina en 1981 et que les programmes de santé gratuits entamèrent lourdement ses finances.

Aujourd'hui, à la fin des années quatre-vingt, le YMCA éprouve de nouveau la nécessité de modifier son attitude face au changement et a donc adopté le style du canaliseur. À la recherche d'un nouveau créneau mieux adapté au climat de changement qui règne actuellement dans le secteur des activités récréatives, ses administrateurs révisent l'histoire du Y et reviennent à ses objectifs et principes initiaux. Ce retour aux sources est en partie justifié par la concurrence que subit l'institution de la part des clubs de santé tapageurs, et par l'émergence d'une attitude «téléphage» et d'un style familial plus conservateur. Le Y est en train de couper dans ses services, pour se concentrer sur des programmes moins nombreux mais de meilleure qualité, en privilégiant les activités et services traditionnels qui ont fait sa réputation.

Il ne fait aucun doute que le YMCA modifiera de nouveau son style plusieurs fois à l'approche du XXIᵉ siècle. Les organisations qui survivent et prospèrent à travers les changements radicaux ou graduels sont celles qui suivent son exemple. Vous pouvez vous réjouir si vous constatez des transformations similaires dans votre milieu de travail. Vous remarquerez peut-être plusieurs modes de réaction à l'œuvre simultanément, ce qui constitue un signe encourageant de flexibilité.

En multipliant nos études, nous avons découvert, à l'instar d'autres chercheurs, qu'une attitude flexible constitue l'élément clé du succès d'une organisation. Dans le secteur de la vente au détail, «80 p. 100 de la réussite d'un représentant commercial réside dans sa sensibilité aux circonstances et dans son attitude flexible[33].»

Bien des articles et des études désignent l'ouverture d'esprit et la flexibilité comme les qualités essentielles au succès des individus et des organisations. En déterminant le quotient de flexibilité de votre entreprise au moyen du Questionnaire sur la faculté d'adaptation des sociétés, vous pourrez identifier les secteurs qu'elle pourrait améliorer afin d'assurer sa réussite future. En connaissant son mode de réaction, vous serez mieux à même de comprendre comment les qualités propres à la flexibilité que sont la *confiance*, le *sentiment d'identité*, l'*esprit d'initiative* et la *méthode d'action* s'appliquent à une entreprise.

Confiance, sentiment d'identité, esprit d'initiative et méthode

Nous avons expliqué, au chapitre 5, comment l'acquisition de ces qualités tout au long de notre vie nous rend aptes à amorcer des changements réussis. Comment Luc put surmonter la perte de sa main et embrasser la profession de ses rêves en apprenant à faire *confiance*. Comment Martin, vice-président d'une société, quitta le giron de son employeur pour trouver son *identité* à titre de promoteur de films. Comment Anna, la travailleuse diligente, cessa de se voir comme une personne d'importance secondaire et, grâce à son courage et à son *esprit d'initiative*, devint vice-présidente d'une entreprise de câblovision en alliant sa confiance en elle et dans les autres à son puissant sentiment d'identité. Enfin, vous rappelez-vous comment Martin, un jeune aristocrate, acquit une *méthode* pour mener la vie qu'il souhaitait après avoir été incarcéré dans une prison cubaine?

Ces quatre qualités sont aussi importantes pour une organisation que pour une personne. Et d'une façon similaire, chacune d'elle découle de la précédente. Tout d'abord, une entreprise doit avoir *confiance* en ses produits ou ses services et en son marché. Si vous doutez de la qualité de votre produit et de l'existence d'un marché pour ce produit, vous n'augmenterez jamais vos ventes. Mais quand une organisation a confiance en sa propre valeur, son enthousiasme est communicatif. La confiance de sa clientèle augmente en réaction à la sienne, ce qui, en retour, rehausse sa confiance en elle.

Deuxièmement, à mesure que grandit sa confiance en elle-même, l'image de l'organisation se clarifie et son *identité propre* s'établit clairement aux yeux de tous. Cette image crée un créneau commercial pour l'entreprise, stimule sa productivité et permet le développement d'une troisième aptitude, l'*esprit d'initiative*.

C'est grâce à cette qualité que les produits de l'entreprise se vendent bien, que ses profits augmentent et que le moral et la confiance de ses dirigeants culminent. La multiplication des ventes, les nouveaux produits et les initiatives brillantes que prend l'entreprise entraînent ensuite le développement de la quatrième qualité, la *méthode,* à savoir une façon systématique et fiable de s'assurer que la société continue de manifester son esprit d'initiative. Lorsqu'une qualité est entièrement maîtrisée, elle émerge dans toute sa puissance pour permettre le développement de la qualité suivante.

L'histoire de la société IBM illustre parfaitement cette interdépendance des quatre qualités qui régissent le succès global d'une entreprise. Même si elle doit son succès initial aux gigantesques systèmes informatiques qu'elle a conçus à l'intention des grandes entreprises, IBM n'en a pas moins pénétré tardivement le marché des ordinateurs personnels. Certaines entreprises bien établies auraient pu juger humiliant de passer au second rang après avoir été les chefs de file de l'industrie, mais IBM possédait confiance et flexibilité. Son puissant sentiment d'identité lui insuffla la *confiance* nécessaire pour élaborer et commercialiser un produit de qualité. Bien que la réponse des consommateurs ait été lente, IBM n'en prit pas moins les mesures (*esprit d'initiative*) nécessaires pour dominer le marché des ordinateurs personnels. Ses micro-ordinateurs et ses PC ont rapidement conquis sa clientèle, ce qui validait la *méthode* employée par IBM pour élaborer et commercialiser son produit. La maîtrise des quatre qualités essentielles à la flexibilité dont fait preuve IBM continue de porter fruit. Au début de 1988, la société annonça une percée dans le domaine des puces informatiques. Elle mit au point des puces rapides permettant d'accéder aux données beaucoup plus rapidement. Bien que la tendance depuis des années ait été de produire des puces plus petites, capables de contenir de plus en plus de données, IBM réussit à devancer ses concurrents en mettant l'accent non plus sur la taille mais sur la vitesse.

Les entreprises plus démunies face au changement trouvent sans doute très difficile d'apporter des modifications majeures à la production et au marketing de leurs produits.

En lisant l'histoire de certaines personnes dans les chapitres précédents, vous avez vu comment chaque qualité découlait de la précédente. Lorsqu'une étape du développement est escamotée ou n'est pas accomplie de façon satisfaisante, cela nuit à l'étape subséquente. L'esprit humain a des manquements lorsque les qualités cruciales que sont la confiance, le sentiment d'identité, l'esprit d'initiative et la méthode ne sont pas maîtrisées. De même, lorsqu'une entreprise présente plusieurs petites lacunes psychologiques ou une lacune majeure, cela nuit à sa capacité d'apporter des changements réussis. L'entreprise consacre alors beaucoup de temps, d'énergie et d'argent à combler ses lacunes plutôt qu'à effectuer des changements productifs. Voici des exemples illustrant cela.

Confiance

Lorsqu'une entreprise est à ses débuts, sa principale tâche consiste à développer sa confiance: confiance en ses clients, entre la direction et le personnel, et entre les employés, confiance dans le marché et dans ses produits ou services. Une société dépourvue de cette qualité ne peut presque pas progresser.

L'acquisition en 1982 de Concepts Vidéo, un détaillant ayant joué un rôle de pionnier dans le domaine de l'équipement vidéo, par Vidéogie, l'un des plus importants détaillants du pays, illustre bien ce principe. En deux ans, le nombre de magasins de Concepts Vidéo était passé de 8 à 75 sous la direction créative d'un ambitieux vendeur de trente-cinq ans, du nom de Laurent, qui, faisant fi des contrôles financiers, avait fait faire un prodigieux bond en avant à l'entreprise. Quêtant et empruntant à gauche et à droite, Laurent espérait ouvrir des magasins dans toutes les grandes villes du pays, damant ainsi le pion à tous ses concurrents. Vidéogie put aisément lui fournir les capitaux nécessaires à son expansion puisqu'elle avait accès aux marchés des capitaux et possédait une grande connaissance de la vente au détail acquise grâce à la lente implantation d'une chaîne de 1200 pharmacies.

Mais le mariage des deux entreprises chancela tout de suite après la lune de miel en raison, en grande partie, d'un manque de confiance. Le P.d.g. de Vidéogie imposa de rigides contrôles des stocks, l'utilisation de détecteurs de mensonges et la vérification de l'exactitude du bilan dans *tous* les magasins de détail, y compris ceux de Concepts Vidéo. En outre, il abhorrait le style fanfaron et expansionniste de Laurent. Comment pouvait-il faire confiance à Concepts Vidéo, alors que les factures n'étaient pas réglées promptement, que les employés portaient des insignes différents et que l'inventaire des stocks ne reflétait pas les chiffres du grand livre? Et comment Laurent pouvait-il faire confiance à Vidéogie lorsqu'elle retardait le déblocage des fonds nécessaires à l'expansion et à la signature des baux des nouveaux édifices, risquant ainsi de réveiller ses concurrents endormis avant d'avoir organisé la mise en marché de ses produits?

Il n'y avait aucune confiance. Le P.d.g. de Vidéogie congédia Laurent. Faute de pouvoir faire prospérer Concepts Vidéo, il vendit l'entreprise à perte. Imaginez ce qui serait arrivé si le P.d.g. et Laurent avaient apprécié l'apport de chacun dès le début. S'ils avaient pu combiner leurs aptitudes, liées chez l'un au cerveau droit et chez l'autre au cerveau gauche, leur force financière et leur génie en matière de marketing, et les mettre au service de la chaîne la plus prospère d'équipement électronique de tout le pays. S'ils avaient développé la confiance de leur clientèle dans leurs produits et leur approche en marketing. Les deux entreprises auraient-elles pu dominer le marché de l'équipement électronique qui connaît aujourd'hui une vogue extraordinaire?

Sentiment d'identité

La deuxième qualité essentielle au développement d'une entreprise est le *sentiment d'identité*. En ce qui touche les affaires, cela signifie qu'une entreprise s'identifie fortement à un produit ou à un service précis. Elle est bien connue de ses clients et de ses fournisseurs, et sa position est claire par rapport à ses concurrents. Un sentiment d'identité confus ou biaisé nuit à la capacité d'une société d'établir ou d'atteindre ses buts, et peut influencer la détermination et le moral de sa direction et de son personnel ainsi que, ultimement, ceux de sa clientèle. Il importe aussi que les différents services de la société possèdent un sentiment d'identité propre tant pour le moral des employés que pour les aider à connaître leur rôle précis au sein de l'entreprise.

De même, un organisme sans but lucratif doit connaître sa position sur le marché. Sinon comment peut-il connaître sa clientèle cible, les besoins de celle-ci et ce qui le distingue de ses concurrents? Les termes «concurrents» et «marché» peuvent sembler inappropriés dans le cas de ces organismes. Toutefois, il est particulièrement nocif pour les groupes d'action bénévole de ne pas clarifier leurs buts, leur utilité et leur place. Même les universités et les orchestres symphoniques évoluent dans un milieu compétitif et doivent posséder un clair sentiment d'identité.

Ainsi, le collège Suffolk traversa plusieurs crises d'identité au cours de ses trente-cinq années d'existence. Établi dans une métropole à titre d'annexe à l'université Suffolk, située dans une petite ville avoisinante, le collège se développa au rythme de la ville qu'il desservait et devint une institution à part entière apte à décerner des diplômes. Aujourd'hui, cependant, la plupart des résidents et des étudiants l'appellent encore l'«annexe».

Le fait que la petite ville universitaire de Suffolk abrite également une prestigieuse école privée vint compliquer encore davantage la crise d'identité du collège Suffolk. Les deux institutions portent le nom de Suffolk, mais l'école privée est plus connue. La confusion qui résulte de cette situation influe sur le moral du personnel, des professeurs et des étudiants.

Pire encore, alors que les études supérieures gagnaient en popularité dans les années soixante-dix, le gouvernement fit construire un collège communautaire à coté du pauvre collège Suffolk qui partage avec lui ses salles de cours, son stationnement, ses aires récréatives et sa bibliothèque. Ce mariage forcé contribue à rendre les relations entre les professeurs, le personnel et les étudiants plutôt tendues. Qui plus est, le collège Suffolk souffre d'être confondu avec son jeune et prétentieux concurrent, et la plupart des gens croient que les édifices conçus pour servir aux *deux* institutions appartiennent au collège communautaire.

Récemment, une équipe de direction orientée vers le marketing a lancé une campagne de publicité et de relations publiques visant à clarifier l'image et à consolider l'identité du collège Suffolk. On peut espérer que bientôt, étudiants et employés seront fiers de l'enseignement supérieur dispensé par le collège et moins agressifs à l'égard du collège communautaire avec lequel il partage ses locaux et de l'école privée qui porte le même nom.

Esprit d'initiative

La troisième qualité, l'esprit d'initiative, permet à l'organisation de gérer, de produire et de prendre des décisions d'une manière expéditive.

Comme c'est le cas pour l'être humain, l'aptitude d'une entreprise à prendre les mesures appropriées au moment propice dépend fortement de ses expériences antérieures en ce qui concerne la confiance et le sentiment d'identité. Les entreprises confrontées à un changement comme une récession doivent être capables de prendre des mesures efficaces plutôt que de s'immerger dans des pseudo-changements qui mineront leur énergie.

Une organisation qui a confiance en elle et possède un puissant sentiment d'identité est capable de prendre les mesures qui s'imposent et pas uniquement lorsque cela est facile. Par contre, celle qui est dépourvue de cette confiance et de ce sentiment d'identité aura tendance à «réarranger les fauteuils» lorsqu'elle affrontera un problème nécessitant une action prompte.

L'exemple que voici illustre cette inefficacité. Il s'agit d'une chaîne de restaurants créée par un couple qui l'agrandit petit à petit pendant vingt ans en adaptant les services offerts aux besoins des voyageurs et en offrant à ses employés des programmes progressifs de formation axés sur le service à la clientèle. Comme pour bien d'autres entreprises privées, la croissance de cette entreprise reflète celle de son principal actionnaire, Gérard, fils des fondateurs de la société. Malheureusement, cette croissance fut retardée par un manque de confiance et de sentiment d'identité.

Parce qu'ils voulaient en faire un pianiste de concert, les parents de Gérard le tinrent toujours à l'écart des affaires familiales. En tirant quelques ficelles, ils l'inscrivirent dans une prestigieuse école de musique, même s'il aurait préféré poursuivre des études commerciales dans sa région. Ses parents applaudissaient ses efforts en musique plutôt que l'intérêt qu'il témoignait à leur entreprise. Même s'il aimait la musique et était assez bon musicien, Gérard n'avait pas l'étoffe d'un concertiste et il le savait fort bien. Mais plutôt que de décevoir ses parents, il persévéra dans un domaine qui ne lui convenait pas. Ses parents le chassaient des cuisines du restaurant et du bureau des ventes en lui rappelant qu'il était musicien et non plongeur. Il étudia la comptabilité, mais n'eut jamais accès aux livres de l'entreprise familiale ni ne put discuter affaires avec ses parents. Bref, il ne développa jamais sa confiance en ses aptitudes de gestionnaire ni un sentiment d'identification avec le restaurant.

Les parents de Gérard sentaient que la réussite de leur entreprise dépendait de leur présence à la barre. Ils ne pouvaient pas prévoir qu'ils mourraient dans un accident de bateau, laissant Gérard, encore dans la vingtaine, seul avec les restaurants. Pas plus que Gérard n'était préparé à faire le nécessaire pour prendre la tête d'une chaîne de restaurants minute tentaculaire. Il faut souligner à son honneur qu'il endossa ses responsabilités avec beaucoup de cran mais qu'il était, et demeure, quatorze ans plus tard, mal à l'aise dans le rôle de président-directeur général.

À une époque où les restaurants doivent trouver de nouvelles façons de fonctionner dans une économie serrée et changeante, la capacité d'agir, d'écouter, d'observer et de prendre des décisions réfléchies est essentielle. Pour répondre aux besoins changeants des voyageurs, les concurrents de Gérard ont mis sur pied des services spéciaux comme les mets à emporter. Même les restaurants minute les plus simples ont inclus des mets hypocaloriques et des pâtes à leur menu. Mais plutôt que de les imiter, Gérard s'est contenté de multiplier les pseudo-changements touchant le personnel et les organigrammes.

Un jour il a décidé d'engager un directeur d'exploitation afin de se libérer pour trouver de nouveaux emplacements et élaborer de nouveaux services; l'idée était bonne mais il ne put la mettre à exécution. Au cours des huit dernières années, Gérard a engagé pas moins de cinq nouveaux directeurs d'exploitation mais ne leur a jamais conféré l'autorité nécessaire pour diriger les opérations.

Gérard affirme vouloir un directeur du marketing et des gérants forts et talentueux, mais écarte toute personne tant soit peu innovatrice. Il ne fait pas confiance à ses gérants pour prendre des décisions conformes aux visées de ses parents. Il organise des réunions de formation, des consultations avec les universités et des voyages en vue d'assister à des congrès sur la restauration. À chaque réunion, il arrive et part comme une flèche. Il lui manque la confiance en soi et le sentiment d'identité d'un entrepreneur.

Gérard affirme que son entreprise est une chaîne innovatrice qui multiplie ses restaurants et ses services, et diversifie ses méthodes de marketing. Mais l'énorme somme de temps et d'énergie qu'il consacre aux pseudo-changements l'empêche d'effectuer des transformations authentiques et productives. Ces mesures ne servent qu'à soulager son anxiété ainsi que son manque de confiance en lui et de sentiment d'identité.

L'histoire de Gérard démontre que l'absence d'une seule qualité essentielle à la flexibilité met en danger la souplesse et la santé de la personne ou de l'entreprise. Gérard n'a jamais appris à se faire confiance, que ce soit comme musicien ou comme gestionnaire. En outre, il ne connaissait pas suffisamment l'entreprise familiale pour faire confiance à son personnel et aux méthodes déjà établies. Sans confiance et sans véritable sentiment d'identité, ses initiatives étaient inappropriées et nocives. Comme l'entreprise se détériorait sous son emprise, il a paniqué et s'est mis à effectuer des changements frénétiques dans l'espoir de renverser la vapeur. Mais il a pris une

mauvaise pente. Non soutenues par les deux premières qualités, ses initiatives sont éparpillées. Il semble effectuer chaque
tâche pour la première fois parce qu'il n'a jamais acquis une
méthode fiable et efficace pour que son entreprise demeure
flexible au sein d'un milieu changeant.

Méthode d'action

Le succès de la quatrième qualité, la *méthode*, repose lourdement sur les trois premières. Les personnes et les organisations
acquièrent une méthode en développant pleinement leur
confiance, leur sentiment d'identité et leur esprit d'initiative,
puis en intégrant ces qualités dans une méthode d'action vraiment efficace.

On comprend qu'une personne puisse se tirer d'affaire
dans la vie sans élaborer de méthode d'action. Comme les individus sont souvent protégés par leur famille, leurs amis et les
circonstances, ils s'en tirent parfois même s'ils sont dépourvus
de cette qualité. On pourrait croire qu'aucun mécanisme similaire de protection n'entre en jeu dans le cas des organisations,
mais une petite incursion rapide sous la surface met au jour
plusieurs possibilités. Certaines entreprises sont mises sur
pied à un moment où leur succès est assuré, peu importe les
lacunes de leurs méthodes.

Par exemple, après la Deuxième Guerre mondiale, les
biens de consommation étaient si rares que n'importe quel
fabricant ou presque était sûr de réussir. Il arrive aussi qu'une
société qui fabrique un produit breveté ou exploite un créneau
encore vierge survive malgré l'absence de méthodes organisa-
tionnelles.

Mais pour bénéficier d'un succès constant, une organisation doit posséder une méthode éprouvée, qui repose sur une
base solide de confiance, de sentiment d'identité et d'esprit
d'initiative. C'est le cas de l'entreprise dont nous allons parler
maintenant, dont la manière d'aborder le changement est aussi
souple que les produits qu'elle fabrique — courroies d'automobile et tuyaux souples.

Depuis les débuts de la société, il y a de cela plusieurs
décennies, sa méthode a consisté à s'attacher une main-
d'œuvre loyale et stable afin d'offrir des produits fiables et de
qualité à sa clientèle. Dès le départ, elle offrait des avantages
sociaux inégalés, ce qui lui attira des employés solides et
fiables.

La société entretenait aussi des relations personnalisées avec ses employés par le truchement de cartes d'anniversaire, de soirées de Noël et de services sociaux comme une clinique médicale et des cours de conditionnement physique. Elle continua d'améliorer sa méthode au fil des ans, en mettant l'accent sur les façons de conserver son personnel et d'offrir les meilleurs produits et services à sa clientèle. Cette méthode était efficace et elle l'est encore.

Autrefois, il y a de cela trois générations, l'usine se dressait dans un pâturage plat et desséché. Aujourd'hui, elle est entourée d'une autoroute, d'un élégant centre commercial abritant des boutiques de vêtements de couturiers, d'un secteur résidentiel et d'un district commercial rénové.

L'entreprise, dirigée par une dynastie familiale, s'est peu à peu étendue et n'a connu que deux P.d.g. en soixante-dix-sept ans. Elle projette une image de confiance auprès de la collectivité et a un sentiment d'identité bien établi.

Cette croissance se changea en déclin lorsque l'industrie de l'automobile subit des revers à la fin des années soixante-dix. Les fameuses courroies de ventilateur et les pneus fabriqués par l'entreprise n'étaient plus en demande. Les employés aussi avaient changé pour faire place à une nouvelle génération de travailleurs qui accordaient plus d'importance à la diversité des tâches et aux défis personnels qu'aux cartes de souhait et aux programmes de santé. En réaction à ce changement, Charles, directeur de la deuxième génération, examina les options qui s'offraient à lui pour s'adapter à cette nouvelle économie et à ce nouveau type de travailleurs. La direction parvint au consensus suivant: elle devait «diversifier ses produits et ses marchés et embaucher quelques gestionnaires plus audacieux».

Pour ce qui est de la première option, l'entreprise n'y alla pas de main morte! Elle prit des mesures qui venaient compléter sa méthode. Elle se lança dans l'aménagement de terrain, la production de micro-ordinateurs, de jets Lear, et toute une panoplie d'autres activités. Il est probable que ces mesures lui épargnèrent la faillite que connurent bien des entreprises reliées à l'automobile pendant la récession du milieu des années soixante-dix.

Aujourd'hui, la société a entrepris des changements encore plus vastes. «Ce qui était efficace hier ne le sera pas nécessairement demain. Nous avons écouté nos clients et modifié certains plans, d'affirmer Charles. Ainsi, nous construi-

sons actuellement de petites usines juste à côté des usines de
notre client de manière à nous adapter à son système de stockage au moment adéquat. Et nous avons acheté Uniroyal, qui
nous fournit les courroies synchrones.»

En outre, la société implante des usines dans d'autres
pays afin de contrebalancer les fluctuations du dollar. Elle a
acquis deux grandes usines en Espagne afin de mieux répondre aux besoins de sa clientèle européenne. Elle se
concentre de nouveau sur ses forces: elle limite sa production
aux pièces d'automobile, un commerce qui a fait sa réputation
et qu'elle connaît bien. Elle a vendu ses programmes de santé à
une compagnie d'assurances de façon que ses gestionnaires ne
s'éparpillent pas dans des domaines étrangers à leur expertise.

«Le changement le plus ardu a sans doute été de déménager toute notre production à l'extérieur du pays, avoue Charles.
Bien sûr, nos services de recherche et de développement, de
marketing, d'administration ainsi que notre siège social demeurent ici, mais il fut un temps où nous employions 20 000
personnes alors que nos effectifs sont maintenant réduits à
2 500 personnes. Mais pour survivre dans le type de marché
global et changeant que nous connaissons aujourd'hui, mieux
vaut ne pas trop s'alourdir. Nous devons répondre rapidement
aux besoins de notre clientèle et il nous faut pour cela être
proche d'elle. En outre, nous demeurons flexibles et effectue-
rons d'autres changements le moment venu.

«Ce qui importe le plus, c'est que nous avons acquis cette
souplesse grâce à une méthode éprouvée, axée sur la conservation d'une main-d'œuvre qualifiée et loyale, qui, malgré le
nombre limité d'employés et leurs motivations différentes, n'en
offre pas moins les meilleurs produits et services possibles à
notre clientèle.»

L'entreprise de Charles a pleinement maîtrisé les aptitudes
essentielles à une croissance normale pendant les nombreuses
fluctuations subies au cours des cinquante dernières années,
et c'est pourquoi elle a pu instaurer des changements efficaces.

Le contraste entre cette entreprise et la chaîne de restaurants dont nous avons déjà parlé démontre clairement la différence entre le changement productif et le pseudo-changement.
Il illustre également comment la confiance, le sentiment d'identité, l'esprit d'initiative et la méthode d'action peuvent conférer
de la souplesse à une organisation. Les deux entreprises ont
affronté des changements. Mais la première s'enlise et décline
tandis que la seconde est en plein essor grâce à sa flexibilité,

fondée sur la confiance, le sentiment d'identité, l'esprit d'initiative et la méthode d'action.

La flexibilité des entreprises

Dans quelle mesure l'entreprise de Charles est-elle typique? La plupart des entreprises possèdent-elles la même flexibilité? Il est clair que celles qui ont survécu aux récentes fluctuations de l'économie le sont. Même les sociétés possédant un capital illimité ont dû manifester une grande souplesse pour supporter les changements décisifs qui ont caractérisé le milieu des années quatre-vingt.

Malgré cela, certaines organisations ont survécu accidentellement, titubant d'une réaction à l'autre, réussissant parfois en raison de l'incompétence encore plus grande de leurs concurrents. Cette incompétence et cette confusion sont profondément troublantes. Aux États-Unis, les gens attendent beaucoup d'eux-mêmes et de leurs institutions, et sont profondément ébranlés par la disparition de nombreuses organisations vénérables et la perte de leur prédominance économique mondiale. (L'embargo pétrolier leur a fait comprendre à quel point ils étaient dépendants d'autres pays, beaucoup plus petits. La crise perpétuelle du Moyen-Orient leur rappelle constamment l'existence du terrorisme et de la guerre. La concurrence étrangère leur montre qu'ils ne possèdent pas une suprématie économique divine. Et même l'environnement leur dit que leurs ressources sont limitées et que la Terre pourrait devenir inhabitable.) Bien que les États-Unis aient été fondés sur le principe de la flexibilité (comme en témoigne leur système d'équilibre des pouvoirs), les Américains ont été «gâtés» tellement longtemps que les changements qui surviennent au sein des organisations leur semblent menaçants et déprimants.

Mais à mesure qu'elles s'adaptaient à leurs pertes, les entreprises américaines commençaient à se relever. Ce qui n'était, au début, qu'une simple réaction permettant de survivre face aux changements radicaux s'est transformé en changement réfléchi et voulu. Il apparaît évident aujourd'hui que les entreprises américaines ont compris le message et possèdent la flexibilité essentielle pour effectuer les changements nécessaires. Voici les indices qui ont reflété cette hausse de leur faculté d'adaptation au cours des dernières années.

- Au début des années quatre-vingt, bien des sociétés ont ouvert des usines au Japon, en Corée et à Taiwan pour profiter de la main-d'œuvre bon marché et de l'ingérence minimale des gouvernements dans les questions liées au travail. Selon le magazine *Forbes*, le Conference Board et le département du travail, entre autres, cette tendance s'est modifiée vers la fin des années quatre-vingt. Non seulement les entreprises ramènent leur production et leurs emplois chez elles mais les Japonais ouvrent des usines aux États-Unis.

- Les entreprises qui mettaient autrefois l'accent sur les méthodes traditionnelles de fabrication adoptent aujourd'hui une technologie hautement complexe.

- L'économie américaine est passée du gros au petit. Les petites entreprises fournissent 70 p. 100 des emplois. L'entrepreneuriat n'a jamais été aussi élevé, et les femmes qui possèdent des entreprises sont deux fois plus nombreuses qu'il y a 10 ans. Les grandes sociétés ont dû réduire leur taille et ne s'en sentent que mieux, comme une personne qui aurait suivi un régime. Cet «amaigrissement» leur permet de fonctionner avec une efficacité maximale. Les responsabilités, les lignes hiérarchiques et les objectifs sont plus clairs dans les petites entreprises et le sentiment d'engagement plus fort.

- Les conglomérats ne sont plus à la mode, la spécialisation l'est. Les entreprises peuvent se concentrer sur leur domaine d'excellence.

- Les grandes entreprises sont passées de l'intégration verticale à l'intégration horizontale afin d'épargner au titre des investissements en capital. Par exemple, au lieu de posséder et de gérer tous les aspects d'une entreprise, elles font appel aux services de conseillers indépendants et aux produits spécialisés de petites entreprises. Elles réalisent des économies supplémentaires grâce au système de stockage au moment adéquat qui leur permet de diminuer les coûts d'entreposage des pièces et de l'équipement. De plus, le partage des employés d'autres entreprises diminue leurs frais généraux en réduisant, par exemple, le nombre d'employés admissibles aux prestations à long terme.

- Les petites sociétés demeurent flexibles grâce à un processus similaire, l'approvisionnement à l'extérieur de l'entreprise, qui leur permet d'échanger leurs experts avec d'autres entreprises et de demeurer à la fine pointe du progrès sans devoir investir des sommes énormes.
- Les multinationales se multiplient. En règle générale, lorsque la valeur du dollar baisse, celle du mark ou du yen augmente. Lorsque les coûts de production augmentent à un endroit, ils baissent ailleurs. Le fait d'avoir des bureaux à plusieurs endroits dans le monde permet aux entreprises de conserver une certaine souplesse financière.
- Les entreprises apprennent à travailler selon des cycles de production plus courts. Le temps écoulé entre la naissance et la mort d'un produit est extrêmement court. Les gestionnaires flexibles planifient à long terme mais intègrent des produits dont le cycle est court dans leurs plans. Pour citer le P.d.g. de la plus importante entreprise de jouets au monde: «Nous devons pouvoir nous arrêter pile en cas de problème.» Même en l'absence de problèmes, cette agilité est essentielle à toute entreprise capable de réagir aux goûts rapidement changeants des consommateurs.

Les entreprises solides sont conscientes que toutes ces tendances peuvent encore changer. Elles savent que rien n'est éternel, sauf le changement lui-même. Elles l'accueillent et s'y préparent. Il est réconfortant de voir que les entreprises sont à la hauteur du défi que présentent les temps changeants que nous vivons.

Lorsque nous avons commencé la rédaction du présent ouvrage, nous espérions trouver ici et là parmi nos clients des exemples susceptibles d'illustrer notre thèse concernant le changement et les organisations. Au lieu de cela, nous avons rencontré bien des membres d'entreprises, d'agences et d'institutions qui réagissaient et s'adaptaient aux changements ou en amorçaient avec beaucoup de flexibilité. Mais nous n'avions jamais espéré trouver chez *une seule* entreprise toutes les caractéristiques de la flexibilité «idéale» . Lisez donc le chapitre suivant, qui présente l'ultime organisation flexible et son chef.

Chapitre 14

Stratégies d'une
entreprise flexible

Songez un instant à une famille: le père, la mère, plusieurs
enfants, et peut-être un oncle ou une grand-mère. Imaginez
que vous appartenez à ce groupe et partagez son toit pendant
une certaine période. Maintenant, supposez qu'un travailleur
social se présente chez vous, retire une personne et la remplace
par une autre en disant: «Nous avons trouvé un merveilleux
foyer pour lui et vous adorerez le nouveau venu.»

Réfléchissez quelques instants à la scène; quelles émotions ressentez-vous et que vivent vos proches? Qu'éprouveriez-
vous face à cette substitution et au travailleur social? Quels
seraient vos sentiments si on vous demandait de céder votre
chambre à coucher au nouveau venu?

Comment vous et les membres de votre famille réagiriez-
vous? Assez mal sans doute. Si vous étiez la personne qui part,
vous tomberiez sans doute malade. Si vous demeuriez dans la
famille, vous regretteriez sans doute le membre perdu et hésite-
riez à faire une place au nouveau, surtout s'il est exigeant ou
crée des problèmes.

Maintenant changez votre perspective et imaginez ce que
vous ressentiriez si vous aviez toujours connu de tels changements chez vous. Supposez que votre famille accueille des invités talentueux et intéressants pendant de longues périodes.
Que vous participez à des échanges culturels entre étudiants
ou accueillez chez vous des orphelins dont vous adorez la
compagnie. Que vos tantes, cousins et grands-parents préférés
effectuent souvent un séjour chez vous. Que vos frères et
sœurs reviennent et repartent sans cesse pour le collège,

l'Europe, l'armée. Dans un environnement familial où le changement est courant, intéressant et excitant, vous pourriez *accueillir avec plaisir* le changement décrit en début de chapitre.

Lorsqu'on est habitué au changement et qu'il a toujours été gratifiant et bénéfique, on est beaucoup plus susceptible de l'apprécier. Il en est de même pour une entreprise. Plus un bureau ou une usine connaît des changements stimulants et gratifiants, plus elle a de chances d'être productive, flexible et positive. La clé consiste à trouver un moyen de maintenir un climat ouvert au changement productif, un climat dans lequel le travail est agréable, le changement courant et la flexibilité de mise en tout temps!

Richard, président de MCI, une entreprise de télécommunications, a réussi à créer un tel climat. Lorsqu'on pénètre dans les bureaux de la société, on ressent tout de suite le climat amical, la joie de vivre et l'ouverture qui y règnent. Peut-être est-ce dû au chaleureux accueil de Richard, dont la porte est toujours ouverte. Celui-ci a inculqué à son entreprise la flexibilité. Cette qualité lui a permis d'affronter des changements radicaux, de s'adapter à des transformations plus graduelles et d'amorcer des changements productifs au cours de son essor.

Nous avons remarqué que les sociétés prospères utilisent diverses façons d'affronter les différents types de changement (imposés, graduels, amorcés) et cela n'est nulle part ailleurs aussi évident qu'au sein de MCI. Tout dans sa structure, dans son atmosphère et dans son fonctionnement respire la flexibilité. Les techniques employées ici pour affronter le changement ne s'appellent pas «perte», «immersion», «sondage» ou «substitution» et pourtant elles sont toutes en usage.

Bien que connaissant le défi historique relevé par MCI pour briser le monopole des télécommunications de AT&T, nous n'étions pas conscientes des rapports entre MCI et notre thème lorsque l'entreprise nous a engagées à titre de conseillères. Aux séminaires que nous avons donnés dans l'une de ses divisions, et plus tard devant un groupe de réflexion et au siège social, nous avons fait la connaissance d'une pléthore de cadres, de gestionnaires, de superviseurs et d'employés de soutien qui nous ont donné un aperçu de la méthode d'action de l'entreprise. En en apprenant davantage sur cette société, nous avons découvert des expériences démontrant que la flexibilité est véritablement la clé du succès en situation de changement. En lisant ceci, vous découvrirez les bornes de la flexibilité qui ont jalonné la route de MCI vers le succès.

Réagir face au changement

Un changement imposé provoque toujours un malaise parce qu'il entraîne une perte. Même s'il est perçu comme un pas en avant, on éprouve un sentiment de perte. Si on obtient une promotion, on perd le confort de son ancien poste. Lorsqu'on remporte une victoire, on perd l'excitation que suscitait la lutte. Au chapitre 9, nous avons décrit la technique de la perte qui consiste à traverser une période de deuil afin de pouvoir saisir l'occasion unique que cachait cette perte.

Les entreprises connaissent des chagrins aussi profonds que les individus, et les plus sages reconnaissent ce fait et y font face. Ainsi, lors de la fermeture d'usines, certaines entreprises organisent de fausses funérailles afin d'aider les employés à accepter cette perte. D'autres tiennent des fêtes spéciales après de sévères réductions de personnel. À la suite d'une faillite ou d'une restructuration, certaines entreprises invitent leurs membres à participer à des séances de thérapie de groupe afin de les aider à affronter leur peine.

MCI avait déjà largement entamé sa vingtième année d'existence lorsqu'elle a connu une grande perte, qui se révéla sensationnelle! En 1986, l'entreprise perdit 448 millions de dollars. Puis, Richard, son fondateur et P.d.g., fit un infarctus si grave qu'il dut subir une greffe cardiaque.

Richard s'était battu vers la fin des années soixante et au cours de la décennie subséquente pour briser le monopole des liaisons téléphoniques interurbaines de AT&T. Après avoir scruté les règlements gouvernementaux pendant des années et affronté l'attitude je-m'en-foutiste du public, il acquit finalement le droit d'offrir un service de communication interurbaine au grand public en 1978. MCI bénéficia également d'un rabais de 55 p. 100 sur les liaisons interurbaines afin de compenser pour les années où AT&T en avait détenu le monopole.

Ce règlement et d'autres règlements gouvernementaux finirent par entraîner le désinvestissement d'AT&T et marquèrent le début de la concurrence libre parmi plusieurs entreprises téléphoniques. MCI réalisa de gros profits jusqu'en 1986, année où elle perdit son rabais de 55 p. 100. Au même moment, sa principale concurrente réduisit le taux de ses appels interurbains, ce qui plaça MCI dans une situation de double contrainte: il lui fallait affronter une augmentation de ses dépenses et couper ses prix pour demeurer concurrentielle. Pour ce faire, elle réduisit son personnel de 15 p. 100 et coupa ses dépenses en capital de 100 millions de dollars. Perte, perte, perte. Puis, quatre jours avant Noël, elle subit un second coup: Richard fit un infarctus presque fatal. Chagrin, chagrin, chagrin.

«Nous étions tous ébranlés à l'idée d'essayer de travailler sans notre P.d.g., un homme gai et plein d'entrain, se rappelle un employé. Nous étions là à nous battre contre AT&T, contre une demi-douzaine de concurrents et une économie imprévisible, et voilà qu'on nous enlevait notre P.d.g. Nous avons traversé toutes les étapes d'un profond chagrin.»

Premièrement, la *négation*: «Ce n'est pas si terrible, il nous reviendra dans une semaine ou deux», se disaient les employés. Et pour masquer leur véritable inquiétude, ils blaguaient à propos de son récent mariage: «Tout ce travail nocturne était trop lourd pour lui.»

Deuxièmement, la *colère*: «Pourquoi fallait-il que cela lui arrive au moment où nous avons le plus besoin de lui?»

Troisièmement, la *négociation*: «S'il peut s'en tirer cette fois, nous ne le laisserons plus jamais se surcharger de travail.»

Quatrièmement, la *dépression*: «Peut-être que la lune de miel est finie... c'est peut-être un signe que nous glissons vers le bas de la pente comme la santé de Richard.»

Et enfin, l'*acceptation*: «Rien ne sera plus jamais comme avant. Il nous faudra exécuter bien des tâches sans lui.»

Mais comme pour la plupart des incidents qu'affronta l'entreprise, la période de chagrin fut brève et le deuil se termina rapidement parce qu'un système flexible avait permis et même encouragé l'expression du chagrin avant de changer cette perte en gain.

Si l'entreprise s'adapta rapidement à l'absence de son P.d.g. et à la nécessité de réduire ses dépenses, elle le doit en partie à un programme élaboré par Richard en 1980, qui permettait aux cadres retraités d'exercer les fonctions de conseillers auprès de la compagnie aussi longtemps qu'ils le voulaient.

Parmi ces cadres figurait Léon, ancien président de la société, qui avait pris sa retraite deux ans plus tôt à l'âge de soixante-cinq ans. À la mort de sa femme, Léon avait recommencé à travailler pour la société à temps partiel. «Au moment de la maladie de Richard, Léon était au courant de tout et put rapidement endosser le rôle de coprésident. Je dis «co» parce que Richard était toujours présent parmi nous; il nous communiquait ses idées et son énergie depuis son lit d'hôpital», d'affirmer un cadre.

Mais l'année qui suivit ne fut pas de tout repos pour Richard et la société. Les profits de la société continuèrent de décliner de même que la santé de Richard.

Au début, sa convalescence suivit un cours normal. Il revint chez lui vers la fin de janvier et demeura en contact avec le bureau par le truchement du courrier électronique. Il observa à la lettre les consignes de son médecin: ne pas fumer, surveiller son régime alimentaire et participer à un groupe d'exercice pour cardiaques convalescents. Il remarqua bien vite toutefois que si ses camarades d'exercice semblait recouvrer rapidement la santé, il en allait tout autrement de lui-même. Au lieu de cela, il perdait du poids, son énergie et son appétit. C'est alors qu'il commença d'envisager la possibilité de subir une greffe du cœur.

«Je ne répondais à aucun critère, dit-il en riant. J'étais trop vieux, trop mou et trop abîmé. En outre, les médecins ne croyaient pas obtenir un cœur à temps.» Mais Richard avait vu pire.

Deux mois plus tard, la greffe eut lieu. Au bout de six mois, il était de retour au travail, mais son attitude avait changé. Au lieu de travailler 70 heures par semaine, il se limitait à 40 heures et partageait ses responsabilités avec Léon. Les deux hommes étaient véritablement des coprésidents. Aujourd'hui, tout va pour le mieux dans le meilleur des mondes pour Richard et MCI. Le premier pense que son absence de six mois a été bénéfique sous tous les aspects. Il la décrit d'une manière modeste et réaliste qui est typique chez lui: «Ils s'y sont habitués et je m'y suis habitué.»

Aujourd'hui, le moral et l'énergie de l'entreprise ont atteint des niveaux maximaux. Les employés ont affronté avec succès deux changements radicaux et y ont très bien survécu. Ils ont encaissé leurs pertes et en sont sortis plus forts. Comme l'écrivait un analyste financier: «MCI était l'enfant de Richard T. Lorsque celui-ci tomba malade, ses enfants grandirent et allèrent à l'école. À son retour, il trouva une entreprise plus mûre, plus disciplinée et plus responsable et cela se reflète dans son contrôle des coûts amélioré, sa façon disciplinée de pénétrer les marchés, l'augmentation de ses recettes et la croissance de son revenu[34].»

Styles de réaction et persévérance

Les styles de réaction de Richard et de Léon face au changement favorisent grandement la nouvelle attitude de Richard et la réussite continue de MCI.

En termes de facteur de flexibilité, Richard est un risqueur et un communicateur. Il consulte toutes sortes de gens, puis intègre les données ainsi recueillies pour former d'audacieux concepts. C'est un chef intuitif doté d'un grand charisme. Quant à Léon, il apporte l'équilibre apaisant d'un raisonneur et d'un canaliseur. Il est calme et réservé comparé à Richard, mais agit avec la conviction et la confiance que lui confèrent ses solides connaissances techniques et son expérience en matière de gestion. Léon est un ingénieur qui fonde ses décisions sur des faits et des chiffres détaillés. Bien que ses actions soient aussi audacieuses que celles de Richard, elles sont aussi très réfléchies.

La répartition des tâches entre les deux hommes convient parfaitement à leurs modes différents de réaction: Richard s'occupe du développement organisationnel et de toutes les questions relatives aux finances, aux règlements et aux affaires publiques, qui requièrent toutes les aptitutes avant-gardistes et persuasives du risqueur et du communicateur. Quant à Léon, il supervise les opérations de marketing, l'ingénierie, les travaux sur le terrain et les budgets, mettant ainsi à contribution la capacité d'analyser et de planifier, et la discipline propres au raisonneur et au canaliseur.

Cet équilibre entre les styles de réaction de Richard et de Léon a aidé l'entreprise à survivre aux changements radicaux qu'elle a affrontés récemment et à prospérer, une fois passée l'étape du développement initial. D'entrée de jeu, les deux hommes ont apprécié les talents de chacun. Comparez leur expérience à celle du P.d.g. de Vidéogie et de Laurent, les entrepreneurs qui voulaient commercialiser la location de vidéo. Laurent possédait le sens des affaires et le P.d.g. les connaissances financières nécessaires. Leurs différents styles de réaction auraient pu former une combinaison magique, mais les deux hommes ne se sont pas adaptés l'un à l'autre de sorte qu'ils n'ont jamais mis leur potentiel en valeur.

Très tôt, Richard avait compris qu'il avait le don de lancer des entreprises et de leur insuffler une orientation générale, mais qu'il manquait de doigté dans la gestion quotidienne des détails. C'est pourquoi il invita Léon à se joindre à lui au moment où MCI était bien lancée. Ce respect sincère de leurs forces réciproques semble avoir aidé à conserver la flexibilité de l'entreprise pendant une longue période.

Bien que Richard soit le facteur de flexibilité le plus remarquable en ce qui touche la direction de l'entreprise, la présence de Léon exerce une influence continuelle, comme en témoigne ce commentaire réitéré à maintes reprises: «C'est Léon qui nous a montré à voler.»

Léon a exercé les fonctions de président pendant les dix ans qui ont précédé sa retraite. Richard et lui travaillent très bien ensemble: la tension constante entre leurs styles de réaction contribue à la circulation des idées et préserve leur enthousiasme.

Un autre acteur dans l'histoire de l'entreprise a aidé celle-ci à progresser. Il s'agit de Marc, le directeur de l'exploitation. Marc est un ingénieur réservé dont le style s'apparente clairement à celui du raisonneur. Il consacre son temps et sa confiance à la logique et aux évidences, apportant à l'entreprise la structure et la cohérence dont a besoin toute organisation.

Benoît, grand, cheveux roux, qui porte des lunettes cerclées de métal et déborde d'enthousiasme, pourrait de prime abord passer pour un risqueur. Mais il apparaît très vite comme un canaliseur, qui met son extraordinaire talent au service de recherches dans des domaines hautement spécialisés. Mentionnons la nouvelle carte intelligente, qui renferme toutes les données relatives au crédit de son titulaire, ce qui lui évite de transporter une pléthore de cartes. Benoît a également inventé la notion de gestionnaire hybride; selon lui, le gestionnaire de l'avenir sera un personnage hybride, possédant de grandes aptitudes en affaires et une certaine connaissance de l'informatique, ou bien un génie en informatique familier avec les affaires. Benoît enseigne ce concept afin de «polliniser» ces aptitudes et de former des chefs hybrides.

Andrée, qui occupe un poste de cadre, franchit de nombreuses frontières géographiques et divisionnelles pour coordonner les nombreux services qu'elle dirige au nom d'importantes sociétés clientes de l'entreprise. Son style de communicatrice convient parfaitement à ce travail qui consiste à orchestrer les ressources de la société afin de répondre aux besoins des clients, mais également afin de servir adéquatement les intérêts de ces derniers auprès de la société.

Geneviève, directrice des affaires externes, est à coup sûr une risqueuse qui n'hésite pas à se mouiller, à prendre des décisions de dernière minute et à en subir les conséquences. D'apparence calme, cheveux blonds, taches de rousseur et vêtements neutres, elle ne demande pas mieux que de se consacrer corps et âme à une idée qui l'emballe. Au contraire de bien des risqueurs, toutefois, elle a de la suite dans les idées. Comme tous les acteurs que nous avons observés au sein de cette entreprise, elle possède de nombreux talents.

Ici comme au sein d'autres associations fructueuses, chacun apprécie la contribution des personnes qui possèdent un style de réaction différent face au changement. Et cette attitude présente de grands avantages. Plus l'entreprise fait face à de nombreuses options en situation de changement, plus elle a de chances de tirer son épingle du jeu.

Le changement graduel

Cette interaction constante des quatre styles de réaction au niveau de la direction et aux autres échelons de MCI a aidé celle-ci à éviter le piège guettant les entreprises qui affrontent un changement graduel. Beaucoup d'entre elles sont innovatrices et pleines d'énergie au début, mais s'encroûtent petit à petit. Richard était décidé à éviter ce glissement vers la médiocrité qu'il avait observé ailleurs. Exemples: le week-end consacré à la recherche de solutions créatives devient tradition et finit par ne produire que des idées banales; l'horaire flexible entraîne le chaos parce que chaque employé «n'en fait qu'à sa tête»; le jeune et brillant directeur des relations publiques devient alcoolique à force de fréquenter les mêmes journalistes pendant les soirées et déjeuners politiques auxquels il assiste au fil des semaines.

Une entreprise qui passe constamment d'un style à l'autre peut éviter de tels pièges en conservant toute leur vigueur et leur efficacité à ses lignes de conduite et à ses actions. MCI bénéficiait des styles de Richard et de Léon qui s'équilibraient de façon à lui conserver toute sa flexibilité pendant les années où elle a subi un changement graduel. Léon était le point immobile au centre du cyclone visionnaire de Richard. L'entreprise profitait constamment des quatre styles de réaction à tous les échelons de sa structure.

Nous avons observé la même dynamique au sein des entreprises, associations et équipes qui demeurent productives avec le temps. Au cours de séances de formation d'équipes, nous avons remarqué une attraction naturelle entre les personnes qui manifestent une prédominance du cerveau droit et celles qui fonctionnent plus avec l'hémisphère gauche. Cette association de styles et de préférences cérébrales aide une entreprise ou un groupe à s'adapter au changement graduel sans perte d'énergie. La tension qui existe entre les styles conserve toute sa vitalité et sa créativité à l'entreprise.

Ce passage entre les modes de pensée relevant des cerveaux gauche et droit se produit lorsqu'une organisation abrite une variété de styles de réaction face au changement.

Style de réaction

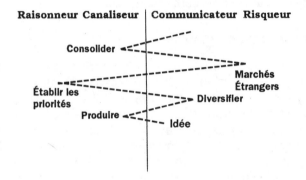

Deuxième réseau en importance au monde, MCI connut une série de passages du cerveau droit au cerveau gauche au cours de sa phase de financement. Ses employés avaient compris qu'un réseau vraiment rentable devait desservir le pays tout entier. Pour ce faire, il leur faudrait fusionner toutes les filiales indépendantes éparpillées ici et là, ce qui exigerait une importante mise de fonds provenant non pas simplement du capital de risque mais d'une institution financière reconnue. Comment faire? Comme la société ne possédait pas les données analytiques requises par ces institutions, elle renversa complètement la vapeur et fit appel au côté intuitif et émotif des banquiers, bref, à leur cerveau droit.

Le directeur de la banque à laquelle Richard s'adressa n'avait jamais financé une nouvelle entreprise auparavant mais, comme tout le monde, il fut emballé par l'idée de celui-ci et considéra le financement de son entreprise comme le point culminant de sa prestigieuse carrière. Il eut recours à deux procédés différents pour garantir l'émission des actions de l'entreprise. Pour obtenir les soldes bancaires requis, il convainquit les principaux fournisseurs de MCI de réinvestir dans l'entreprise la moitié des revenus qu'ils en tiraient afin de lui constituer un solide fonds de secours au moment de l'émission des actions. C'est en élaborant avec enthousiasme cette stratégie issue de son cerveau gauche qu'il vendit son idée au public. MCI n'avait rien à vendre; le directeur de la banque vendit donc son rêve.

Chacune des étapes du financement de MCI démontre une grande faculté d'adaptation et le choix du moment opportun — un passage de droite à gauche et de gauche à droite au moment le plus *propice* au succès.

Lorsque nous conseillons des entreprises sur la manière de devenir et de demeurer flexible, nous essayons de les aider à atteindre cette sorte d'équilibre dans les modes de pensée et de réaction en situation de changement. À cette fin, nous les aidons à déterminer les styles de réaction des directeurs, des membres du conseil et d'autres employés, puis nous enseignons à ces derniers de nouveaux modes de réaction face au changement. Nous leur demandons de mettre en pratique des techniques faisant appel à différentes approches. Nous avons été agréablement surprises de constater que MCI employait déjà des tactiques de changement semblables à celles que nous avons décrites aux chapitres 10 et 11 et que nous enseignons dans nos consultations. Voici une énumération des similarités que nous avons observées.

Perte

Bien que la société ait connu peu de pertes, le climat qui y règne laisse amplement place à l'expression ouverte du chagrin, comme l'ont démontré les réactions du personnel à la maladie de Richard, dont nous avons déjà parlé.

Immersion

Pour lancer son entreprise, Richard s'est immergé dans sept rôles professionnels différents. Il s'est d'abord employé à comprendre à fond toutes les données du problème puis à trouver un capital de risque. Ensuite, il s'est immergé dans les règlements gouvernementaux en matière de télécommunications. Il a ensuite maîtrisé l'art du lobbying, étape nécessaire pour faire entendre son point de vue. Il affirme:

«J'en ai appris bien plus que je ne le désirais sur les lois et le lobbying. Nous avons même déménagé nos bureaux afin de nous rapprocher de nos sources. Puis, lorsque nous avons eu besoin d'investissements, je me suis immergé dans les procédés bancaires. Lorsque nous avons enfin atteint l'étape de la construction, j'en ai appris le plus possible sur ce sujet aussi. Je n'étais jamais assez renseigné à mon goût. Je posais des questions à tout le monde, partout où j'allais. Je lisais quatre heures par jour. Quand je lance un nouveau projet, je me jette dans le sujet tête baissée jusqu'à ce que j'en connaisse le plus possible.

«Cette attitude est efficace pour les autres, aussi. Nos directeurs de la clientèle vont vivre avec leurs clients pendant des semaines. Ils s'installent au siège social du client et travaillent de concert avec les responsables du marketing, les administrateurs, le contrôleur, et ainsi de suite. C'est ainsi qu'ils peuvent comprendre les véritables besoins d'une entreprise en matière de télécommunications. Il faut être sur place pour offrir un service efficace à ses clients», conclut-il.

Sondage d'opinion

La technique du sondage d'opinion se pratique à tous les échelons de MCI. Depuis le début, Richard sonde les législateurs, les avocats, les clients et ses amis afin de connaître leurs besoins en matière de communication et leurs idées. Le directeur de l'exploitation se renseigne sur les techniques de production d'autres sociétés, et même sur celles d'autres pays.

Benoît, l'informaticien, recourt aussi à cette technique pour se tenir au courant d'une énorme variété de tendances. Il lit peu de documents portant sur les télécommunications parce que ses amis et collègues l'informent de tout nouveau développement. Il se tourne plutôt vers d'autres ressources. Il lit des magazines et des feuillets explicatifs, dévore tout ce qu'il peut trouver sur la musique et 22 journaux universitaires. Il assiste à des réunions sur les nouvelles techniques de construction et sur d'autres sujets qui l'intéressent. En s'abreuvant à des sources aussi variées, il acquiert des connaissances générales, se forge une opinion et demeure mentalement ouvert. S'il ressent le besoin d'acquérir des connaissances précises, il convoque trois experts dans le domaine et demande à chacun d'eux d'interroger trois autres experts. À partir de ces neuf sources de renseignement, il obtient toute l'information dont il a besoin.

Technique de la substitution

La technique de la substitution exige le remplacement d'un vieux mode de pensée ou de comportement par un mode tout à fait nouveau. C'est tout à fait le message que lança MCI à ses clients éventuels en 1980. En effectuant des recherches en marketing, la société avait découvert que lorsque leurs comptes de téléphone augmentaient, les clients n'incriminaient pas les tarifs excessifs d'AT&T, mais se blâmaient eux-mêmes pour avoir parlé trop longtemps. Cette découverte aida Richard à créer sa devise: «Vous ne parlez pas trop; vous payez vos communications trop cher.» Ce renversement de perspective frappa des milliers de clients qui quittèrent AT&T au profit de MCI.

La conception du service de courrier électronique en vigueur au sein de la société illustre bien ce concept de substitution du vieux par du neuf. Les systèmes adoptés par d'autres entreprises exigent que les deux parties possèdent un terminal et que l'expéditeur paie un tarif d'abonnement. Si les clients de MCI ne possèdent pas de terminal compatible, le message leur est simplement expédié par messager ou par courrier de première classe. En outre, l'expéditeur ne paie des droits que lorsqu'un message est expédié et ce droit dépend de la longueur du message. Cette nouvelle façon d'utiliser le courrier électronique a attiré une clientèle nombreuse à MCI et a fait de son service de courrier le plus important en son genre.

Voilà quelques exemples qui démontrent comment les techniques de la perte, de l'immersion, du sondage et de la substitution sont utilisées au sein de MCI. Nous avons également trouvé des variantes du brainstorming interne et de la technique de l'inversion utilisées au sein de la société. Ces deux techniques, qui permettent de passer constamment d'un hémisphère à l'autre du cerveau, ont été couramment employées dès les débuts de l'entreprise.

Richard a eu recours à la technique de l'inversion pour reformuler la question des dividendes. Au contraire de la plupart des présidents d'autres sociétés, il ne pensait pas que le versement de dividendes démontre la force d'une entreprise. Il avait observé que les sociétés versaient des dividendes lorsqu'elles avaient cessé de croître et ne réussissaient plus à attirer des investisseurs. Pour lui, une entreprise prospère réinvestit ses profits dans ses propres opérations plutôt que de verser des dividendes, surtout dans un secteur aussi capitaliste que celui des télécommunications.

Un autre exemple de l'emploi de cette technique est illustré par la franchise sans précédent manifestée par MCI au cours des négociations internationales. Lorsque la société essaya d'établir des réseaux de télécommunication au Royaume-Uni, en France et ailleurs, les représentants d'un pays s'informaient parfois de la position des autres pays par rapport à l'entreprise. Le porte-parole de MCI, un homme franc et direct, répondait très honnêtement: «Ils ne veulent pas discuter avec moi» ou «Nous sommes dans une impasse». Ses interlocuteurs le croyaient hypocrite et soupçonnaient qu'une affaire était à la veille d'être conclue. Pour ne pas se laisser distancer, ils s'empressaient de conclure une entente avec la société en faisant des concessions.

L'un des directeurs de la clientèle se sert constamment du brainstorming interne pour prévoir le style de gestion «rapidement changeant» de l'entreprise. «Je ne présente jamais à la haute direction un projet que je n'ai pas soigneusement peaufiné d'abord, affirme-t-il. Les dirigeants sont tellement rapides et intuitifs qu'ils s'emballent souvent à la simple annonce du projet. C'est un peu embarrassant de proposer une idée et de se retrouver quelques minutes plus tard avec une approbation *et un budget*. J'ai appris à considérer tous les aspects de la question et à peser soigneusement le pour et le contre avant d'ouvrir la bouche.»

Il ne fait pas de doute que de nombreux styles sont à l'œuvre au sein de MCI parce que son climat de travail encourage les employés à prendre des mesures courageuses et créatives.

Amorcer un changement

Richard a amorcé de nombreux changements et en les étudiant, nous avons découvert qu'il appliquait régulièrement les sept étapes qui régissent l'amorce d'un changement fructueux et que nous avons décrites au chapitre 11:

1. *Connaissez votre style de réaction et soyez à l'aise avec lui.* Richard aime bouger, prendre des mesures, diriger. L'ambiance familiale créée par les qualités innées de chef que possédait son père et par l'intelligence de sa mère lui ont inculqué la confiance nécessaire pour apprécier le changement.

2. *Soyez emballé par le changement et engagez-vous à le mener à bien.* Richard souligne qu'il était emballé à

l'idée d'affronter AT&T. Non seulement il allait amorcer un changement possiblement rentable, mais personne n'avait jamais relevé ce défi. «On m'avait dit que je ne pourrais pas changer la situation, qu'AT&T détenait le monopole.» Mais je me suis dit «Est-ce écrit quelque part qu'AT&T détient le monopole des *liaisons interurbaines*? Où sont ses contrats?» J'ai découvert qu'il n'existait *aucun règlement gouvernemental régissant les liaisons interurbaines*, donc j'avais deviné juste.

«Sachant que nous possédions un créneau légitime, j'ai réfléchi à tous les usages qu'on pourrait faire des lignes téléphoniques... à des applications inédites. Cela pouvait être aussi important pour l'histoire que l'invention de l'égreneuse de coton et du moteur à vapeur l'ont été pour la révolution industrielle. J'étais emballé et je voulais découvrir tous les moyens d'accélérer notre maîtrise de l'ère de l'information par le truchement des télécommunications.»

3. *Connaissez la position de chacun, vos opposants et vos défenseurs.* «J'ai découvert qu'il y avait de multiples intérêts en jeu, d'affirmer Richard. Certes, AT&T était contre moi et elle possédait un énorme pouvoir financier et juridique. Comme les règlements causent naturellement une force d'inertie, ils jouaient, eux aussi, contre moi. Certains législateurs puissants s'opposaient à moi simplement parce que la loi était en vigueur depuis très longtemps. Par ailleurs, il y avait les personnes favorables à la déréglementation et aussi celles dont j'ignorais l'opinion: comment les grandes entreprises réagiraient-elles, et le grand public?»

4. *Le point crucial.* Il est important de trouver le moment et l'endroit propices. «Il y avait bien des points cruciaux, mais le premier m'est apparu lorsque j'ai découvert qu'aucun règlement gouvernemental ne donnait à ma concurrente des droits exclusifs en ce qui touchait les liaisons interurbaines, expliqua Richard. Je savais alors dans quel panier mettre mes œufs. Nous sommes passés en cour et nous avons obtenu l'accès égal aux lignes interurbaines.»

5. *Harmonisation — obtenir le soutien et l'engagement des autres.* Richard aurait pu suivre le conseil de son génie financier, dont la règle d'or en affaires était simple mais infaillible: «Créez suffisamment de bénéfices éco-

nomiques pour un grand nombre de personnes et elles vous laisseront libre d'agir à votre guise.» Richard s'est assuré que tout le monde tirait parti de chacune des mesures qu'il proposait... et il a réussi à harmoniser ses forces.

6. *Face aux barrières et aux revers, garder son objectif à l'œil, trouver de nouvelles façons de l'atteindre, éviter de revenir en arrière.* Ainsi que se le rappelle Richard, «en 1964, nous avions besoin d'un nombre supplémentaire de fréquences pour nos liaisons interurbaines. Nous voulions construire notre propre réseau de tours, mais nous n'avons pas obtenu la permission de le faire. Nous avons donc modifié nos plans. Nous avons tenté d'acheter les lignes existantes pour nous rendre compte que le «bon vieux réseau» qui détenait le monopole des lignes intercontinentales refusait de nous en vendre. Une fois de plus, un changement de stratégie a été efficace! Nous avons acheté des lignes de qualité inférieure pour pouvoir nous intégrer au réseau, et nous les avons améliorées par la suite.»

L'histoire de MCI regorge d'exemples de personnes ayant persévéré malgré les échecs; l'incident le plus percutant s'est peut-être produit en 1985. Le 25 juin 1985, Richard révolutionna de nouveau l'image de l'industrie des télécommunications. Comme le procès qui l'opposait à AT&T lui avait coûté 113,4 millions de dollars au lieu des 2 milliards prévus à l'origine, il conclut une entente historique avec IBM. En effet, il acheta tous les S.B.S. d'IBM en échange de 16 p. 100 de ses actions.

Comme elle se spécialise dans les liaisons interurbaines, la société a également vendu ses filiales, spécialisées dans les appareils de recherche de personnes et les téléphones cellulaires, pour s'associer à IBM. Elle s'est reconcentrée sur son objectif qu'elle veille à ne pas perdre de vue.

7. *Demeurer flexible.* Voici onze principes qui régissent le fonctionnement de MCI, tels que les a énoncés Richard. On pourrait avec raison les appeler:

Principes d'une entreprise flexible

1. «NOUS AGISSONS RAPIDEMENT et n'avons pas besoin de rapports et d'études pour confirmer ce que nous devons faire. Nous nous fions à notre intuition. Il serait trop long de chercher à atteindre un consensus. Chez nous, les individus ont le pouvoir de prendre des décisions et d'agir. Toute décision fructueuse est récompensée; en cas d'échec, nous récompensons l'effort fourni et révisons la méthode employée.

   «Il y a le vrai temps, et puis il y a le temps de MCI qui se compare à celui d'un chien. Une année de la vie d'un chien équivaut à sept années de la vie de l'être humain. Autrement dit, nos projets sont souvent terminés, les décisions arrêtées et les dispositions prises sept fois plus rapidement que partout ailleurs.»

2. «NOUS NE SUIVONS AUCUNE MODE. Nous changeons tout ce qui est normal, attendu ou traditionnel. Si la mode est de voir gros, nous voyons petit; si la nouveauté est en vogue, nous optons pour le vieux.

   «Alors que toutes les autres entreprises se centralisent, nous nous décentralisons ou faisons parfois les deux en même temps. Alors que les autres mettent le paquet sur la publicité, nous réduisons nos dépenses dans ce domaine.»

3. «NOUS INSTITUTIONNALISONS LE CHANGEMENT. Nos employés changent de poste tous les deux ans. Cela empêche la création d'«empires» et leur donne plus d'énergie pour leur travail du moment. Nous refusons d'adopter des procédés immuables. Il n'y a aucune promotion systématique, ni organigrammes ni descriptions de tâches chez nous. Pas plus qu'il n'y a de manuels de règlements ou d'énoncés de politique pour statuer sur ce qui arrivera demain.»

4. «NOUS ENCOURAGEONS L'ESPRIT D'INITIATIVE en confiant des responsabilités à nos employés. Ils peuvent faire presque n'importe quoi tant qu'ils croient que cela sert les intérêts de l'entreprise.» (Voici une remarque typique d'un employé: «Richard croit tellement en vous que vous êtes certain de réussir.»)

5. «NOUS FAVORISONS UN FORT ROULEMENT DE MAIN-D'ŒUVRE. Lorsque les employés s'encroûtent ou n'aiment pas un travail en particulier, on devrait

les muter ailleurs. Afin d'encourager les employés à s'évaluer constamment, nous facilitons la tâche à ceux qui veulent tâter d'autres emplois et encourageons la formation par rotation de poste. Si un employé qualifié n'arrive pas à trouver un travail qui le stimule, nous faisons en sorte qu'il puisse nous quitter pour revenir le moment venu. L'employé peut exercer d'autres emplois, nous revenir et conserver son ancienneté en ce qui touche les prestations de retraite et les autres avantages sociaux.»

6. «PARFOIS, NOUS DÉCIDONS DE NE PAS PRENDRE DE DÉCISION. Nous pratiquons à l'occasion la «temporisation positive» et décidons de ne rien décider pendant quelque temps. Comme l'industrie des télécommunications évolue à un rythme très rapide, il est parfois plus profitable d'attendre le perfectionnement de certaines nouveautés technologiques avant d'investir dans un nouveau produit attrayant. Commercialiser un modem mal conçu à l'échelle du pays constituerait une erreur d'un milliard de dollars.»

7. «NOUS NE PRÉTENDONS PAS TOUT SAVOIR. Nous savons pertinemment que nous ne pouvons exceller en tout. Nous reconnaissons nos erreurs et essayons de faire de notre mieux. Nous jugeons les idées en fonction de leur valeur et non de la personne qui en est l'auteur. Nous croyons en l'égalité: chez nous, pas de castes ni de formalités. Nous formons des gestionnaires qui savent écouter et respecter les autres. Personne n'est assez important pour refuser d'écouter des commentaires sensés. Nous apprécions les hommes et les femmes anonymes.»

8. «NOUS INSISTONS SUR LA QUALITÉ LUDIQUE DU TRAVAIL. Léon est notre modèle à cet égard. Il a quitté son poste de cadre à IBM et s'est retrouvé devant rien parce qu'il ne s'amusait plus. Comme bien d'autres, il croit qu'un emploi représente plus qu'un salaire, un titre ou la reconnaissance publique. Léon s'amuse quand il sait que sa contribution est importante au sein d'une entreprise.»

9. «NOUS ENCOURAGEONS TOUS LES STYLES DE PENSÉE ET DE RÉACTION AU CHANGEMENT ICI. C'est à dessein que nous encourageons la diversité chez nos employés: en gardant nos cadres retraités

sous la main par le truchement du programme de cadres résidants, nous bénéficions d'une certaine continuité et de l'expérience de nos aînés. En engageant des génies en informatique et des experts en claviers, nous jouissons de talents créatifs en matière de technologie. Grâce à notre programme des diplômés, nous bénéficions des idées avant-gardistes des étudiants. Et nous engageons aussi des personnes qui ont travaillé à la Bourse et qui nous tiennent au courant des derniers développements en matière de finances.»

10. «NOUS SAVONS QUE RIEN N'EST ÉTERNEL, À PART LE CHANGEMENT. Nous savons qu'aussitôt née, une idée ou une organisation commence à décrépir. Nous sommes prêts à durer vingt ans comme à mourir rapidement ou à réviser complètement notre mode de fonctionnement.»

11. «NOUS APPRENONS DAVANTAGE DU FUTUR QUE DU PASSÉ. J'aime réfléchir à ceci: Nous sommes en février 1990; que souhaiterais-je avoir accompli en février 1989? Je constate que la moquette est un petit peu plus usée, que mon bureau a de nouvelles entailles et j'imagine des actions précises que j'aurais voulu avoir accomplies. C'est étonnant, mais cela m'aide énormément à planifier l'avenir.»

Avant de pouvoir appliquer les principes ci-dessus à votre entreprise, vous devez les assimiler. Reprenez chacun d'eux et voyez si vous pouvez les convertir en:

Principes de la personne flexible

1. J'AGIS RAPIDEMENT parce que j'aime le changement et ai confiance en mon aptitude à l'affronter. Cette confiance découle de mes succès antérieurs. J'apprécie le changement parce que je respecte mes besoins physiques et affectifs même lorsque je suis surchargé de travail.

2. JE NE SUIS AUCUNE MODE. Je ne suis pas automatiquement les nouvelles modes. Avant d'adopter un régime ou un style nouveau, j'examine sa pertinence. Je me renseigne sur les nouvelles médecines et les nouveaux traitements médicaux. Il m'arrive de faire l'*inverse* de ce qui est à la mode pour le simple plaisir

de la chose. Je lis des livres et des magazines originaux; j'inverse mentalement les grands titres de journaux pour éviter de tomber dans le piège de la pensée
collective.

3. J'INSTITUTIONNALISE LE CHANGEMENT. Essayer de
nouveaux mets, de nouveaux magazines et de nouvelles méthodes est devenu une habitude pour moi.
Chaque année, je m'engage à poursuivre un intérêt
nouveau (bénévolat, histoire du Koweit, etc.) et à
inventer une nouvelle tradition (célébrer la Nouvelle
Année chinoise, offrir un présent à une tante âgée).

4. JE STIMULE MON ESPRIT D'INITIATIVE en me lançant dans de nouveaux projets que je ne suis pas
certain de réussir; si j'échoue, je reconnais la valeur de
mes efforts. Lorsque j'exécute une tâche ardue, je
m'accorde le plus de liberté possible afin d'assurer ma
réussite. En agissant ainsi, je sais que j'y consacre le
meilleur de moi-même et peux accepter le résultat,
quel qu'il soit.

5. J'AIME AVOIR DES ACTIVITÉS DIVERSIFIÉES AU
TRAVAIL ET DANS MA VIE PRIVÉE. Je peux laisser
tomber des responsabilités et des tâches sans nécessairement les remplacer ou en prendre de nouvelles.
J'écarte les idées qui ne me mènent à rien. Je donne
mes livres, mes vêtements et d'autres objets, même
lorsqu'ils sont en bon état. Je ne suis pas obligé de
poursuivre des relations nocives. Je recherche consciemment la compagnie de personnes intéressantes et
essaie d'apporter du nouveau à mes relations existantes.

6. PARFOIS, JE DÉCIDE DE NE PAS DÉCIDER. Si je
cherche un emploi ou une nouvelle voiture depuis
plusieurs mois, il peut m'arriver de mettre mon projet
en veilleuse pour une semaine ou pour toujours.
Souvent, quand je me permets de temporiser ou de
laisser un projet en plan, je vois que j'ai une raison
d'agir ainsi, que je n'aurais pas reconnue si je m'étais
entêté. C'est comme se forcer à lire un livre jusqu'au
bout même quand on sait que l'on perd son temps.

7. JE N'AI PAS BESOIN D'ÊTRE PARFAIT. Je ne recherche pas la perfection. Je reconnais mes erreurs et
essaie d'en rire. En parlant ouvertement de mes
erreurs avec mes amis et mes associés, je ne me sens

pas coupable ni porté à les dissimuler. Résultat, mes amis et collègues sont plus tolérants face à mes défauts et vice versa.

8. J'INSISTE POUR AVOIR DU PLAISIR DANS LA VIE. Je ne me force pas à exécuter pendant une longue période des tâches qui ne me plaisent pas. J'introduis des éléments amusants dans mon travail. Je prends le plaisir au sérieux; je le privilégie et insiste pour lui accorder autant de temps qu'aux choses sérieuses.

9. J'ENCOURAGE TOUS LES STYLES DE PENSÉE ET DE RÉACTION FACE AU CHANGEMENT. Je m'entoure de collègues, d'amis et de personnes de toutes sortes. J'écoute attentivement les opinions des jeunes et des vieux, des riches et des pauvres, des personnes instruites ou ignorantes, puissantes ou inconnues. La variété d'idées que j'entends stimule ma réflexion et me donne un vision large des choses; à la longue, elle me permet d'accepter les changements et d'en amorcer.

10. JE SAIS QUE RIEN N'EST ÉTERNEL À PART LE CHANGEMENT. Même si je recherche constamment la stabilité et l'équilibre dans ma vie, je me rends compte que le déséquilibre est une constante. Même si j'apprécie le présent et respecte certains éléments de mon passé, je sais qu'en l'absence de tout changement, je perdrai mon enthousiasme pour l'avenir.

11. J'APPRENDS DAVANTAGE DE L'AVENIR QUE DU PASSÉ. Périodiquement, je regarde un mois ou une année en avant pour tenter de voir ce que je devrais faire dans le moment présent. Je prépare l'avenir en me disant: «Nous sommes en juillet 1991: que souhaiterais-je avoir fait en décembre 1990? Qu'aurais-je pu faire pour que cette image de mon avenir ressemble exactement à ce que je voudrais qu'elle soit?» Puis, je prends ces mesures et effectue les changements proposés.

L'application de ces principes à votre vie personnelle et professionnelle augmentera votre flexibilité. Même si vous préférez le style de réaction que vous avez identifié comme votre premier choix dans le Questionnaire sur la faculté d'adaptation au changement, vous vous familiariserez avec les autres approches si vous mettez en pratique les principes ci-dessus.

Une brève révision de l'histoire de MCI met en relief diverses façons d'affronter le changement. Innovateur averti, Richard possédait les qualités nécessaires pour amorcer les changements qui feraient de MCI une mégasociété exerçant une influence sur la vie quotidienne de millions de gens. Une fois lancée dans le monde des télécommunications, MCI a tiré parti des nombreux styles de réactions qui fleurissaient dans son climat de flexibilité.

Dans le présent chapitre, vous avez vu comment l'entreprise a affronté avec succès trois sortes de changement — imposé, graduel et amorcé — en demeurant flexible. Vous avez pris connaissance de certaines des stratégies précises qu'elle a mises en œuvre et de leur lien avec celles que nous avons recommandées dans cet ouvrage. Nos techniques sont fondées sur le bon sens et l'usage courant. Elles n'ont rien de secret ni de magique. Vous pouvez voir, en lisant l'histoire de MCI, que cette entreprise respecte tous les principes de la flexibilité, même si elle ne suit pas l'ordre décrit dans le présent ouvrage. Comme chaque organisation possède une structure et une expérience uniques, elle doit suivre sa propre voie.

En appliquant consciencieusement ces techniques à votre organisation, vous deviendrez plus tolérant et plus enthousiaste envers le changement.

Se forcer à employer les quatre styles de réaction

Vous avez commencé par déterminer votre façon habituelle d'affronter le changement dans le Questionnaire sur la faculté d'adaptation au changement. Puis, vous vous êtes familiarisé avec d'autres méthodes que vous avez utilisées. Si vous employez les quatre styles — raisonner, canaliser, communiquer, risquer — en situation de changement, vous disposez d'au moins quatre options. En vous forçant à le faire, vous y gagnerez sans doute plus que trois nouveaux styles. La somme sera plus grande que les parties réunies. Le fait de vous forcer à employer les quatre styles vous mettra dans un état de plénitude créatrice.

Sans changement, il y aurait peu de raisons de mettre de nouvelles idées en pratique ou de faire appel à nos ressources créatives. Donc, chaque fois qu'on affronte un changement imposé ou qu'on s'adapte à un changement graduel, on est forcé d'être inventif.

Toutefois, il se pourrait bien que le luxe du changement graduel soit en voie de disparition. Les entreprises vont et viennent rapidement de nos jours, de même que les produits et la sagesse conventionnelle. Pour faire face au stress qu'apporte le changement constant, nous devons développer notre capacité de saisir rapidement une pléthore de renseignements, et posséder une gamme étendue d'options qui nous permettront de rester maîtres de notre vie.

D'aucuns croient que nous avons déjà acquis ces aptitudes et pouvons les approfondir davantage grâce à l'hypnose, à la méditation, à l'intuition, à la télépathie et même aux exercices aérobiques. On croit que le siège de ces aptitudes se trouve dans les lobes frontaux, ces parties jumelles du cortex qui ont la taille d'une noix et sont situées derrière le front. Elles sont le siège des aptitudes à diriger comme la planification.

En fait, certains disent que dans un avenir assez rapproché, nous aurons tous un front protubérant comme celui des créatures de l'espace illustrées dans *Rencontre du troisième type* en raison de l'évolution de nos cerveaux.

Barbara Brown, qu'on appelle parfois la «mère du biofeedback», invite ses collègues et d'autres chercheurs à prendre au sérieux le fait que le biofeedback démontre clairement les aptitudes «paranormales» dont font preuve les êtres humains clairvoyants, sous hypnose ou dans certains moments de créativité. Elle-même a fait de telles expériences et croit qu'on ne doit pas les nier simplement parce que la science n'a pas encore réussi à les quantifier ni à les confirmer.

Le Dr Jonas Salk s'intéresse aussi à la transformation que subit le cerveau humain. Le père du vaccin contre la polio affirme que notre cerveau est en train d'évoluer actuellement. «Et il doit le faire. Nos vieilles façons de penser seront bientôt aussi démodées que les dinosaures[35].»

On le croit facilement lorsqu'on voit les recherches et les inventions modernes dans les domaines de l'astronomie, de l'informatique et de la médecine. Et que dire des défis qu'affronte chaque jour l'homme de la rue? Songez à l'impressionnant éventail d'aptitudes que vous utilisez simplement pour passer la journée: traverser un bouchon de circulation monumental pour revenir à la maison; demeurer en communication avec votre famille et vos amis tout en consacrant soixante-dix heures par semaine à un projet d'une durée de six mois; utiliser un guichet automatique et des établissements postaux mécanisés. Songez à l'étonnante performance des couples qui poursuivent chacun leur carrière tout en préservant une relation saine! Ajoutez-y des enfants et vous verrez que vous n'avez pas besoin d'être un inventeur pour innover avec génie!

Faites l'inventaire de toutes les options et aptitudes que vous possédez déjà. Réjouissez-vous de vos réalisations. Voyez le chemin parcouru depuis votre naissance, le nombre de capacités que vous avez mises à l'épreuve pour lire le présent livre. Comptez celles que vous avez acquises et continuez d'approfondir. Le philosophe français Henri Bergson nous aide à conserver le sens des proportions à cet égard: «Exister, c'est changer; changer c'est acquérir de la maturité; acquérir de la maturité, c'est se créer sans fin.»

La technologie moderne, que beaucoup trouvent menaçante, nous laisse en fait libres d'exercer ces aptitudes mentales plus poussées tout comme la moissonneuse a libéré les fermiers qui se sont déplacés vers la ville pour aboutir à l'université. Il fut un temps où les inventions les plus significatives de l'ère de l'information, soit les télécommunications et l'ordinateur, semblaient sur le point de détruire nos emplois et de nous réduire à l'exécution de travaux subalternes en échange d'un maigre salaire. Depuis, notre horizon s'est éclairci. Isaac Asimov, homme de science, écrivain et futurologue, voit une occasion inégalée dans ces changements. Lorsqu'on lui demanda de prédire le sort des êtres humains maintenant que le travail passait du muscle à la machine, il répondit: «Ce qui restera à faire aux humains? Simplement tout — tout ce qui est humain, en fait; tout ce qui exige intuition, longueur de vue, imagination, créativité. Le XXIe siècle sera le premier siècle où le potentiel créatif des êtres humains sera utilisé et stimulé depuis sa naissance[36].»

Vous vous tenez sur le seuil de ces progrès; vous pouvez contribuer à réaliser la prédiction d'Asimov. Dès maintenant, engagez-vous à accroître votre flexibilité chaque jour de manière à pouvoir tirer parti du changement.

CHANGER

Le changement stimule toujours la	**C**réativité
que l'on se sente	**H**arassé
que l'on doive s'	**A**dapter
et accepter la	**N**ouveauté. Et chaque changement
comporte une occasion de	**G**randir,
stimule notre	**E**nthousiasme
et nous aide à nous	**R**éaliser.

Épilogue

Après le changement

Une fois la rédaction du présent ouvrage terminée, nous éprouvions un certain malaise. Lors de la publication de *Utilisez les pouvoirs de votre cerveau*, nous avions ressenti comme une perte; il est douloureux de laisser partir son «enfant». Mais cette fois-ci, nous n'avions pas l'impression d'avoir vraiment terminé, nous étions insatisfaites. Finalement, nous avons compris que nous étions curieuses de connaître le sort de toutes les personnes dont les histoires ont illustré dans ce livre les caractéristiques et les techniques propres au changement. Nous nous demandions comment elles avaient survécu au changement. Bien que nombre d'entre elles soient éparpillées ici et là, nous avons pu les joindre pour la plupart.

Roger, le célibataire endurci devenu père de famille, étudie actuellement des offres provenant d'entreprises de dessin architectural situées dans des villes où la construction est en plein essor. Il a terminé ses études, et sa femme suit actuellement un cours d'infirmière tout en dirigeant un centre de jour. Le couple a maintenant trois enfants.

Anna réussit toujours dans le domaine des télécommunications et elle a conservé des rapports agréables avec Kurt. Après leur divorce, celui-ci est retourné en Allemagne où ses filles lui rendent visite chaque été. L'expérience en photographie acquise en Amérique lui a valu un meilleur statut en Europe où il jouit de la reconnaissance qu'il a toujours souhaitée.

Martin, dont le courage fut rudement mis à l'épreuve dans une prison cubaine, consacre une grande partie de son temps à faire du lobbying en vue d'obtenir un contrat de plusieurs milliards de dollars concernant la vente d'énergie nucléaire. Il travaille aussi très fort comme bénévole puisqu'il élabore des lignes de conduite et un programme national de contrôle de la toxicomanie.

Robert, l'administrateur d'hôpital dont la tendance à effectuer des pseudo-changements le poussait sans cesse à rechercher l'avis des autres, a pris plusieurs décisions importantes. Il a épousé la femme qu'il courtisait depuis dix ans et a pris sa retraite un an plus tard. Il semble enfin soulagé et heureux.

Thomas, l'avocat dont la routine fut brisée lorsque ses affaires périclitèrent, est plus occupé que jamais à l'heure actuelle. Son approche plus humaine lui a valu de nombreux nouveaux clients. Il a maintenant deux associés et deux secrétaires. Il n'anime plus d'émission radiophonique mais il joue régulièrement au basket-ball et au volley-ball avec ses amis de la radio. Et il vient d'acheter un chalet près d'un centre de ski.

Doris, l'analyste en informatique que son congédiement avait littéralement glacée, travaille maintenant à son compte comme conseillère en informatique. Elle réussit très bien mais s'ennuie des contacts humains qu'offre l'environnement d'une grande entreprise. Elle vient d'accepter un poste dans une compagnie d'aviation européenne. Elle adore la stimulation et la confiance en soi que lui a conférées la gestion de sa propre entreprise.

Marie, qui adorait les vêtements et cherchait à concilier la maternité avec sa carrière, a plus qu'atteint ses buts. Elle a un fils de seize mois, représente quatre lignes de vêtements de haute couture et sa Boutique Mère-enfant est à la veille de voir le jour. Comment arrive-t-elle à poursuivre toutes ces activités de front? Grâce à une bonne à temps plein et à un mari qui adore jouer au père.

Jocelyne, la joueuse de tennis qui s'entêtait à mal tenir sa raquette, trouve toujours que les revers sont les points faibles de son jeu. Mais c'est une excellente joueuse et elle persévère. À l'occasion, son jeu brillant stimule son enthousiasme pour le tennis et elle espère faire une percée définitive dans ce sport.

Laurent, l'entrepreneur que son attirance pour le pseudo-changement empêchait de cueillir les fruits de ses nombreux projets, s'est calmé. Il rénove actuellement une vieille maison qu'il a achetée grâce à un modeste héritage. Il a un jardin et un cheval. Il caresse encore d'emballants projets: il compte remettre sur pied son entreprise de prospection par hélicoptère. Pourquoi? Parce qu'il constate que le marché du pétrole est en progression et que les hélicoptères constituent le principal outil de prospection pétrolière.

Monique, qui a trop longuement réfléchi avant d'avoir un enfant, vient d'en adopter un de six mois. Son mari et elle ont obtenu un congé de maternité et ils s'amusent comme des fous.

Mélissa, la directrice des ressources humaines qui n'a pas écouté son intuition et a été congédiée, est devenue conseillère en formation. Elle a connu des moments difficiles financièrement, mais elle est en train d'établir une liste solide de clients en se fiant à son intuition et en agissant rapidement.

Henriette, la jeune fille élevée à la campagne, possède maintenant un diplôme en informatique et un emploi au ministère de l'Agriculture. Elle franchit les courants de la bureaucratie avec un air d'innocence et un sentiment d'engagement. Elle ne sait pas trop où elle va, mais elle goûte le voyage.

Vous avez sans doute suivi dans les médias l'évolution des récits d'actualité dont il a été question dans ce livre: les enquêtes sur la navette Challenger se poursuivent; RJR-Nabisco demeure au centre des controverses entourant la cigarette; Chrysler prospère, malgré quelques défaillances occasionnelles; les recettes de MCI croissent rapidement; et l'audimètre interactif de la Compagnie A.C. Nielsen constitue la norme dans toute l'industrie. AT&T a bénéficié des changements qui ont suivi son désinvestissement. Nombre d'employés mis à pied ou forcés de prendre une retraite précoce se sont lancés dans de nouveaux projets. La plupart de ceux qui restent apprécient la stimulation qu'entraînent la concurrence et la flexibilité que l'entreprise a dû développer.

La société de produits de caoutchouc conserve son ouverture d'esprit envers les consommateurs: à preuve, à la suite d'une requête d'un fermier qui voulait des bottes de caoutchouc pour ses vaches dont les sabots fendillaient pendant l'hiver, la compagnie s'est lancée dans la fabrication d'une botte entravée ornée de deux boucles et dont la semelle prend la forme d'un sabot.

L'histoire des innovateurs chevronnés se termine rarement comme dans les contes de fées. En fait, elle n'est jamais vraiment terminée puisque la vie est infinie et le changement éternel. Mais tous nos innovateurs profitent de leur expérience d'une façon ou d'une autre. En mettant en pratique ce que la vie et ce livre vous ont appris sur le changement, rappelez-vous que vous n'atteindrez peut-être pas votre objectif initial, parce que le changement entraîne beaucoup de virages et de revers inattendus. Mais appréciez ces surprises et sachez que chaque expérience approfondit votre aptitude à amorcer des changements réussis.

NOTES

1. Wonder, Jacquelyn et Priscilla Donovan, *Utilisez les pouvoirs de votre cerveau*, Garancière, 1987, 248 p.

2. *Journal of Police Science and Administration* (1983); *Hospital and Community Psychiatry* (1979); *Mental Health Association Journal* (1986); *The Harvard Business Review* (mai-juin 1977 à mai-juin 1988).

3. Rokeach, Milton, *The Open and Closed Mind*, New York, Basic Books, 1960.

4. Arieti, Silvano, *Creativity, the Magic Synthesis*, New York, Basic Books, 1976.

5. Will, George, Groupe d'écrivains du *Washington Post, Rocky Mountain News*, 8 janvier 1987.

6. Odiorne, George, *The Change Resisters*, Prentice Hall, 1981.

7. Erikson, Erik, *Enfance et société*, Paris, Delachaux et Niestlé, 1976, 285 p.; Maslow, A.H., *The Farther Reaches of Human Nature*, New York, Viking, 1971; Pascual-Leone, J., *Cognitive Development and Cognitive Style*, Lexington, Mass., D.C. Heath, 1976; Rogers, C.R., *On Becoming a Person*, Boston, Houghton Mifflin, 1961; etc.

8. Rokeach, Milton, *op. cit.*

9. Sheehy, Gail, *Passages: les crises prévisibles de l'âge adulte*, Paris, Belfond, 1977, 315 p.

10. Ziegler, S., «Facial Expressions May Regulate Brain's Climate», *Rocky Mountain News*, Denver, 4 mai 1985.

11. Lorenz, Konrad et Nikolaas Tinbergen, *Trois essais sur le comportement animal et humain*, Paris, Seuil, 1974, 208 p.

12. Ornstein, Robert et Richard F. Thompson, *L'incroyable aventure du cerveau*, Inter éditions, 1987, 232 p.

13. Restak, Richard, *The Brain*, New York, Bantam Books, 1984.

14. Agence de presse UPI, «Exercise Releases Tension Through Brain Chemicals», *Chicago Tribune*, 15 février 1985.

15. Russell, Peter, *The Brain Book*, New York, Hawthorn Books, 1979.

16. Blakeslee, Thomas, *The Right Brain*, New York, Anchor Press/ Doubleday, 1980.

17. Ornstein, Robert et Richard F. Thompson, *op. cit.*

18. Wonder, Jacquelyn et Priscilla Donovan, *op. cit.*

19. Cross Talk, *Psychology Today*, janvier 1988 (Rapport sur la rencontre annuelle de l'association américaine de psychologie, 1987).

20. Agence de presse AP, «Caffeine Can Hurt or Help Reasoning», *Rocky Mountain News*, Denver, 21 août 1987.

21. Padus, Emrika, *The Complete Guide to Your Emotions & Your Health*, Emmaus, Pa, Rodale Press, 1986.

22. Rosenfeld, Anne H., «Music, the Beautiful Disturber», *Psychology Today*, décembre 1985.

23. Leo John, *et al.*, «As Time Goes Bye-Bye», *Time*, 19 juillet 1982.

24. Rifkin, Jeremy, *Time Wars*, New York, Henry Holt, 1987.

25. AARP *News Bulletin*, «How We Age», Washington, D.C., vol. 28, n° 8, septembre 1987.

26. Krieger, Lisa, Agence de presse Scripps-Howard, «Age-Old Theories», *Rocky Mountain News*, 16 août 1987.

27. Bowen, Ezra *et al.*, «Can Colleges Teach Thinking?», *Time*, 16 février 1987.

28. Padus, Emrika, *op. cit.*

29. Friedman, Myer, M.D. et Diane Ulmer, R.N., M.S., *Treating Type A Behavior and Your Heart*, New York, Alfred A. Knopf, 1984.

30. Cross Talk, «Type A : Affairs of the Heart», *Psychology Today*, 1ᵉʳ mai 1987.

31. Kennedy, Paul, *Naissance et déclin des grandes puissances*, Paris, Payot, 1989.

32. Schumpeter, Joseph, *Capitalisme, socialisme et démocratie*, Paris, Payot, 1984, 420 p.

33. *Managerial Psychology*, 1981 (National Retail Merchants Association).

34. Tucker, Elizabeth, «There's Long Distance Ahead, But MCI Profits Are Back», *Washington Post*, 26 octobre 1987.

35. *Parade*, 4 novembre 1984.

36. Asimov, Isaac, «1984, What Now?», *Omni*, janvier 1984.

Table des matières

Troisième partie
Techniques pour affronter le changement

Quatrième partie
Le changement au sein de l'organisation